Berlin Noir

The Pale Criminal
1990

Berlin Noir
The Pale Cr...

Philip Kerr

베를린 누아르

창백한 범죄자

필립 커 지음 ㅣ 박진세 옮김

북스오

제인에게

차
례

그대들 같은 선한 자들은 많은 점에서 나를 구역질 나게 한다. 그러나 참으로 그들의 악은 그렇지 않다. 나는 저 창백한 범죄자처럼 그들도 자신을 파멸로 몰아갈 그런 망상을 지니기 바란다! 나는 참으로 바란다. 그들의 망상이 진리, 혹은 성실, 혹은 정의라고 불리기를. 그러나 그들은 오래 살기 위해서, 그것도 가련한 안일 속에서 오래 살기 위해서 자신의 덕을 그대로 지니고 있는 것이다.

—니체

1부

다이어트중에는 크란츨러 카페의 딸기 타르트가 더 자주 눈에 띄는 법이다.

뭐, 최근 나는 같은 의미로 여자들에게 그런 기분을 많이 느끼기 시작했다. 단지 내 경우는 절제하고 있다기보다 웨이트리스에게 무시당하고 있을 뿐이지만. 주위에 예쁜 여자들은 많다. 웨이트리스뿐 아니라 나는 어떤 부류의 여자와도 쉽게 잠자리를 가질 용의가 있다. 이 년쯤 전 어떤 여자가 한 명 있었다. 나는 그녀를 사랑했고, 그녀는 실종되었다. 뭐, 그런 일은 이 도시에서 많은 사람에게 일어난다. 하지만 그 일이 있은 후 내 성생활은 일시적인 불장난일 뿐이었다. 그리고 누군가가 지금 운터 덴 린덴 가에 있는 나를 본다면 최면술사의 시계추라도 좇듯 이쪽에서 저쪽으로 눈을 굴리는 나를 발견하게 될 것이다. 모르겠다. 아마 더위 탓이리라. 올여름 베를린은 제빵업자의 겨드랑이만큼이나 뜨겁다. 혹은 내가 이제 마흔 줄에 접어들어 살짝 어린애 같아진 탓일지도 모른다. 이유야 어찌 됐든 내 생식 충동은 짐승이나 다름없고, 그런 이유로 내 눈을 본 여자들이 내게서 떠나는 건 당연하다.

그런 내 번뇌와 상관없이 길고 뜨거운 1938년의 여름, 아리안 르네상스라는 이름하에 짐승 같은 일이 태연히 자행되었다.

1

8월 26일 금요일

"염병할 뻐꾸기 같군."

"뭐가?"

브루노 슈탈레커가 보고 있던 신문에서 눈을 들었다.

"히틀러지 누구겠나?"

나치스와 관련된 내 파트너의 엄청난 비유에 가슴이 덜컥 내려앉았다. "그래, 물론이야." 나는 그가 그에 관해 더 자세히 설명할까 봐 완전히 이해했다는 뜻으로 잘라 말했다. 하지만 뜻대로 되지 않았다.

"유럽이라는 둥지에서 아기 새 오스트리아가 밀려나기 무섭게 아기 새 체코슬로바키아도 위태로운 지경에 놓였어." 그가 손등으로 신문을 탁 쳤다. "이거 봤나, 베르니? 독일 군대가 수데텐란트[1] 접경지대로 이동하고 있어."

"그래, 무슨 말을 하려는지 알아." 나는 아침 우편물을 집어 들고 자

---

1. 수데티 산맥과 체코슬로바키아 서쪽 경계의 독일인 거주 지역.

리에 앉아 그것들을 살펴보기 시작했다. 봉투에 든 수표 몇 장이 브루노에 대한 내 짜증을 경감시키는 데 도움이 되었다. 믿기 어렵지만 그는 이미 술을 한 잔 마신 게 분명했다. 보통은 술 두 잔이면 이탈리아 웨이터보다 더 말이 많은 브루노가 입을 닫았고, 나는 어느 정도 과묵한 편을 선호했다.

"이상한 건 어미가 눈치를 채지 못한다는 거야. 뻐꾸기 새끼가 어미 새의 친자식들을 계속 둥지 바깥으로 밀어서 내던지는데도 어미는 뻐꾸기 새끼에게 계속 먹이를 준단 말이야."

"아마 어미는 그 뻐꾸기가 얌전히 있다가 얼른 떠나 주길 바라는 거겠지." 내가 뾰족히 말했지만 브루노의 털가죽은 그것을 알아차리기에 너무 두꺼웠다. 나는 편지들 가운데 한 통을 대충 훑어보다가 주의 깊게 처음부터 다시 읽었다.

"어미는 알고 싶지 않을 뿐이야. 그 편지는 뭐지?"

"흠? 아, 수표 몇 장."

"복되어라, 수표를 수취한 날이여. 다른 건?"

"편지. 익명의 편지 같은 거. 어떤 남잔지 모르지만 자정에 의사당에서 보자는군."

"왜?"

"내 옛 사건에 대해 정보를 가지고 있다는데. 여전히 찾지 못한 실종자에 대해서."

"그렇군. 실종자라면 꼬리가 달린 개들만큼이나 많아. 그런 용건으로 부른다는 건 꽤 이상한데. 갈 건가?"

나는 어깨를 으쓱했다. "나는 요즘 잠만 실컷 자고 있네. 왜 안 가겠나?"

"의사당이 다 타 버려서 폐허가 됐다는 사실[2]을 제쳐 놓고라도 그 안으로 들어가는 건 위험하지 않을까? 음, 우선 그건 함정일 수도 있어. 누군가가 자네를 죽이려고 말이야."

"그럼, 이건 자네가 보낸 편지겠군."

그가 어색한 웃음을 터뜨렸다. "아무래도 내가 같이 가야겠어. 안 보이는 곳에서 대기하지. 소리치면 들릴 만한 거리에서."

"혹은 총소리가 들릴 만한 곳에서?" 나는 머리를 저었다. "누군가를 죽이고 싶다면 당연히 경호원을 데리고 올 만한 곳으로 부르지 않을 테지." 나는 책상 서랍을 열었다.

서랍 안에는 그다지 크게 차이가 없는 마우저와 발터가 들어 있었는데 내가 집은 총은 마우저였다. 개머리를 쥐었을 때 안정감이 있었고, 약간 더 작은 발터보다 전체적으로 더욱 견고하고, 소지하기 적합했으며, 제동력이 탁월했다. 액수가 큰 수표처럼 그 총이 내 코트 주머니 안에 들어 있으면 항상 조용한 만족감이 느껴졌다. 나는 브루노를 향해 총을 흔들었다.

"게다가 내게 파티 초대장을 보낸 사람이라면 내가 총을 갖고 다닌다는 걸 알 거야."

"만약 상대가 혼자가 아니라면?"

---

2. 나치 독일 정권의 수립 과정에서 발생한 핵심 사건으로 네덜란드 출신 공산주의자 판 데어 뤼베가 범인으로 밝혀졌다. 공산주의를 배제하고 정권을 잡기 위한 나치의 자작극으로 보고 있다.

"젠장, 브루노, 사서 걱정하지 말게. 나는 위험을 볼 수 있는 데다 이게 우리 일이야. 신문기자들이 단신을 받고 군인들이 급보를 받는다면, 탐정들은 익명의 편지를 받네. 만약 내가 내 편지에 밀랍 봉인을 원했다면 난 염병할 변호사가 됐을 거야."

브루노는 끄덕이며 안대를 살짝 잡아당긴 다음 불안감에 대한 표출을 우리 파트너십의 실패의 상징인 파이프로 옮겼다. 나는 파이프 담배를 피우는 데 필요한 소도구들이 싫었다. 담배쌈지, 청소 도구, 주머니칼, 파이프용 특수 라이터 같은. 파이프 담배를 피우는 사람들은 만지작거리고 꼼지락거리는 데 대가였고, 브래지어 한 상자를 들고 타히티에 상륙한 선교사들만큼이나 우리의 세상을 엉망으로 만들었다. 브루노의 잘못은 아니었다. 그의 술버릇과 짜증 나는 작은 습관들에도 불구하고 그는 여전히 내가 구석진 동네 슈프레발트에 있는 크리포 경찰서의 한직에서 구해 낸 좋은 수사관이었다. 아니, 그건 내 잘못이었다. 나는 기질적으로 독일 은행 은행장 같은 파트너십이 없다는 것을 깨달았다. 그를 보고 있자니 죄책감이 들었다.

"전선에서 우리가 하곤 했던 말 기억하나? 주소와 이름만 쓰여 있다면 어떤 것이라도 확실히 배달된다는 거 말이야."

"기억하지." 그가 파이프에 불을 붙이고, 나치스 기관지인 《푈키셔 베오바흐터》로 눈을 돌리며 말했다. 나는 곤혹스러운 표정으로 그것을 읽고 있는 그를 보았다.

"거기서 진짜 소식을 찾느니 동네 선전원이 포고 사항을 알리러 돌아다니는 걸 기다리는 게 나을 거야."

"맞는 말이야. 하지만 나는 이게 거짓말이라 해도 아침에 신문 읽는 걸 좋아한다고. 버릇이 됐다고나 할까." 우리 둘 다 잠시 말이 없었다.
"여기에 이런 광고가 또 있군. '사립탐정 롤프 포겔만. 실종자 수색 전문'."

"처음 듣는 이름인데."

"들어 봤을 거야. 지난주 금요일에도 주제별 광고란에 실렸으니까. 내가 읽어 보라고 줬잖아. 기억 안 나나?" 입에서 뺀 파이프로 그가 나를 가리켰다. "알겠지만 우리도 광고를 해야 할 거야, 베르니."

"왜? 우린 지금 우리가 다룰 수 있는 것 이상의 모든 사업을 하고 있네. 그런다고 더 나아지지 않을 거야. 추가 경비를 쓸 필요가 있을까? 어쨌든 이 사업에선 당 기관지에 실리는 광고보다 평판이 더 중요해. 이 롤프 포겔만이라는 자는 자기가 무슨 짓을 하는지 모르는 게 분명해. 우리가 맡는 유대인 대상의 모든 일거리를 생각해 봐. 우리 의뢰인들 중 누구도 그런 똥 같은 건 안 읽는다고."

"뭐, 그런 게 필요 없다고 생각한다면야, 베르니……."

"세 번째 젖꼭지 같은 거지."

"그게 행운의 상징이라고 생각한 사람도 있지."

"많은 사람이 그걸 화형에 처하기에 충분한 이유라고 생각했지."

"악마의 표시라는 건가, 응?" 그가 킥킥거렸다. "이봐, 아마 히틀러에게도 있을걸."

"괴벨스에게 갈라진 발굽[3]이 있는 것만큼 분명히. 그들은 모두 지옥에서 왔으니까. 그들 하나하나 전부가."

3. 악마에게 있다는 표식.

♦

　타고 남은 의사당 건물로 다가가면서 나는 사람 한 명 없는 쾨니히
광장을 울리는 내 발소리를 들었다. 이곳에 있는 것은 서쪽 출입구 앞
대좌 위에서 한 손에 검을 쥔 비스마르크 동상뿐으로, 나를 향하고 있
는 머리가 금세라도 나를 덮칠 준비가 되어 있는 것처럼 보였다. 하지
만 내가 기억하기로 그는 독일 제국 의회에 그다지 애착이 없었고—
그곳에 발도 들여놓지 않았다—, 그래서 아마도 상징적인 의미에서
그의 동상이 의사당을 등지고 서 있는 게 아닌가 하는 의심이 들었다.
게다가 꽤 장식이 화려한 르네상스식 건축물도 이제는 싸워서 지킬
만한 가치가 없는 것 같았다. 연기에 그은 의사당 외관은 최후로 가장
극적인 모습을 연출하며 분화한 화산처럼 보였다. 이 화재는 단순히
1918년에 수립된 공화국을 불살랐다는 것 이상의 의미가 있었다. 그
것은 또한 아돌프 히틀러와 그의 세 번째 젖꼭지가 독일 국민을 위해
무엇을 준비해 놓았는지 똑똑히 알리는 불 점占이기도 했다.
　나는 웅장한 정문 출입구가 있던 북쪽으로 걸어 올라갔다. 삼십 년
도 더 전에 어머니와 한 번 들어갔던 적이 있는 문이었다.
　코트 주머니에서 손전등을 꺼냈다. 한밤중에 손전등을 손에 쥔 사
람이 자신을 더 확실한 표적이 되게 하려면 가슴에 여러 색깔 동심원
을 몇 개 그리기만 하면 된다. 어쨌든 내가 가려고 하는 곳에는 타 버
리고 남은 지붕 사이로 달빛이 환하게 비치고 있었다. 전에는 대기실
로 쓰였던 북쪽 현관으로 계속 걸어가면서 나는 나를 기다리는 사람
에게 내가 무장을 하고 있다는 사실을 알리려고 요란스럽게 마우저

의 슬라이드를 당겼다. 으스스한 분위기에서 침묵이 흐르는 가운데 그 소리는 프로이센 기갑 부대가 내는 소리보다 더 크게 들렸다.

"그런 건 필요 없네." 내 위쪽 관람석이 있는 층에서 한 목소리가 말했다.

"그렇긴 해도 잠시 동안은 총을 들고 있겠소. 쥐들 때문에."

남자가 가소롭다는 듯이 웃었다. "쥐들은 여기를 떠난 지 오래야." 손전등 불빛이 내 얼굴을 비추었다. "올라오게, 귄터."

"당신 목소리를 내가 알아야 할 것 같다는 생각이 드는군요." 나는 그렇게 말하고 계단을 오르기 시작했다.

"나랑 같군. 나도 내 목소리를 알아듣지만 그 목소리를 내는 남자가 모르는 타인처럼 느껴질 때가 있지. 별반 이상한 이야기는 아니지 않나? 요즘 세상에는 아니지." 나는 손전등을 꺼내 남자를 비추었고, 이제 내 앞쪽에 있는 방으로 들어가는 그가 보였다.

"그 말을 들으니 흥미롭군요. 당신이 프린츠 알브레히트 가[4]에서 그렇게 하는 말을 듣고 싶은데요." 그가 다시 웃음을 터뜨렸다.

"이제 내가 누구인지 안 모양이군."

나는 대단히 넓은 팔각형 홀의 한가운데에 서 있는 거대한 빌헬름 황제 대리석상 옆에서 그를 따라잡았다. 내 손전등이 마침내 그의 모습을 잡아냈다. 비록 그의 말투에서 베를린 악센트가 느껴졌지만 그에게는 어딘가 범세계적인 기운이 감돌았다. 코의 크기로 보아 적잖이 유대인처럼 보인다고 해도 과언은 아니었다. 해시계 한가운데에

4. 게슈타포 본부 소재지.

솟은 수직 막대처럼 얼굴 한가운데에서 우뚝 솟은 코가 윗입술을 끌어당겨 그의 미소는 살짝 비웃는 듯이 보였다. 잿빛이 섞인 금발을 바짝 깎아 이마를 두드러지게 하는 효과를 냈다. 약삭빠르고 교활해 보이는 얼굴이 그에게 완벽하게 어울렸다.

"놀랐나?" 그가 말했다.

"베를린 범죄 경찰의 수장이 나에게 익명의 편지를 보냈다고요? 아니, 뭐, 내게는 늘 있는 일이죠."

"내가 그 편지에 사인을 했다면 자네가 왔을까?"

"아마 안 왔겠죠."

"그리고 만약 내가 이곳 대신에 프린츠 알브레히트 가로 오라고 했다면? 자신이 호기심이 많다는 걸 인정하시지."

"언제부터 크리포가 호출 상대의 의향에 신경 썼습니까?"

"일리 있는 말이군." 능글맞게 웃으며 아르투르 네베가 코트 주머니에서 휴대용 술병을 꺼냈다. "마시겠나?"

"감사합니다. 사양하지 않겠습니다." 나는 국가형사이사관이 사려 깊게 건넨 순수한 에틸알코올을 뺨이 미어지게 머금었다가 꿀꺽 삼키고 나서 담배를 꺼냈다. 나와 그의 담배에 불을 붙인 뒤 불이 붙은 성냥개비를 이 초쯤 허공에 치켜들었다.

"방화하기 쉬운 곳은 아니군요." 내가 말했다. "단독으로 저지르기에는 말입니다. 꽤 재빠른 녀석이었던 게 분명합니다. 판 데어 뤼베가 이 작은 캠프파이어를 위해 밤을 새웠을 거라는 생각까지 듭니다." 나는 담배를 한 모금 빨고 덧붙였다. "소문에 따르면 뚱보 헤르만이 손을 빌려줬다던데요. 그러니까, 한 손에 불붙은 불쏘시개를 들고 말입니다."

"우리의 총애하는 수상을 두고 그런 말 같잖은 생각을 하다니 기가
막히는군." 말은 그렇게 했지만 네베는 웃고 있었다. "불쌍한 늙은 헤
르만이 이렇게 뒤에서 욕을 먹다니. 오, 그는 방화라는 것에는 동의했
지만 이건 그의 파티가 아니었어."

"그럼 누구의 파티였습니까?"

"절름발이 요이[5]. 그 빌어먹게 불쌍한 네덜란드 놈이 그에게 뜻밖
의 즐거움을 안겨 주었지. 괴벨스와 그의 부하들이 이곳에 불을 지르
려고 했던 날 밤 판 데어 뤼베가 같은 짓을 하려고 마음먹었던 건 불
운이었네. 요이는 자신의 생일날이라도 된 것처럼 생각했지. 특히 뤼
베가 공산당으로 밝혀졌을 땐 말이야. 단지 범인의 체포가 재판으로
이어진다는 생각을 못 했을 뿐이지. 그건 증거를 제출해야 하는 짜증
나는 형식적 절차를 밟아야 한다는 걸 뜻했네. 그리고 물론 뤼베 혼자
서 그 짓을 저지를 수 없었다는 건 처음부터 확실히 했지."

"그럼 왜 그는 법정에서 어떤 말도 하지 않았습니까?"

"그들은 그의 입을 다물게 하려고 가족들을 죽이겠다는 등 온갖 협
박을 했네. 어떤 건지 자넨 알겠지." 네베는 더러운 대리석 바닥에 내
동댕이쳐진 거대한 청동 샹들리에 주위를 거닐었다. "이봐, 자네에게
보여 주고 싶은 게 있네."

겉보기에 독일이 민주주의 비슷한 양상을 마지막으로 띠었던 곳인
거대한 의회 홀로 통하는 복도로 그가 나를 이끌었다. 우리 머리 위에

---

5. 요제프 괴벨스의 애칭.

높이 솟아 있는 것은 한때 의사당 유리 돔의 뼈대였다. 지금은 모든 유리가 박살 났고, 달빛에 비친 구리 뼈대가 거대한 거미의 거미줄과 닮아 보였다. 네베가 손전등으로 홀 주위의 그을고 동강이 난 기둥들을 비췄다.

"저것들은 화재로 심각한 손상을 입었지만 들보를 받치고 있는 형체들은 반쯤 남아 있지. 저 기둥들 중 몇 개가 알파벳 문자들을 받치고 있었다는 걸 알아보겠나?"

"대충 알겠습니다."

"그래, 뭐, 어떤 건 알아볼 수가 없어. 하지만 잘 들여다보면 모토 motto를 나타내는 글자라는 걸 아직도 알 수 있네."

"새벽 한십니다. 안 보이는군요."

네베는 내 말을 못 들은 척했다. "그건 '국가가 당에 우선한다'라는 거였지." 그는 그 모토를 거의 경건하게 반복해 말한 다음 내가 그 의미를 이해했는지 확인하듯 나를 쳐다보았다.

나는 한숨을 쉬고 머리를 흔들었다. "오, 정말 놀라 자빠질 일이군요. 당신이 그런 말을 합니까? 국가형사이사관인 아르투르 네베가? 비프스테이크 나치[6]가? 웃기지 마십시오."

"겉으로 보기에 난 갈색 당원이야, 그래." 그가 말했다. "하지만 알맹이가 무슨 색인지는 모르네. 빨간색은 아니야. 볼셰비키는 아니야. 그렇다고 해서 갈색 당원이라고도 할 수 없지. 난 더 이상 나치를 신

---

6. 갈색 셔츠는 나치의 상징으로, 비프스테이크의 겉은 갈색, 속은 빨갛다는 점에서 나치이면서 공산주의와 사회주의를 신봉하는 자들을 뜻한다.

봉하지 않아."

"젠장, 그럼 당신은 상당한 배우로군요."

"지금은 그래. 살아남기 위해서는 그래야 하니까. 물론 항상 그래 왔던 건 아니지. 경찰이 내 삶이네, 귄터. 나는 경찰을 사랑해. 바이마르 시대에 경찰이 진보주의에 잠식당하는 걸 보았을 때 난 국가사회주의가 이 나라에서 법과 질서에 대한 존경심을 회복시켜 줄 거라고 생각했지. 그런데 전보다 더 나빠졌어. 나는 게슈타포가 디엘스의 통제에서 벗어나도록 도운 사람 중 하나였네. 결국 힘러와 하이드리히가 후임이 됐지만. 그리고……."

"……그리고 비가 처마에서 떨어지기 시작했군요. 알 것 같습니다."

"모두가 같은 방향을 바라봐야 할 시대가 오고 있네. 힘러와 하이드리히가 지향하는 독일 사회에는 반대 의견을 인정하는 관용의 여지가 전혀 없어. 공개적으로 지지를 하지 않으면 그에 대한 처분을 받아들여야 할 걸세. 하지만 아직은 내부에서부터 변혁의 가능성이 남아 있네. 그리고 적절한 때가 오면 우린 자네 같은 남자들이 필요할 거야. 믿을 수 있는 경찰들 말이야. 그게 내가 자네를 여기로 부른 이유일세. 경찰에 복귀하라고 설득해 보려고 말이야."

"날 말입니까? 크리포로 돌아오라고요? 농담하시는군요. 이봐요, 아르투르, 나는 내 일로 자리를 잡았습니다. 먹고살 만하죠. 왜 내가 모든 걸 내던져야 합니까? 다시 경찰이 되는 기쁨을 위해서?"

"그 문제에 관해서 자네에게는 그리 선택지가 많지 않아. 하이드리히는 자네가 크리포에 복귀한다면 자신에게 쓸모가 있을 거라고 생

창백한 범죄자
—
23

각하네."

"그렇군요. 특별한 이유라도 있습니까?"

"자네가 맡아 주길 원하는 사건이 있네. 하이드리히가 파시즘을 개인적인 용도로 해석한다는 걸 자네에게 설명할 필요는 없겠지. 그는 보통 자신이 원하는 것을 얻네."

"어떤 사건입니까?"

"그가 무슨 꿍꿍이인지 나는 모르네. 하이드리히는 내게 털어놓지 않아. 난 자네가 마음의 준비를 하도록 미리 일러 주고 싶었을 뿐이네. 그를 만나자마자 지옥에나 가라고 말하는 따위의 어리석은 짓은 삼가라고 말일세. 우리 둘 다 탐정으로서의 자네 능력을 높이 사고 있네. 나 역시 내가 신뢰할 수 있는 크리포의 누군가를 원하네."

"참, 이놈의 인기란."

"생각해 두는 게 좋을 거야."

"피할 도리가 없을 것 같군요. 그게 십자말풀이 취미를 대신할지도 모르죠. 어쨌든 적신호를 알려 주셔서 고맙습니다, 아르투르." 나는 초조한 마음에 마른입을 닦았다. "혹시 그 병에 레모네이드 같은 건 없습니까? 지금 마실 게 간절하군요. 이렇게 좋은 뉴스를 매일 가져다주실 건 아닐 테죠."

네베가 휴대용 술병을 내밀자 나는 어머니의 젖을 찾는 아이처럼 술병으로 다가갔다. 모양은 젖가슴보다 덜 매력적이지만 위안의 측면에서는 거의 차이가 없었다.

"당신이 보낸 러브레터에는 옛 사건에 대한 어떤 정보를 갖고 있다고 쓰여 있더군요. 그게 아니면 어린애들을 미치게 하는 강아지처럼 나를 꾀어내기 위한 미끼 같은 것이었습니까?"

"예전에 자네가 찾는 여자가 있었을 거야. 기자 말일세."

"아주 예전이죠. 거의 이 년 전입니다. 결국 못 찾았습니다. 내 숱한 실패 가운데 하나죠. 아마 그 사실을 하이드리히에게 말해야 할 겁니다. 그가 나를 끌어들일 마음을 접도록 설득하는 데 도움이 될 겁니다."

"듣고 싶은 건가, 듣고 싶지 않은 건가?"

"뭐, 그 말을 들으려고 넥타이까지 바로잡아야 하는 건 아니겠죠, 아르투르."

"대단한 정보는 아니야. 두 달 전 그 여자가 살던 아파트의 주인이 그녀의 아파트를 포함해서 실내 장식을 새로 하기로 마음먹었네."

"친절한 양반이군요."

"그녀의 아파트 화장실의 위장 벽 뒤에서 그가 마약 도구 상자를 발견했네. 마약은 들어 있지 않았지만 상용자의 필수품이 들어 있었어. 바늘, 주사기, 그 밖에 필요한 모든 것들. 그녀가 사라지고 나서 그 집에 새로 들어온 세입자가 성직자였기 때문에 그 바늘들은 그의 것처럼 보이지는 않았네. 안 그런가? 그리고 그 여자가 마약 중독자였다면 많은 게 설명되지 않겠나? 즉, 마약 중독자라면 전혀 예측할 수 없는 행동을 한다는 말일세."

나는 머리를 저었다. "그녀는 그런 타입이 아니었습니다. 그랬다면 내가 눈치를 챘을 겁니다."

"모르는 일이야. 마약을 끊으려 했는지도 모르고, 강한 성격의 소유자였는지도 모르지. 어쨌든 나는 그런 보고를 받았고, 자네가 알고 싶을 거라고 생각했네. 그러니까 이제 그만 덮는 게 좋을 거야. 그런 비밀을 품은 여자라면 그 밖에 어떤 비밀을 숨기고 있는지 모를 일이니까."

"아니, 그건 걱정 없습니다. 난 그녀의 젖꼭지를 자세히 볼 기회가 있었으니까요."

네베가 신경질적인 미소를 짓고 있어서 그가 내 말을 저질 농담으로 받아들인 것인지 아닌지 확신할 수 없었다.

"그녀의 젖꼭지는 훌륭하던가?"

"적어도 두 개뿐이었죠, 아르투르. 하지만 아름다웠습니다."

2

8월 29일 월요일

베를린 이외의 도시라면 어디든 관목 숲에 둘러싸여 있었다. 헤르베르트 가에 나란히 서 있는 집들 또한 이만 제곱미터의 관목 숲이 둘러싸고 있었다. 하지만 이곳에서는 각각의 집들이 부지를 점령하고 있어서 잔디를 깐다거나 보도블록을 놓을 땅이 거의 없었다. 보도와의 거리가 고작 정문 넓이 정도뿐인 집도 있었다. 건축학적으로 볼때, 집들은 팔라디오 양식과 네오고딕, 빌헬미네 양식과 그 밖에도 묘사가 불가능한 지방 전통 양식들이 혼재되어 있었다. 전체적으로 판단하건대, 헤르베르트 가는 몇 개 안 되는 접의자에 정복을 차려입은 육군 원수들과 해군 장성들이 억지로 모여 앉아 있는 것 같았다.

내가 소환된 거대한 웨딩 케이크 같은 집은 미시시피 농장에 있다면 적절할 것 같았고, 초인종에 응답하여 문을 연 검은 가마솥처럼 생긴 하녀 탓에 그 인상은 더 강해졌다. 나는 그녀에게 신분증을 보이고 약속이 되어 있다고 말했다. 그녀는 마치 자신이 힐러이기라도 하다는 듯이 내 신분증을 의심스러운 눈초리로 바라보았다.

"랑게 부인께서는 아무 말씀도 없으셨는데요."

"부인이 잊으셨나 보군요." 내가 말했다. "부인이 바로 삼십 분 전에 내 사무실로 전화하셨습니다."

"좋아요." 그녀가 마지못해 그렇게 말했다. "들어와요."

그녀가 안내한 거대한 거실은 카펫에 개가 씹다 만 뼈다귀만 뒹굴고 있지 않았더라면 우아하다고 할 만했다. 주인이 있는지 주위를 둘러보았지만 사람의 기척은 없었다.

"아무것도 건들지 마세요." 검은 가마솥이 말했다. "당신이 여기에 있다고 부인께 말씀드리죠." 그러더니 내가 목욕중에 쫓아내기라도 한 것처럼 구시렁거리고 툴툴대면서 여주인을 찾으러 뒤뚱뒤뚱 걸어 갔다. 나는 팔걸이에 돌고래가 조각된 마호가니 소파에 앉았다. 옆에는 상판에 돌고래 꼬리가 조각된, 소파와 한 쌍인 테이블이 있었다. 희극적인 효과를 내는 돌고래 장식은 독일 가구 제작자들에게 늘 인기가 있었지만 나는 개인적으로 삼 페니히짜리 우표에서 볼 수 있는 유머 감각이 더 나아 보였다. 오 분 뒤에 가마솥이 구르듯 돌아와서 랑게 부인이 지금 보잔다고 전했다.

우리가 걸어가는 길고 어둑어둑한 복도의 벽에는 박제된 물고기가 꽤 많이 걸려 있었고, 나는 그중에서 눈에 띄게 멋진 연어 박제 앞에 멈춰 섰다.

"멋진 물고기군요." 내가 말했다. "누가 잡은 겁니까?" 그녀가 조바심을 내며 돌아보았다.

"여기에 낚시꾼은 없어요." 그녀가 말했다. "물고기만 있을 뿐이에요. 물고기와 고양이와 개 들에게는 이만한 집도 없죠. 그중 고양이들이 최악이에요. 적어도 물고기는 죽었으니까. 고양이와 개 들의 먼지는 떨 수도 없어요."

그 말에 거의 자동적으로 내 손가락이 연어가 박제된 틀을 훑었다. 그다지 먼지를 떠는 것 같진 않았다. 지금까지 랑게가家에 머문 비교적 짧은 시간으로도 카펫 청소를 거의 하지 않는다는 것을 금세 알 수 있었다. 참호 안의 진흙탕을 경험한 후로 마루 위를 굴러다니는 약간의 먼지나 빵 부스러기 따위에는 그다지 신경이 쓰이지 않게 되었다. 하지만 그렇다 하더라도 최악의 빈민가인 노이쾰른과 베딩에서 본 많은 집이 여기보다는 깨끗했다.

가마솥이 유리문을 열고 그 옆에 섰다. 사무실로 쓰이는 것 같은 어수선한 거실로 발을 들이자 내 뒤에서 문이 닫혔다.

부인은 크고 두툼한 난초 같은 여자였다. 복숭앗빛 팔뚝과 얼굴에서 늘어져 흔들리는 살 탓에 제 몸집보다 훨씬 큰 옷을 입은 것 같은 주름투성이 멍청한 개를 연상케 했다. 그녀가 키우는 멍청한 개는 그녀와 닮은 주름진 샤페이보다 더 쭈글쭈글했다.

"촉박하게 말씀드렸는데도 이렇게 와 주셔서 기쁘군요." 그녀가 말했다. 나는 공손의 말을 주절거렸다. 그녀에게는 헤르베르트 가 같은 고급 주택가에서 사는 삶에서 풍기는 영향력 같은 것이 있었다.

등받이가 긴 녹색 의자에 앉은 랑게 부인은 뜨개질감을 펼쳐 놓은 듯한 넉넉한 무릎 위에 개를 앉히고 개의 주름을 펴고 있었는데, 나에게 자신의 문제를 설명할 동안 그러고 있을 작정인 듯했다. 나는 그녀가 오십대 중반일 거라고 추측했다. 어떻든 상관없었다. 여자들은 쉰을 넘기면 자신 이외의 누구에게도 관심이 없는 법이다. 남자들과는 완전히 반대랄까.

그녀가 담배 케이스를 꺼내 담배를 권하며 덧붙였다. "박하예요."

내게 그걸 왜 권하는지 궁금했지만 처음 한 모금을 깊숙이 빨아들이고 나서야 박하 향이 얼마나 역겨운지 잊고 있었다는 단순한 사실을 깨닫고 움찔 놀랐다. 그녀가 내 명백한 불편함을 보고 방긋 웃었다.

"오, 피우지 말아요, 제발. 향이 끔찍하군요. 나도 내가 저걸 왜 피우는지 정말 모르겠다니까요. 당신 담배를 피워요. 아니면 집중을 못할 것 같군요."

"감사합니다." 나는 그렇게 말하고 담배를 재떨이 한가운데에 비벼 껐다. "그러는 게 좋을 것 같군요."

"담배를 피우면서 우리가 마실 술을 만들어 주신다면 좋겠군요. 당신이 뭘 좋아하는지는 모르지만 나는 마시는 게 있어요." 그녀가 이오니아식 청동 다리가 상판을 받치고 있는 훌륭한 비더마이어 양식의 작은 장식장을 가리켰다. 고대 그리스 신전을 축소해 놓은 것 같았다.

"저기에 진 병이 있어요." 그녀가 말했다. "진에 섞을 건 라임 주스뿐이에요. 그게 내가 마시는 유일한 거죠."

그것을 마시기엔 내겐 좀 이른 시간이었지만 어쨌든 나는 두 사람분의 술을 만들었다. 나는 그녀가 나를 편하게 해 주려고 애쓰는 모습이 마음에 들었다. 그것은 내가 했어야 할 직업적 역할이었다. 하지만 랑게 부인은 조금도 초조해 보이지 않았다. 그녀는 직업적으로 꽤 성공한 여성처럼 보였다. 나는 그녀에게 술잔을 건네고 등받이 의자 옆에 놓인 삐걱거리는 가죽 의자에 앉았다.

"당신은 관찰력이 뛰어난 사람이겠죠, 귄터 씨?"

"독일에서 어떤 일이 일어나고 있는지는 알고 있습니다. 부인께서 뜻하신 게 그거라면요."

"그런 뜻은 아니었지만, 어쨌든 그런 말을 들으니 기쁘군요. 아니에요, 내가 뜻한 건 당신이 사물을 얼마나 잘 보느냐는 거예요."

"이런, 랑게 부인, 뜨거운 우유인지 알기 위해 고양이가 될 필요는 없습니다. 그냥 다가가서 핥기만 하면 되죠." 나는 그녀가 불편해하는 모습을 보이길 잠시 기다렸다. "부인께서 원하신다면 말씀드리겠습니다. 제가 믿을 만한 탐정인지 물으신 거군요."

"난 그쪽 일에 대해선 잘 몰라요."

"아셔야 할 이유도 없습니다."

"하지만 내가 당신에게 비밀을 털어놓아야 한다면 당신이 그럴 만한 사람인지 알아야 한다고 생각해요."

나는 미소를 지었다. "제 직업이 만족한 고객들 몇몇에게서 추천장을 받는 부류의 일이 아니라는 걸 이해하셔야 합니다. 비밀 엄수는 고해소에서 지켜지는 것만큼 의뢰인에게 지켜야 할 중요한 의무죠. 아마 그게 가장 중요한 걸지도 모릅니다."

"그렇긴 해도 고용된 사람이 그걸 얼마나 잘 지킬지 어떻게 알죠?"

"저는 꽤 잘 지킵니다, 랑게 부인. 제 평판은 좋습니다. 두 달 전에는 제 사업을 사겠다는 제의까지 받았죠. 그것도 꽤 괜찮은 액수에."

"왜 팔지 않았죠?"

"우선, 이 사업은 파는 게 아닙니다. 그리고 두 번째로 저는 고용주라고도 할 수 없지만 고용인이 되는 것도 맞지 않습니다. 그렇더라도 그런 제안을 받으면 으쓱해지죠. 어쨌든 이런 얘긴 여담입니다. 개인적으로 조사 서비스를 원하는 대부분의 사람이 그 회사를 살 필요까진 없습니다. 보통 변호사에게서 적당한 사람을 소개받는 걸로 충분합니다. 조사해 보면 저를 몇몇 법률 회사에서 추천했다는 걸 아실 겁니다. 제 억양이나 태도를 싫어하는 변호사들도 포함해서요."

"미안하지만, 귄터 씨, 내 생각에 변호사는 너무 과대평가된 직종이에요."

"그에 관해서라면 저도 부인의 생각과 같습니다. 매트리스 밑에 어머니가 감춰 둔 돈을 훔치지 않는 변호사를 아직 만나 본 적이 없으니까요."

"나는 거의 모든 사업상의 문제에서 내 판단으로 보다 믿을 만한 거래를 이끌어 냈어요."

"정확히 어떤 사업입니까, 랑게 부인?"

"출판사를 운영해요."

"랑게 출판사 말입니까?"

"말씀드렸다시피 내 판단을 믿어서 잘못된 적이 없어요, 귄터 씨. 출판이란 건 모든 취향을 포함하고 어떤 책이 누구에게 팔리는지 제대로 알아야 해요. 나는 어느 모로 보나 베를린 사람이고, 이곳에 사는 사람 누구보다 이 도시를 잘 알죠. 처음 질문으로 돌아가서 당신의 관찰력이 어떤지 알 수 있도록 내 질문에 대답해 봐요. 내가 베를린에 처음 온 사람이라면 당신은 나에게 이 도시 사람들을 어떻게 묘사하겠어요?"

나는 미소를 지었다. "베를린 사람들이라. 좋은 질문이군요. 어떤 의뢰인도 제가 전에 얼마나 영리한 개였는지 보기 위해 굴렁쇠 몇 개를 뛰어넘어 보라고 요구한 적은 없었습니다. 대개 저는 이런 걸 받아들이지 않지만 부인께는 특별 대우를 해 드리죠. 베를린 사람들은 자신에게 특별 대우를 하는 사람을 좋아합니다. 이제 막을 올릴 테니 주목해 주시기 바랍니다. 베를린 사람들은 체면도 중시하지만 특별한 대우도 받고 싶어 하죠. 대개 그들은 엇비슷해 보입니다. 스카프를 두르고, 모자를 쓰고, 상하이까지 걸어도 티눈이 생기지 않는 신발을 신습니다. 네, 베를린 사람들은 걷는 걸 좋아합니다. 그런 이유로 많은 사람들이 개를 한 마리씩 기르죠. 남자들은 여자들보다 더 빗질을 많이 하는 데다 콧수염을 기릅니다. 그 안에서 멧돼지 사냥이라도 할 수 있을 만큼 풍성하게요. 외국인 관광객들은 베를린 남자들이 여자들만큼이나 옷에 신경 쓴다고 생각합니다만 그건 여자들이 못생겼기 때문에 그렇게 보이는 거죠. 요즘은 외국인 관광객들을 찾아볼 수 없기도 합니다만. 국가사회주의가 목이 긴 군화를 신은 프레드 아스테어[7]를 보는 것만큼이나 관광객을 보기 어렵게 만들었습니다.

이 도시 사람들은 맥주를 포함해 무엇이든 최고를 손에 넣으려고 합니다. 특히 맥주는 베를린 사람들에겐 중요하죠. 여자들도 남자 못지않게 최고의 맥주를 선호하고 그런 맥주에 돈을 아끼지 않습니다. 운전을 할 줄 아는 거의 모든 사람이 차를 너무 빨리 모는 경향이 있지만 아무도 정지 신호를 무시하고 달리지는 않습니다. 공기가 나쁜 데다 담배도 너무 많이 피우기 때문에 베를린 사람들의 폐는 썩어 가

---

7. 미국의 뮤지컬 배우 겸 댄서.

고 있습니다. 그리고 이해하기에 따라서 잔인하게 들리는 유머 감각도 있습니다. 이해를 한다면 더 잔인하게 들리죠. 또한 요새만큼이나 단단하고 비싼 비더마이어 양식의 가구를 사들인 다음 그걸 갖고 있다는 사실을 숨기려고 유리창에 작은 커튼을 답니다. 과시와 비밀 유지라는 특이한 조합이야말로 전형적인 베를린 기질이랄까요. 어떻습니까?"

랑게 부인이 고개를 끄덕였다. "베를린 여자들이 못생겼다는 지적만 빼면 꽤 훌륭하군요."

"그 말은 적절치 못했습니다."

"그건 틀렸어요. 주장을 굽히지 말아요. 아니면 당신에 대한 호감이 사라질 테니까요. 그 말은 적절했어요. 곧 이유를 알게 될 거예요. 보수는 어느 정도죠?"

"하루에 칠십 마르크. 경비는 별도입니다."

"경비는 얼마나 들죠?"

"말씀드리기 어렵습니다. 출장비. 정보를 얻는 데 드는 뇌물. 정보를 얻을 수 있는 데 드는 비용 전부. 뇌물을 제외한 경비 일체의 영수증을 끊어 드릴 수 있습니다. 제 말을 믿으시는 수밖에 없습니다."

"뭐, 경비 지불에 대한 판단은 잘하실 거라 믿어요."

"여태 그게 문제가 된 적은 없었죠."

"계약금을 드려야겠군요." 그녀가 봉투를 내밀었다. "천 마르크예요. 그 정도면 되겠지요?" 나는 끄덕였다. "당연히 영수증은 필요해요."

"알겠습니다." 나는 그렇게 말한 다음 그녀가 준비한 계약서에 사인했다. 사업 정신이 투철하군. 그렇다. 그녀는 대단한 여자였다. "그건 그렇고, 어떻게 저를 고르셨습니까? 변호사에게 부탁하진 않으셨을 테고, 게다가," 나는 심사숙고해서 덧붙였다. "저는 광고도 하지 않습니다."

그녀가 여전히 개를 안은 채 자리에서 일어나 책상으로 갔다.

"당신의 명함을 갖고 있었어요." 그녀가 그것을 내게 건네며 말했다. "사실 아들이 갖고 있었죠. 아들의 낡은 양복 주머니에 들어 있었어요. 그 양복은 일 년쯤 전에 겨울 자선 운동에 보냈죠." 그녀가 독일 노동 전선인 노동당에서 주도했던 복지 프로그램을 언급했다. "그 애에게 돌려주려고 갖고 있었어요. 그런데 버려도 된다고 하더군요. 버리지 않았을 뿐이에요. 당신 명함이 어느 순간 쓸모가 있을지도 모른다고 생각했죠. 뭐, 틀린 생각은 아니었군요. 그렇지 않은가요?"

그것은 내가 브루노 슈탈레커와 동업을 하기 전에 썼던 예전 명함이었다. 명함 뒤에 적혀 있는 전화번호는 예전에 살던 집 전화번호였다.

"아드님이 그걸 어디서 얻었는지 궁금하군요." 내가 말했다.

"킨더만 박사가 갖고 있던 거라고 한 것 같아요."

"킨더만?"

"당신이 물어서 그 사람이었다는 게 생각났어요." 나는 지갑에서 새 명함을 꺼냈다.

"별로 중요한 건 아닙니다. 하지만 지금은 동업자와 일하니까 새 명함을 갖고 계시는 게 좋을 것 같군요." 내가 그녀에게 명함을 건네자 그녀가 그것을 책상 위 전화기 옆에 놓았다. 그녀는 머릿속에서 어떤 스위치를 내린 것처럼 심각한 얼굴로 잠시 자리에 앉아 있었다.

"이제 내가 당신을 여기로 부른 이유를 말하는 게 좋을 것 같군요." 그녀가 결심한 듯 말했다. "날 협박하는 사람을 찾아 주세요." 그녀는 잠시 사이를 두고 등받이 의자에서 거북하게 자세를 바꿨다. "미안해요. 이 의자는 불편하군요."

"천천히 하십시오. 협박은 누구에게든 신경 쓰이는 거니까요." 그녀가 고개를 끄덕이고 진을 몇 모금 들이켰다.

"그러니까, 두 달 전쯤, 아마 조금 더 됐을지도 모르겠어요. 아들이 어떤 사람에게 썼던 두 통의 편지가 담긴 봉투를 받았어요. 킨더만 박사에게 쓴 거였죠. 물론 나는 그게 아들의 필체라는 걸 알아봤지만 그 편지를 읽진 않았어요. 그 편지들이 매우 개인적인 거라는 걸 알았으니까요. 아들은 동성애자예요, 귄터 씨. 나는 예전부터 그 사실을 알았기 때문에 이 공갈범이 의도한 내용이 나에게만큼은 끔찍한 폭로가 아니었어요. 그가 그 내용을 쪽지에 명백하게 밝혔더군요. 그리고 내가 받은 것들과 같은 편지들이 더 있다고 했어요. 자기가 갖고 있다고요. 천 마르크를 내면 그것들을 나에게 보내 주겠다더군요. 그리고 내가 거절하면 어쩔 수 없이 게슈타포에 보내겠다고 했어요. 현 정권이 이 불행한 젊은이들에게 공화국 때보다 덜 개화된 태도를 취하고 있다는 건 굳이 말할 필요 없겠죠, 귄터 씨. 남자들 사이의 성적인 접촉은 그게 가벼운 관계라 해도 요즘은 처벌로 다스려요. 라인하르트가 동성애자라는 게 드러나면 최대 십 년형으로 강제수용소로 보내질 거라는 건 의심의 여지가 없어요.

그래서 돈을 줬어요, 귄터 씨. 내 운전기사가 내가 말한 장소로 돈을 갖다 준 후 일주일 정도를 기다렸지만 내가 바랐던 편지 묶음은 받지 못했어요. 한 통만 받았죠. 마음이 바뀌었다는 익명의 쪽지와 함께요. 돈을 더 내라는 거였어요. 돈을 한 번 보낼 때마다 한 통씩 주겠다는 거죠. 그리고 자신에게는 아직 열 통의 편지가 더 있다고 했어요. 그 이후 네 통의 편지를 받았어요. 거의 오천 마르크가 들었죠. 편지를 보낼 때마다 더 많은 돈을 요구했어요."

"아드님이 이 사실을 알고 있습니까?"

"아니요. 두 사람 다 고통을 받아야 할 이유가 없어서 적어도 당분간은 알리지 않았어요." 내가 한숨을 쉰 다음 반론하려고 하자 그녀가 막았다.

"알아요. 그러면 범인을 잡기가 더 어렵다고 말씀하시려는 거겠죠. 라인하르트가 도움이 될 만한 정보를 갖고 있을 거라는 것도요. 전적으로 옳아요. 하지만 내가 그러는 이유를 들어 보세요, 귄터 씨.

우선, 내 아들은 충동적인 아이예요. 분명 그 애는 돈을 주지 말고 공갈범에게 악마에게나 가라고 말할 거예요. 그렇게 하면 그 애는 거의 확실한 철창행이죠. 현실이 어떤지 전혀 모르는 바보지만 라인하르트는 내 아들이고, 나는 그 애를 깊이 사랑하는 엄마예요. 나에게 협박 편지를 보내는 사람이 누군지 몰라도 인간의 심리를 꿰뚫어 보고 있는 자라는 생각이 들어요. 그자는 과부인 어머니가 하나뿐인 아들을 어떻게 생각하고 있을지 꿰뚫고 있어요. 특히 나처럼 부자에다가 꽤 외로운 사람의 마음을요.

두 번째로, 나는 동성애자의 세계를 어느 정도 이해하고 있어요. 그 주제로 고故 마그누스 히르슈펠트 박사가 책을 몇 편 썼는데, 그 저작들 중 하나를 내가 출판했다는 걸 자랑스럽게 여기고 있죠. 비밀스럽고 꽤 위험한 세계예요, 귄터 씨. 공갈범들에게는 그 세계가 무기나 다름없어요. 공갈범은 내 아들과 실제로 아는 사이일 수도 있어요. 남자와 여자의 관계라 해도 사랑은 공갈범에겐 좋은 먹이죠. 간통이 수반되거나 나치스가 관심을 갖고 있는 인종 오염이 연루되었을 땐 더욱.

이런 이유 때문에 당신이 공갈범의 정체를 알아내면 그때 라인하르트에게 말할 작정이고, 그다음 어떻게 할지는 아들이 결정할 거예요. 하지만 그 전까지 그 애에게는 이 일에 대해 알리지 않을 거예요." 그녀가 나를 미심쩍게 쳐다보았다. "알겠죠?"

"제가 그 말씀에 토를 달 입장은 아닙니다, 랑게 부인. 이 일에 대해 많이 생각하신 것 같군요. 제가 아드님 편지를 봐도 되겠습니까?" 등받이 의자 옆 서류철로 손을 뻗은 그녀가 머리를 끄덕이더니 머뭇거렸다.

"그럴 필요가 있을까요? 그러니까, 그 애의 편지를 읽을 필요가요."

"네, 있습니다." 내가 단호하게 말했다. "그리고 공갈범에게서 온 쪽지도 갖고 계십니까?" 그녀가 내게 서류철을 건넸다.

"이 안에 다 들어 있어요." 그녀가 말했다. "편지들과 익명의 쪽지들이오."

"쪽지를 돌려 달라는 요구는 없었습니까?"

"네."

"그건 좋군요. 그건 우리가 아마추어를 상대하고 있다는 뜻입니다. 이자는 돈을 요구할 때마다 보낸 쪽지들을 돌려 달라는 말도 없이 이런 짓을 했습니다. 부인께서 그자에 대한 증거를 모으지 못하도록 하지도 않고 말입니다."

"네, 무슨 말인지 알겠어요."

나는 깊게 생각하지 않고 증거라고 여긴 것을 훑어보았다. 쪽지와 편지 들 전부 특별히 두드러진 특징 없이 상태가 좋은 타이프라이터로 타이핑되어 있었고, 모두 나치스 집권 5주년 기념우표가 붙은 서베를린 여러 지역―W.35, W.40, W.50―에서 우송된 것이었다. 그것이 내게 무언가를 말해 주었다. 기념 행사는 1월 30일에 거행되었고, 따라서 랑게 부인을 협박한 자는 우표를 빈번하게 사는 자는 아닌 듯했다.

라인하르트 랑게의 편지는 사랑에 빠진 사람들만이 신경 써서 살 만한 매우 비싼 종류의 편지지로, 보통 편지지보다 더 두꺼운 것이었다. 필체는, 어쩌면 편지 내용보다 더 조심스러울 만큼 단정하고 깔끔했다. 터키탕 종업원조차 두 사람 사이에 특별히 드러나는 부적절한 어떤 것도 눈치채지 못할 테지만 나치 독일에서 라인하르트 랑게의 연애편지는 파렴치한 두 사람에게 핑크 트라이앵글[8] 표식이 있는 죄수복을 입혀 강제수용소로 보내기에 충분했다.

"란츠 킨더만." 라임 향이 나는 봉투에 쓰인 이름을 읽고 내가 말했다. "그를 잘 아십니까?"

"라인하르트가 동성애 치료를 받도록 설득당했을 때였어요. 먼저 그 애는 다양한 내분비 관련 약을 시도했지만 아무 효과가 없었죠. 정

---

8. 강제수용소 죄수복 가슴에 붙은 동성애자임을 알리던 표식.

신요법을 쓰는 게 더 성공 확률이 높아 보였어요. 몇몇 당 고위 간부와 히틀러 청소년단의 소년 몇몇이 같은 치료를 받은 걸로 알고 있어요. 킨더만은 정신요법 의사고, 라인하르트가 처음 치료를 받으러 반제에 있는 킨더만 클리닉에 입원했을 때 둘은 처음 알게 되었죠. 하지만 치료는커녕 그 자신이 동성애자인 킨더만과 깊은 사이가 되었어요."

"제 무지를 용서하십시오. 대체 정신요법이란 게 뭡니까? 그런 건 더 이상 허용되지 않는 걸로 알고 있습니다만."

랑게 부인이 머리를 저었다. "나도 정확히는 몰라요. 하지만 종합적 육체 건강 치료의 일환으로 정신장애 치료에 역점을 두는 걸로 알고 있어요. 프로이트라는 사람의 치료법과는 어떻게 다른지 묻지 마세요. 그는 유대인이고 킨더만은 독일인이라는 것만 빼고요. 킨더만 클리닉은 엄격하게 독일인만 받았어요. 알코올과 마약 문제가 있는 부유한 독일인들, 보다 특이한 치료 목적—척추 지압 같은 것들—이 있는 사람들이오. 아니면 단지 비싼 휴식을 찾는 사람들. 킨더만의 환자들 중에는 루돌프 헤스 지도자 대리도 있죠."

"킨더만을 만나신 적 있습니까?"

"한 번요. 나는 그를 좋아하지 않아요. 상당히 오만한 오스트리아인이에요."

"그들은 다 그렇죠." 내가 웅얼거리듯 말했다. "그가 협박을 할 타입이라고 생각하십니까? 어쨌든 아드님이 쓴 편지들은 그에게 보내졌습니다. 킨더만이 공갈범이 아니라면 그를 아는 자여야 합니다. 아니면 적어도 그에게서 편지를 훔칠 기회가 있었던 자거나요."

"그 편지들이 둘 모두에게 위험하다는 단순한 이유로 킨더만을 의심해 본 적이 없다는 걸 고백해야겠군요." 그녀는 잠시 생각에 빠졌다. "어리석게 들릴지 모르지만 나는 편지가 어떻게 제삼자의 손에 들어가게 됐는지는 생각해 본 적이 없어요. 하지만 이제 당신 얘기를 들어 보니 제삼자가 그 편지들을 훔친 게 틀림없겠군요. 아마 킨더만에게서."

나는 끄덕였다. "좋습니다. 이제 보다 더 어려운 질문을 하겠습니다."

"무슨 질문을 할지 알 것 같아요, 귄터 씨." 그녀가 무겁게 한숨을 쉬며 말했다. "내 아들이 공갈범일 가능성을 생각해 봤느냐는 말이겠죠?" 그녀가 나를 판단하듯이 바라보고 덧붙였다. "내 말이 맞는 것 같군요. 당신이 바로 그런 시니컬한 질문을 하길 바랐어요. 이제 당신을 믿을 수 있겠어요."

"탐정이 시니컬하다는 건 원예에 열정적인 정원사와 같습니다, 랑게 부인. 그런 태도 때문에 곤경에 빠지기도 하지만 보통은 그런 태도가 상대를 깔보는 어리석음을 막아 주죠. 따라서 이런 말씀을 드리는 걸 양해해 주시기 바랍니다. 아드님을 수사 대상에 포함시키지 않기 위한 최대 이유가 바로 아드님의 범행일지도 모른다는 사실이고, 부인께서는 이미 그 생각을 하셨죠." 그녀가 희미하게 미소 짓는 모습을 보고 덧붙였다. "제가 부인을 깔보지 않는다는 걸 아셨을 겁니다, 랑게 부인." 그녀가 끄덕였다. "부인이 생각하시기에 아드님이 돈이 궁한 것 같습니까?"

"아니요. 그 애는 랑게 출판사 이사고, 상당한 급료를 받아요. 아버지가 그 애에게 남긴 거액의 신탁금 수입도 있죠. 그 애가 도박을 좋아하는 건 사실이에요. 하지만 내가 볼 때 그보다 더 걱정이 되는 건 그 애가 '우라니아'라고 하는, 얼토당토않은 출판물을 떠안고 있다는 거예요."

"출판물?"

"잡지 이름이에요. 점성술이라든가 그와 비슷한 쓰레기 같은 것들에 관한 잡지죠. 그 애는 그 잡지를 인수한 날 이후로 돈만 버렸어요." 그녀는 불을 붙인 또 한 개비의 담배를 휘파람을 불듯 주름 진 입술 사이에 물고 빨았다. "그리고 정말 돈이 궁하다면 나에게 와서 달라고만 하면 된다는 걸 그 애는 알아요."

나는 슬픈 미소를 지었다. "제가 귀여운 타입이 아니라는 건 알지만 저를 양자로 삼으실 생각은 없으신가요?" 그녀가 그 말에 웃음을 터뜨린 후에 내가 덧붙였다. "아드님은 대단히 운이 좋은 젊은이 같군요."

"그게 그 애를 버려 놨죠. 그리고 더 이상 젊지도 않아요." 허공을 응시하는 그녀는 보아하니 담배 연기를 좇는 것 같았다. "나 같은 부유한 과부에게 라인하르트는 장사꾼들이 말하는 '미끼 상품'인 거예요. 하나뿐인 아들에게 맛본 실망과 비교하면 인생을 살면서 느낀 다른 실망은 아무것도 아니에요."

"그렇습니까? 아이들은 나이를 먹을수록 사랑스러워진다고 들었습니다만."

"시니컬한 것치곤 꽤 감상적인 말을 하시는군요. 아이가 없나 봐요. 한 가지 알려 드리죠, 귄터 씨. 아이는 부모가 늙어 간다는 걸 알려 주는 거울이에요. 아이들이 내가 나이를 먹어 간다는 걸 아는 가장 빠른 방법일걸요. 소멸해 가는 자신을 비추는 거울이에요. 무엇보다 내 경우에는요."

개가 전에도 많이 들은 이야기라는 듯 하품을 하고 그녀의 무릎에서 뛰어내렸다. 개는 마루 위에서 기지개를 켜고 문을 향해 달려가더니 무언가를 기대하며 여주인을 돌아보았다. 그녀는 개의 이런 건방진 태도에도 동요하지 않고 집 밖으로 내보내기 위해 자리에서 일어났다.

"그럼, 이제 어쩌죠?" 그녀가 등받이가 긴 의자로 돌아오며 말했다.

"또 다른 쪽지가 오길 기다려야 합니다. 다음 돈 전달은 제가 하겠습니다. 하지만 그 전까지 며칠간 킨더만의 클리닉을 조사해 보는 게 좋을 것 같습니다. 아드님의 친구에 대해 좀 더 알고 싶습니다."

"경비를 들여야 한다는 뜻이겠죠?"

"짧게 끝낼 생각입니다."

"알아서 하세요." 그녀가 여학교 교장 같은 어조로 말했다. "킨더만 클리닉은 하루에 백 마르크죠."

나는 휘파람을 불었다. "대단하군요."

"그리고 이제 그만 실례해야겠군요, 귄터 씨." 그녀가 말했다. "회의 준비를 해야 해요." 돈을 주머니에 넣고 그녀와 악수를 한 다음 건네받은 서류철을 집어 들자 그녀가 문을 가리켰다.

나는 다시 먼지 쌓인 복도를 따라 홀로 나왔다. 짖는 듯한 목소리가 들렸다. "잠깐 기다려요. 문을 열어 드릴 테니. 랑게 부인은 제가 배웅하지 않는 걸 싫어 하시니까요."

창백한 범죄자
—
43

문손잡이에 손을 올리자 거기에 무언가 끈적끈적한 게 묻어 있었다. "따뜻한 분이시군요." 가마솥이 홀을 뒤뚱뒤뚱 가로질렀을 때 나는 짜증스럽게 문을 열어젖혔다. "일부러 안 나와도 되는데." 내가 손을 살펴보며 말했다. "이 먼지 구덩이에서 뭘 하는지 모르겠지만 하던 일 하시죠."

　"랑게 부인을 오래 모셨지만," 그녀가 으르렁댔다. "부인께서는 어떤 불평도 하신 적 없어요."

　내 협박이 먹히지 않은 모양이었다. 어쨌든 짖지 않는 경비견을 키우는 데는 훌륭한 이유가 있는 법이다. 주인의 애착이 둘 다에게 향했을 거라는 생각은 들지 않았다. 이 여자에게는 아닐 터였다. 차라리 악어에게 애착이 향할 확률이 더 높아 보였다. 잠시 서로 노려보다 내가 말했다. "부인께서는 늘 그렇게 담배를 많이 피우십니까?"

　검은 가마솥은 잠시 그게 놀리려고 한 질문인지 생각했다. 마침내 그녀는 놀리는 말이 아니라고 판단한 것 같았다. "부인께서는 늘 담배를 입에 물고 계세요."

　"뭐, 그렇다면 설명이 되는군요." 내가 말했다. "부인 주변이 담배 연기로 뿌예서 당신이 있다는 사실조차 모르는 게 분명합니다."

　그녀가 구시렁구시렁 욕을 하면서 내 얼굴 앞에서 문을 쾅 닫았다.

　도심을 향해 쿠르퓌어슈텐담을 따라 돌아오면서 생각이 많아졌다. 나는 랑게 부인의 사건을 생각한 다음 그녀가 준, 주머니에 든 1천 마르크를 떠올렸다. 그녀가 대는 비용으로 멋지고 쾌적한 요양원에서 취할 짧은 휴식을 생각했다. 내게는 적어도 잠시나마 부르노와 그의 파이프에서 벗어날 기회였다. 브루노에게는 아르투르 네베와 하이드리히에 대한 말은 하지 않을 생각이었다. 불면증과 우울증 치료도 받을 수 있을지 몰랐다.

하지만 무엇보다 내가 골똘히 생각한 것은 어떻게 이름도 들은 적 없는 오스트리아 호모의 손에 집 전화번호까지 쓰인 내 명함이 건네 졌는가 하는 점이었다.

3

8월 31일 수요일

반제 쾨니히 가 이남은 환자에게 쓰이는 것만큼 많은 에테르를 사용하여 바닥과 창문을 닦은, 온갖 종류의 깔끔한 클리닉과 병원이 모여 있는 곳이었다. 병원 측은 치료에 관한 한 평등주의를 지향했다. 환자가 돈을 낼 수 있는 한 의사는 그가 아프리카 수코끼리 같은 남자 환자라 하더라도 전쟁신경증 환자를 대하듯 행복한 마음으로 돌볼 것이다. 그리고 마찬가지 이유로 립스틱을 바른 두 간호사가 항시 제공되는 큼직한 칫솔과 화장실 휴지를 들고 다니며 그를 돌볼 것이다. 반제에서 은행 잔고 상태는 혈압 상태보다 중요하다.

킨더만 클리닉은 한적한 도로에서 벗어나 넓지만 손질이 잘된 정원 안에 서 있었다. 수많은 느릅나무와 밤나무에 둘러싸인 정원은 호수의 후미진 구석을 향해 경사를 이루고 있었고, 기둥이 줄지어 있는 잔교와 보트 창고, 꽤 고아한 분위기를 자아내는 고딕풍 장식용 건물이 들어서 있었다. 그 장식용 건물은 마치 중세의 공중전화 부스처럼 보였다.

클리닉 건물 자체는 박공지붕에 회반죽 사이로 목재 골조가 드러나 보이는 양식에 중간 문설주, 총안이 있는 탑과 작은 탑이 혼재되어 있어서 요양원이라기보다는 라인 성 같았다. 나는 옥상 위에 교수대가 있는 것은 아닐지 기대하며 이 건물을 바라보았고, 멀리 떨어진 지하 감방에서 비명이 들리지는 않을까 기대했다. 하지만 사위는 고요했고, 그런 징후는 보이지 않았다. 숲 너머 멀리 떨어진 호수에서 네 명의 뱃사람이 내는 소리에 놀란 떼까마귀들이 요란하게 우는 소리만 들릴 뿐이었다.

박쥐가 황혼 속으로 날아오를 생각을 할 이 시간쯤이면 몇몇 입원 환자가 서성거리고 있지 않을까 생각하며 현관문을 열고 안으로 들어갔다.

삼층에 있는 내 병실에서 보이는 조리장은 훌륭했다. 내 병실은 하루 입원비가 팔 마르크로 이 병원에서 가장 싼 병실이었고, 병실 안을 둘러보고 나서 하루에 오십 마르크 이상인 병실은 이보다 조금 더 큰 세탁물 광주리 정도의 크기가 아닐지 궁금했다. 하지만 클리닉은 꽉 차 있었다. 이곳에 올라와 이 병실을 보여 준 간호사가 남은 병실이 이것뿐이라고 말했다.

그녀는 귀여웠다. 예스러운 말투만 빼면 발트 해 연안의 거친 여자처럼. 그녀가 내 침대를 정리한 다음 나에게 옷을 벗으라고 말했을 때 나는 거의 숨을 쉴 수 없을 만큼 흥분했다. 랑게 부인의 하녀에 이어 익룡에게 만큼이나 립스틱이 어울리지 않는 간호사. 더 예쁜 간호사가 없는 것은 아니었다. 아래층에서는 예쁜 간호사들이 많이 눈에 띄었다. 아주 작은 병실을 쓰는 나에게 병원 측은 그에 대한 보상으로 아주 덩치가 큰 간호사를 붙여 준 것이리라.

"바는 몇 시에 문을 엽니까?" 내가 말했다. 그녀의 유머 감각은 미모 못지않았다.

"여기서는 알코올이 허용되지 않아요." 그녀가 내 입에서 불을 붙이지 않은 담배를 채 가며 말했다. "그리고 담배도 엄격하게 금지되어 있어요. 닥터 마이어가 곧 당신을 보러 오실 거예요."

"그러니까 그 양반은, 이등칸 전용 의사요? 닥터 킨더만은 어딨소?"

"그 선생님은 바트 노이하임 학회에 가셨어요."

"그가 거기서 뭘 하지? 그곳 요양원에서 머무르시나? 언제 돌아오지?"

"이번 주말에요. 닥터 킨더만께 예약하셨나요, 슈트라우스 씨?"

"아니, 그건 아니오. 하루에 팔 마르크나 내는데 그 양반이 봐줄 줄 알았지."

"닥터 마이어는 아주 유능한 의사예요. 제가 보장하죠." 그녀는 내가 아직 옷을 벗을 생각이 없다는 것을 알아차리고 참을성 없이 눈살을 찌푸리며 앵무새가 내는 것 같은 혀 차는 소리를 냈다. 그녀가 신랄하게 박수를 치면서 닥터 마이어가 진찰할 수 있도록 옷을 벗고 침대에 누우라고 말했다. 나에게 하는 행동으로 보건대 그녀는 매우 유능한 간호사였고, 나는 얌전히 그녀의 말에 따르기로 했다. 우락부락한 외모뿐 아니라 이 간호사는 도떼기시장에서 배운 것 같은, 환자를 다루는 방식도 갖추고 있었다.

그녀가 가고 나서 나는 침대에 누워 책을 읽을 자세를 취했다. 눈을 뗄 수 없을 만큼 재미있는 책 정도가 아니라 믿을 수 없을 만큼 눈을 뗄 수 없는 책을. 그래, 말 그대로 믿을 수 없었다. 베를린에는 《체니트》와 《하갈》 같은 괴상하고 초자연적인 내용을 다루는 잡지들이 늘 발행되었지만 마스 강[9] 연안에서 메멜[10]의 제방에 이르기까지, 라인하르트 랑게가 주관하는 《우라니아》처럼 흥미진진한 내용이 실리는 잡지와 비교할 만한 잡지는 없었다. 딱 십오 분 동안 잡지를 훑어보면서 나는 랑게가 완전히 정신 나간 자라는 것을 확신했다. 잡지 기사의 제목들은 이러했다. '게르만 신화와 진짜 기독교의 기원', '사라진 아틀란티스 시민의 초인적인 힘', '설명 가능한 빙하기 이론', '초심자를 위한 심오한 호흡 훈련', '강신론과 유전학적 기억', '지구 공동설', '신정 정치가 남긴 반유대주의' 등등. 이따위 터무니없는 것들을 출간하는 남자라면 아리안적 계시에 씌어 부모를 협박하는 게 일상적인 행위 같은 게 아닐까 하는 생각이 들었다.

명확하게 평범한 사람처럼 보인다고는 할 수 없는 닥터 마이어조차 내 독서 취향에 대해 한마디 했다.

"이런 책을 자주 읽습니까?" 이 잡지가 하인리히 슐리만이 트로이에서 파낸 온갖 특이한 유적들이라도 된다는 듯이 한 장 한 장 넘겨보며 그가 물었다.

"아니, 전혀요. 호기심 때문에 샀죠."

"좋아요. 초자연 현상에 관한 비정상적인 관심은 정서 불안의 징후입니다."

---

9. 프랑스 동북부에 위치한 강.
10. 리투아니아 공화국 서북부에 위치한 항구 도시.

"나도 막 같은 생각을 했습니다."

"물론 모든 사람이 내 의견에 동의하는 것은 아닙니다. 하지만 많은 근대 종교계 인물들—성아우구스티누스, 루터—의 사상도 아마 신경증적인 기질에서 기인했을 겁니다."

"그래요?"

"오, 그럼요."

"닥터 킨더만은 어떻게 생각합니까?"

"오, 킨더만은 아주 독창적인 이론을 갖고 있습니다. 그의 저작을 완전히 이해하진 못했지만 그는 아주 똑똑한 사람이죠." 그가 내 손목을 짚었다. "네, 그래요. 아주 똑똑한 사람입니다."

스위스인 의사는 녹색 트위드 스리피스 정장에 큰 나방만 한 나비넥타이를 매고, 인도 성자처럼 보이는 길고 흰 턱수염을 기르고, 안경을 썼다. 그는 내 파자마 소매를 걷고 손목 아래로 작은 진자를 늘어뜨렸다. 그는 진자가 흔들리고 회전하는 것을 잠시 보더니 이만큼의 전기가 방출되는 것은 내가 무언가에 비정상적으로 스트레스를 받고 불안해하는 증거라고 말했다. 그것은 인상적인 연출이었지만 쇼에 불과했고, 대부분의 사람들은 스트레스와 불안감 때문에 클리닉을 찾는 것일 터였다. 그 스트레스와 불안감은 치료비에서 오는 것이리라.

"잠은 잘 잡니까?" 의사가 말했다.

"심각합니다. 하루에 두어 시간 자죠."

"악몽도 꿉니까?"

"네, 싫어하는 치즈가 나오는 꿈을 꿉니다."

"반복해서 꾸나요?"

"분명하진 않아요."

"식욕은 어떻습니까?"

"그저 그래요."

"성생활은?"

"식욕과 같습니다. 말할 필요도 없죠."

"여자 생각을 많이 합니까?"

"하루 종일."

그가 노트에 뭔가 끄적이더니 수염을 쓰다듬고 나서 말했다. "비타민과 미네랄을 좀 처방했습니다. 특히 마그네슘을. 그리고 야채와 켈프11 위주의 무가당 식이요법을 실시할 생각합니다. 우리가 처방하는 혈액 정화 정제가 당신 체내에 있는 독소를 제거하는 데 도움이 될 겁니다. 그리고 운동을 권고하죠. 여기에는 훌륭한 수영 시설이 있습니다. 빗물 목욕을 해 보시는 것도 좋을 것 같군요. 그러다 보면 원기를 북돋우는 데 어떤 방법이 맞는지 아시게 될 겁니다. 담배는?" 나는 끄덕였다. "한동안 끊어 보세요." 그가 노트를 탁 소리가 나게 덮었다. "이 모든 게 당신의 육체 건강에 도움이 될 겁니다. 그리고 정신요법을 통해 당신의 정신 상태가 호전이 되는지 죽 지켜보겠습니다."

"정신요법이란 게 정확히 뭡니까, 닥터? 미안하지만 나치스가 그걸 퇴폐적인 요법으로 낙인찍었다고 생각했는데."

"오, 전혀 아닙니다. 정신요법은 정신분석이 아닙니다. 그 요법은

---

11. 해초의 일종.

잠재의식에 의존하는 게 아닙니다. 정신분석 같은 건 유대인들에게
는 괜찮지만 독일인들에게는 적절치 않죠. 당신이 지금 인지하듯이
정신요법은 육체와 정신을 분리하지 않습니다. 정신장애를 유발하는
나쁜 생활 태도를 조정함으로써 정신장애 징후를 없애는 것이 우리
의 목적입니다. 생활 태도는 성격에 영향을 받고 성격은 환경과 관련
이 있습니다. 어쨌든 저는 당신이 꿈을 꾼다는 것에만 관심이 있을 뿐
입니다. 당신 꿈의 해석을 시도함으로써 당신을 치료하고 그 꿈들의
성적 의미를 발견한다는 것은 사실 터무니없는 것이죠. 바로 그게 퇴
폐적인 것입니다." 그가 따뜻한 미소를 지었다. "하지만 그건 유대인
들의 문제고 당신과는 상관없습니다, 슈트라우스 씨. 현재 당신에게
가장 중요한 것은 숙면입니다." 그렇게 말하며 그는 의료 가방을 집어
들고 주사기와 작은 병을 꺼내 테이블 옆에 놓았다.

"그게 뭡니까?" 내가 의심스러운 말투로 물었다.

"히오신입니다." 그가 소독용 알코올로 내 팔을 문지르며 말했다.

내 팔 안으로 들어온 차가운 주사액이 독한 위스키가 퍼지는 것처
럼 느껴졌다. 밤이 되면 킨더만의 클리닉을 염탐해야겠다고 생각한
순간 나는 의식이 흐려지면서 밧줄이 내 몸을 묶는 듯한 느낌이 들었
고, 내 몸은 해변에서 천천히 멀어지며 물 위를 표류했다. 마이어가
하는 말을 듣기엔 이미 너무 멀리 떨어져 있었다.

클리닉에서의 나흘이 넉 달이었다고 느껴질 만큼 몸이 좋아졌다.
게다가 비타민 복용, 야채와 켈프 식이요법뿐 아니라 물 치료와 자연
치료, 일광욕 처치까지 받았다. 홍채, 손바닥, 손톱 검사를 통해 건강

상태를 확인한 결과 칼슘 부족이라는 진단을 받고 자연 긴장 해소법을 배웠다. 마이어 박사는 스스로 융의 '전체적 접근법'이라고 부르는 치료법을 진행중이었고, 전기요법으로 내 스트레스를 치료할 생각이었다. 그리고 비록 아직 킨더만의 사무실을 조사할 기회를 잡지 못했지만 나에게 마리안네라는, 이번에는 진짜 아름다운 간호사가 배정되었다. 그녀는 라인하르트 랑게가 몇 달간 클리닉에 입원했었던 것을 기억하고 있었고, 묻기도 전에 클리닉에서 있었던 일들과 자신의 고용주에 관해 늘어놓았다.

그녀가 포도 주스 한 잔과 수의사가 말에게 처방한 것처럼 많은 알약을 들고 일곱시에 나를 깨웠다.

나는 그녀가 병실 안으로 햇빛을 들이기 위해 커튼을 걷는 모습을 바라보며 그녀의 엉덩이 곡선과 흔들리는 풍만한 가슴을 감상했다. 커튼을 걷는 것만큼 쉽게 그녀가 나신을 드러내길 바라며.

"날씨가 화창하니 기분이 좋지 않소?" 내가 말했다.

"끔찍해요." 그녀가 눈살을 찌푸렸다.

"마리안네, 그 대답은 반대인 것 같군. 내가 끔찍하다고 말하면 당신이 내 건강 상태를 물어야 할 것 같은데."

"죄송해요, 슈트라우스 씨. 하지만 저는 이곳이 미치도록 지겨워요."

"저런, 여기서 뛰쳐나가 나에게 지겨운 점에 대해 털어놔요. 나는 사람들의 문젯거리를 아주 잘 들어 주니까."

"장담컨대 당신은 다른 것들도 잘하실 거예요." 그녀가 웃으며 말했다. "당신의 포도 주스에 진정제를 넣어야겠군요."

"그게 무슨 말이지? 난 이미 약이란 약은 다 먹었소. 또 어떤 화학적 변화를 일으킬지 나도 모르겠군."

"놀라실걸요."

키가 크고 탄탄한 몸매의 금발 머리 그녀는 프랑크푸르트 출신으로 약간 신경질적인 유머 감각이 있었고, 수줍어하는 미소에는 자신감의 결여가 드러났다. 그러한 점이 묘한 매력을 느끼게 했다.

"약이란 약은 다 드셨다고요?" 그녀가 비웃듯 말했다. "비타민 몇 알과 숙면을 돕는 약뿐이에요. 다른 사람들이 먹는 약과 비교하면 아무것도 아니라고요."

"예를 들면 어떤 약이 있지?"

그녀가 어깨를 으쓱했다. "정신을 차리게 하는 약이라든가 우울증을 억제하기 위한 흥분제라든가요."

"호모들에겐 무슨 약을 쓰지?"

"오, 그 사람들. 호르몬제를 주지만 잘 듣지 않아요. 그래서 지금은 혐오 요법을 시도중이에요. 괴링 연구소에서는 그게 치료 가능한 장애라고 하지만 사람들이 없는 데서 의사들은 기본적으로는 거의 어렵다고들 해요. 킨더만도 알고 있을 게 틀림없어요. 그는 약간 그런 성향이 있는 것 같아요. 저는 그가 어떤 환자에게 정신요법이 동성애적 기질의 신경증적 반응 교정에 도움이 되는 정도일 뿐이라고 말하는 걸 들은 적 있어요. 환자가 자신에게 정직하도록 돕는 거죠."

"그렇다면 그의 걱정거리는 175조[12]뿐이겠군."

"그게 뭔데요?"

"형사상의 범죄에 관한 독일 형법 조항이오. 라인하르트 랑게가 받은 치료도 그것이었나? 신경증적 반응에 관해서만 치료를 받았소?"

그녀가 고개를 끄덕이고 내 침대 끄트머리에 앉았다. "괴링 연구소라는 것에 대해 말해 봐요. 뚱보 헤르만과 관련 있는 거요?"

"마티아스 괴링은 그의 사촌이에요. 괴링이라는 이름의 비호 아래 정신요법을 연구하기 위해 존재하는 곳이죠. 그가 없었다면 독일에는 정신 건강이라고 할 만한 연구는 거의 없었을 거예요. 정신 의학을 이끄는 주요 인물들이 유대인이라는 이유만으로 나치스가 다 말살했을 테니까요. 이 세계는 엄청난 위선 덩어리예요. 공적으로는 프로이트를 비난하면서 뒤로는 그의 학설에 동의하는 사람이 많죠. 라벤스브뤼크 수용소 근처에 있는, 소위 친위대 전용 정형외과 병원이라는 곳조차 실은 친위대 전용 정신병원이에요. 킨더만은 괴링 연구소의 창립 멤버일 뿐만 아니라 그곳 상담 의사기도 하죠."

"그 연구소의 자금을 누가 대지?"

"노동당, 그리고 공군에서요."

"역시 그렇군. 수상의 소액 금고나 마찬가지겠군."

마리안네의 눈이 가늘어졌다. "많은 걸 물으시네요. 혹시 형사나 뭐 그 비슷한 분이에요?"

나는 침대에서 일어나 가운을 걸치고 말했다. "그 비슷한 사람이지."

"수사 때문에 여기 오셨나요?" 흥분으로 그녀의 눈이 커졌다. "킨더

---

12. 1871년부터 1994년까지 존재한 독일 형법 조항. 동성애를 범죄로 규정했고, 1935년 나치가 이를 강화해 최고 십 년간 노동형에 처하도록 했다.

만이 연관된?"

나는 창문을 열고 잠시 창밖으로 몸을 내밀었다. 조리장에서 풍겨오는 냄새에도 불구하고 아침 공기를 들이마시니 좋았다. 하지만 담배 한 대가 더 좋았다. 나는 창틀에 숨겨 둔 마지막 담배 한 갑을 꺼내 담배 한 개비에 불을 붙였다. 못마땅해하는 마리안네의 시선이 손에 들린 담배에 오래 머물렀다.

"담배를 피우면 안 된다는 걸 아시잖아요."

"킨더만이 연관되어 있는지 아닌지는 모르오." 내가 말했다. "그걸 찾을 수 있지 않을까 해서 여기 온 거지."

"뭐, 저에 대해서는 걱정 안 하셔도 돼요." 그녀가 목소리를 높였다. "그가 어떻게 되든 관심 없으니까요." 그녀가 팔짱을 끼고 침대에서 일어났다. 그녀의 입에서는 더 심한 표현이 나올 것 같았다. "그 남자는 개자식이에요. 몇 주 전에 사람이 없어서 저는 주말 내내 일해야 했죠. 그가 돈을 두 배로 주겠다더군요. 그런데 아직도 주지 않았어요. 돼지 같은 자식. 저는 드레스를 샀다고요. 바보처럼. 기다렸어야 했는데. 이제 집세도 밀리게 생겼어요."

그녀의 눈에 고인 눈물을 본 나는 그녀가 거짓말을 하고 있는 게 아닌지 곰곰이 생각했다. 그게 연기라면 훌륭했다. 어느 쪽이든 시도해 볼 만했다.

그녀가 코를 풀고 덧붙였다. "저도 한 대 주시겠어요?"

"그러지." 나는 그녀에게 담배를 건네고 성냥을 켰다.

"킨더만은 프로이트를 알아요." 그녀가 담배 한 모금을 빨더니 잠시 콜록거리고 말했다. "비엔나 의대 학생 시절 때부터요. 졸업 후 킨더만은 잠깐 잘츠부르크 정신병원에서 일했어요. 그는 애초에 잘츠부르크 출신이에요. 1930년에 그의 삼촌이 그에게 이 집을 남기고 죽었죠. 그래서 그는 이곳을 클리닉으로 개조할 생각을 했어요."

"킨더만을 아주 잘 아는 것 같군."

"작년 여름 그의 비서가 이 주 동안 아팠어요. 킨더만은 제가 비서 경험이 좀 있다는 걸 알고 타르야가 없는 동안 대신 비서 일을 해 달라고 했어요. 그래서 그가 어떤 사람인지 충분히 알게 됐죠. 그를 싫어할 만큼 충분히요. 저는 그만둘 거예요. 이제 진절머리가 나요. 정말이에요, 여기엔 나처럼 생각하는 사람이 많아요."

"그래? 그에게 복수하고 싶어 하는 사람이 있는 것 같소? 그에게 원한을 품은 사람이?"

"진지하게 원한을 품은 사람을 말씀하시는 거군요. 초과 근무 수당을 못 받는 정도가 아니라요."

"그렇소." 나는 그렇게 말하고 창문 밖으로 담배를 튀겼다.

마리안네가 머리를 흔들었다. "아니, 잠깐요." 그녀가 말했다. "한 사람 있었죠. 석 달 전쯤 킨더만이 음주를 했다는 이유로 남자 간호사 한 명을 해고했어요. 그는 질 나쁜 사람이었고, 그가 쫓겨나는 모습을 보고 슬퍼했던 사람은 없었을 거예요. 저는 그 자리에 없었지만 그가 떠날 때 킨더만에게 아주 심한 욕설을 했다고 들었어요."

"그 남자 간호사 이름이 뭐요?"

"헤링, 클라우스 헤링일 거예요." 그녀가 손목시계를 보았다. "저런, 할 일이 있는데. 오전 내내 당신과 얘기를 나누고 있을 순 없어요."

"한 가지만 더." 내가 말했다. "킨더만의 사무실을 둘러볼 필요가 있는데. 도와주겠소?" 그녀가 머리를 젓기 시작했다. "마리안네, 당신 없이는 안 되는 일이오. 오늘 밤?"

"모르겠어요. 그러다 들키면 우린 어떻게 되죠?"

"'우리'가 아니오. 당신은 밖에서 망을 보고 있다가 누군가 오면 이상한 소리가 나서 살펴보고 있는 중이라고 말하는 거요. 나는 내가 알아서 할 테니까. 걸리면 몽유병이라고 해 볼까."

"오, 괜찮은 생각인데요."

"어떻소, 마리안네, 해 보겠소?"

"좋아요, 그러죠. 하지만 자정 이후라야 해요. 그때가 문을 잠그는 시간이니까요. 열두시 삼십분쯤 일광욕실에서 기다릴게요."

내가 지갑에서 오십 마르크를 꺼내는 모습을 본 그녀의 표정이 바뀌었다. 나는 그녀의 풀 먹인 흰 간호복 가슴에 달린 주머니에 돈을 쑤셔 넣었다. 그녀가 그 돈을 다시 꺼냈다.

"이걸 받을 수 없어요." 그녀가 말했다. "이러지 마세요." 나는 돈을 돌려주려는 그녀의 손을 잡았다.

"이봐요, 적어도 초과 근무 수당을 받을 때까지는 꾸려 나가는 데 도움이 될 거요." 그녀는 확신이 서지 않는 표정을 지었다.

"모르겠어요." 그녀가 말했다. "왠지 받아서는 안 될 것 같아요. 이건 제 주급과 맞먹는 돈이에요. 꾸려 나가는 정도가 아닌데요."

"마리안네," 내가 말했다. "수지를 맞추는 것도 좋지만 여유가 있다면 더 좋지 않겠소."

4

9월 5일 월요일

"의사 말로 전기요법은 일시적인 기억력 장애를 일으킨다더군. 그것만 빼면 아주 좋은 기분이야."

브루노가 근심스러운 표정으로 나를 쳐다보았다. "자네, 괜찮나?"

"이보다 더 좋을 수 없어."

"나는 받고 싶지 않은 요법이군. 그런 식으로 플러그에 꽂혀 있다면." 그가 코웃음을 쳤다. "그래서 킨더만의 사무실에서 찾아낸 정보가 뭐든 일시적으로 머릿속에서 장애를 일으켜 생각이 안 난다는 건가?"

"그 정도는 아니야. 그의 사무실을 그럭저럭 뒤져 봤네. 게다가 그에 대한 모든 정보를 알려 준 아주 매력적인 간호사가 있었지. 킨더만은 독일 제국 공군 의대 강사이자 블라이브트로이 가에 있는 나치당 전용 클리닉의 자문 위원이야. 나치 의사 협회와 신사 클럽의 회원임은 말할 것도 없고."

브루노가 어깨를 으쓱했다. "금을 두른 사내로군. 그래서?"

창백한 범죄자
-
59

"금을 둘렀지만 딱히 보물까지는 아니야. 병원 직원들에게 인기가 있다고는 할 수 없더군. 그에게 해고당해 적의를 품고 있을 만한 사람을 알아냈네."

"적의를 품을 정도의 이유로는 약하지 않나? 해고당한 걸로?"

"내 전담 간호사 마리안네 말에 따르면 그는 조제실에서 약을 훔치다 잘렸다는군. 밖에서 그 약들을 팔았나 봐. 따라서 킨더만이 구세군 타입이라고는 할 수 없지."

"그 녀석 이름은?"

나는 이름을 생각해 내려고 한참을 애쓰다가 주머니에서 수첩을 꺼냈다. "그래," 내가 말했다. "적어 뒀지."

"기억력 장애가 있는 탐정이라. 그거 훌륭한데."

"진정하라고. 여기 있군. 그의 이름은 클라우스 헤링이야."

"크리포에 그에 관한 자료가 있는지 알아봐야겠군." 그가 수화기를 들고 전화했다. 통화하는 데 딱 이 분이 걸렸다. 우리는 정보의 대가로 매달 어떤 형사에게 오십 마르크씩 지불했다. 하지만 클라우스 헤링은 깨끗했다.

"그럼, 돈은 어디로 갖고 가면 되는 거지?"

브루노가 랑게 부인이 며칠 전 받은 익명의 쪽지를 건넸다. 그는 그 쪽지 때문에 클리닉에 있는 나에게 전화를 했었다.

"부인의 운전기사가 직접 여기로 가지고 왔네." 그가 설명하는 동안 나는 협박과 지시에 관한 공갈범의 최근 쪽지를 읽었다. "오늘 오후 게르존 상점 쇼핑백에 천 마르크를 넣어 동물원 새장 앞 쓰레기통에 넣어라."

나는 창문을 힐끗 보았다. 더운 날씨가 이어지고 있었고, 보나 마나 동물원은 인산인해를 이루고 있을 터였다.

"적절한 장소로군." 내가 말했다. "그를 찾아내기도 어려울뿐더러 미행하기도 쉽지 않을 거야. 내 기억으로 동물원에는 출입구가 네 군데 있네." 나는 서랍에서 베를린 지도를 찾아내 책상 위에 펼쳤다. 브루노가 다가와 내 어깨 너머로 들여다보았다.

"어떻게 할 건가?" 그가 물었다.

"자네가 돈을 가져다 놓고 내가 관광객 행세를 하지."

"돈을 갖다 놓고 나서 출입구 중 하나를 잡아 잠복하면 되겠나?"

"사분의 일의 확률이군. 어느 문을 고를 생각이지?"

그는 잠시 지도를 들여다보더니 운하가 있는 쪽의 출입구를 가리켰다. "리히텐슈타인 다리. 라우흐 가 반대편에서 차를 타고 잠복하고 있겠네."

"그렇다면 자네 차를 몰고 가는 게 좋을 거야."

"언제까지 잠복해야 하지? 젠장, 동물원은 저녁 아홉시에 닫는단 말이야."

"수족관 출구는 여섯시에 닫으니까 그는 아마 도주로가 세 개로 줄어들기 전에 모습을 드러낼 걸세. 만약 그때까지 우리가 나오지 않으면 집에 가서 내 전화를 기다리게."

나는 비행기 격납고 같은 동물원 역에서 나와 천체 투영관 바로 남쪽에 위치한 베를린 동물원 입구를 향해 하르덴베르크 광장을 가로질렀다. 수족관 입장도 가능한 표와 관광객처럼 보이기 위해 가이드북을 산 다음 우선 코끼리 우리로 향했다. 수상한 남자가 거기서 비밀스럽게 도화지를 가리고 스케치를 하고 있다가 내가 다가가자 자리를 피했다. 나는 울타리에 몸을 기대고 사람들이 다가올 때마다 이 수상쩍은 행동을 반복하는 그의 모습을 지켜보았는데 얼마 지나지 않아 그는 자신이 다시 내 곁에 서게 됐다는 것을 알아차렸다. 그의 변변찮은 스케치에 관심이 있는 것처럼 보이는 게 짜증이 나서 나는 그의 어깨 너머로 목을 길게 뺐다. 그러자 카메라가 그의 얼굴 옆에서 흔들렸다.

"사진으로 전향하시는 게 나을 것 같군요." 내가 밝은 목소리로 말했다. 그는 구시렁대더니 몸을 숙이고 자리를 피했다. 킨더만 의사에게 보여야 할 사람이군. 그는 진짜 미친놈이었다. 어떤 종류의 쇼나 전시를 막론하고 가장 흥미로운 볼거리는 사람이다.

십오 분 뒤 브루노가 모습을 드러냈다. 돈이 담긴 작은 게르존 쇼핑백을 겨드랑이에 낀 그가 나를 지나쳤을 때 그는 나나 코끼리를 거의 보지 않는 것 같았다. 나는 그가 지나치게 내버려 둔 다음 그의 뒤를 쫓았다. 야생 조류를 위한 우리라기보다 마을의 맥주 저장고에 가까워 보이는, 반쯤 목재 골조가 드러난 담쟁이투성이의 벽돌로 지은 작은 새 우리 밖에서 브루노가 멈춰 섰다. 그는 주위를 슬쩍 둘러보고 정원 벤치 옆에 있는 쓰레기통에 쇼핑백을 떨어뜨렸다. 그러고 나서 그는 자신이 선택한, 란트베어 운하로 통하는 출구를 향해 동쪽으로 잰걸음을 옮겼다.

새장 반대편에는 험준한 사암 벽으로 높게 둘러친 북아프리카 야생 양들의 우리가 있었다. 가이드북에 따르면 그 우리는 동물원의 랜

드마크 중 하나였지만 내가 보기에 야생에서 이 종종걸음을 치는 넝마들이 서식했을 장소의 훌륭한 모방이라고 하기에는 지나치게 연극무대처럼 보였다. 오히려 악극 〈파르시팔〉의 극도로 과장된 무대라고 하는 게 더 어울릴 것 같았다. 나는 거기서 가이드북에 실린 양에 관한 내용을 읽다가 마침내 이 지극히 따분해 보이는 피조물들의 사진을 몇 장 찍었다.

양 우리 뒤편에는 새장의 전면뿐 아니라 동물원 전체가 내려다보이는 높은 전망대가 있었고, 덫이 설치되어 있지 않은지 확실히 알 필요가 있는 자라면 십 페니히의 요금을 내더라도 올라가 볼 만한 가치가 있을 거라는 생각이 들었다. 그런 생각을 품고 새장에서 인파를 헤치며 호수 쪽을 향해 갔을 때 새장 저편에서 검은 머리에 스포츠 재킷을 입은 열여덟 살쯤 된 젊은이가 나타났다. 그는 주위를 살피지도 않고 쓰레기통에서 게르존 쇼핑백을 꺼내 카데베 백화점 쇼핑백에 넣었다. 그러더니 당당하게 나를 지나쳤다. 나는 적정한 간격을 두고 그의 뒤를 쫓았다.

젊은이는 무어 스타일의 영양 우리 앞 켄타우로스 청동상들이 있는 곳에서 잠시 멈춰 서서 가이드북을 열심히 들여다보았다. 나는 곧장 중국 사원이 있는 쪽으로 걸어가 사람들 사이에 몸을 숨기고 눈꼬리로 그를 살폈다. 그는 다시 움직이기 시작했고, 나는 그가 수족관이 있는 남쪽 출구로 향하리라 추측했다.

부다페스터 가와 동물원을 연결하는 거대한 녹색 수족관 건물에서 마지막으로 볼 것은 물고기였다. 수족관 입구 옆에는 거만하게 서 있는 실물 크기의 이구아노돈 석상 위로 더 큰 공룡들이 줄지어 늘어서 있었다. 수족관 외벽은 상어 한 마리를 통째로 삼켰을 것 같은 선사시대 공룡들을 묘사한 벽화와 돋을새김이 장식되어 있었다. 수족관의 또 다른 식구라고 할 수 있는 파충류에 비하면 이 구닥다리 장식물은 실제로 더 귀여워 보였다.

수족관 출입구로 사라진 목표물을 주시하면서 어두컴컴하게 꾸며 놓은 수족관 내부 때문에 녀석을 놓치기 쉬울 거라는 생각이 들자 발걸음을 빨리했다. 안으로 들어가 보고야 실제로 놓치기 쉬운 정도가 아니라 그럴 확률이 매우 높다는 것을 알았다. 수많은 관광객들 때문에 그가 어디로 사라졌는지 찾기가 어려웠다.

최악을 상정하면서 동물원 밖 거리로 통하는 또 다른 출구를 향해 발걸음을 서두르다가 물고기라기보다 부유기뢰처럼 보이는 피조물이 담긴 수조에서 몸을 돌려 내 쪽으로 걸어오던 그 젊은이와 거의 충돌할 뻔했다. 그는 수족관과 동물원 밖으로 나가는 출구로 향하기 전에 파충류관으로 통하는 거대한 대리석 계단 아래서 잠시 머뭇거렸다.

부다페스터 가에서 안스바허 가까지 늘어서 있는 초등학생 무리 뒤에서 나는 가이드북을 버리고 들고 있던 레인코트를 입은 다음 모자챙을 들어 올렸다. 미행 시 조금이나마 외모를 바꾸는 것은 필수 사항이다. 이러면 모습이 드러나도 괜찮을 터였다. 출입구에서 몸을 숙이고 있으면 미행당하는 자가 의심을 하기 마련이다. 하지만 이 녀석은 비텐베르크 광장을 가로지를 때 돌아보지도 않았고, 베를린에서 가장 큰 백화점인 카우프하우스 데스 베슈텐스, 일명 카데베의 정문으로 들어갔다.

나는 그가 게르존 쇼핑백을 든 사내를 찾으려고 출구 중 한 군데에서 지키고 있을지 모르는 누군가의 눈을 피하기 위해 또 다른 쇼핑백을 사용했을 거라고 생각했다. 하지만 이제 나는 그 쇼핑백을 누군가에게 인계하기 위해서라는 것을 깨달았다.

카데베 삼층에 있는 맥주 레스토랑은 점심시간에 한잔하려는 사람들로 인산인해를 이루고 있었다. 사람들은 소시지 접시와 테이블 램프 길이만 한 맥주잔을 앞에 놓고 앉아 있었다. 돈을 든 그 젊은이는 누군가를 찾는 듯 테이블 사이를 누비다가 마침내 푸른 양복을 입은 사내 혼자 앉아 있는 테이블 맞은편에 앉았다. 그는 돈이 든 쇼핑백을 바닥에 놓았다. 바닥에는 그가 든 쇼핑백과 똑같은 쇼핑백이 놓여 있었다.

그들이 시야에 들어오는 빈 테이블을 발견하고 나는 그 테이블에 앉아 메뉴판을 들고 들여다보는 척했다. 웨이터가 나타났다. 아직 메뉴를 정하지 못했다고 말하자 그가 물러갔다.

푸른 양복을 입은 남자가 테이블 위에 동전 몇 개를 놓고 허리를 굽혀 돈이 든 쇼핑백을 집었다. 두 사람 모두 아무 말이 없었다.

푸른 양복이 레스토랑 밖으로 나가는 모습을 보고 나는 돈이 연루된 모든 사건의 가장 기본적인 규칙을 따라 그의 뒤를 쫓았다. 돈을 따라가라.

놀렌도르프 광장의 메트로폴 극장은 거대한 아치식 현관 지붕과 쌍둥이 첨탑 때문에 거의 비잔틴 형식을 따른 것처럼 보였다. 거대한 부벽 하부에는 스무 명쯤 되는 나신이 얽혀 있는 모습이 부조되어 있어 처녀를 제물로 바치는 의식에 이상적인 장소 같았다. 극장 우측의 거대한 목재 문을 지나면 축구 경기장 크기의 주차장이 있었고, 그 뒤편에는 고층 아파트 몇 동이 늘어서 있었다.

내가 푸른 양복과 돈을 따라온 곳은 이 건물들 중 하나였다. 나는 아래층 홀에서 우편함에 쓰인 이름들을 확인했고, 9호에 거주하는 K. 헤링이라는 이름을 찾았다. 그런 다음 길 건너 지하철역 공중전화 부스에서 브루노에게 전화했다.

내 파트너의 낡은 DKW가 극장 목재 문 앞에 정차했을 때 나는 조수석에 올라타 푸른 양복이 사는 아파트와 가장 가까운 주차장 안쪽을 가리켰다. 극장과 가까운 쪽의 주차장은 여덟시 쇼를 보러 온 사람들의 차로 꽉 차 있었지만 내가 가리킨 곳에는 아직 주차할 자리가 몇 군데 남아 있었다.

"저기가 우리가 찾는 남자가 사는 곳이야." 내가 말했다. "이층 9호."

"이름을 알았나?"

"클리닉에서 일했던 우리의 친구, 클라우스 헤링이지."

"더할 나위 없이 깔끔하군. 어떻게 생겼지?"

"내 키 정도에 마르고 강건한 체격, 금발 머리, 무테안경을 쓰고 나이는 서른쯤이네. 집 안으로 들어갔을 땐 푸른 양복을 입고 있었지. 녀석이 나가면 집 안으로 들어가서 호모의 연애편지를 찾아 주게. 안 나간다면 여기서 지키고 있어야지. 나는 의뢰인을 만나러 갈 생각이네. 그녀가 뭔가 지시를 내린다면 오늘 밤 중으로 돌아올 거야. 없다면 내일 아침 여섯시에 자네와 교대하러 오겠네. 질문 있나?" 브루노가 머리를 저었다. "자네 아내에게 전화해 놓을까?"

"괜찮아. 카티아는 이제 내 종잡을 수 없는 근무시간에 적응했네, 베르니. 어차피 내가 집에 없는 편이 집안 분위기에 도움이 될 거야. 동물원에서 돌아와서 아들 녀석 하인리히와 또 다퉜거든."

"이번엔 뭣 때문에?"

"지원해서 히틀러 유겐트에 운전병으로 입단하겠다는군. 그것뿐이야."

나는 어깨를 으쓱했다. "녀석은 어차피 정규 히틀러 유겐트에 들어가게 되어 있어."

"그 골칫덩이 녀석은 그런 빌어먹을 데에 들어가기엔 아직 어리다고. 그놈 반의 다른 녀석들처럼 입단하라는 말을 들을 때까지 기다리면 될 텐데."

"이보게, 밝은 면을 보라고. 놈들은 녀석에게 운전과 엔진을 다루는 기술을 가르칠 거 아닌가. 놈들은 녀석을 당연히 나치로 만들겠지만 적어도 기술이 있는 나치가 되겠지."

내 차를 놔둔 알렉산더 광장으로 가는 택시에 앉아서 나는 주니어 사이클링 챔피언이었던 그의 아들이나 하인리히 또래의 사내 녀석들에게는 기계 조작 기술을 습득한다는 전망이 그다지 위안이 되지 않을 거라는 생각을 했다. 어쨌든 한 가지 사실에 대해서만큼은 브루노 말이 맞았다. 하인리히는 정말 완벽한 골칫덩이였다.

랑게 부인에게 내가 간다는 전화는 하지 않았다. 내가 헤르베르트가에 도착한 시간은 여덟시였는데도 아무도 살고 있지 않거나 사람들이 이미 침대에 든 것처럼 집이 어두워서 들어가고 싶은 마음이 들지 않았다. 하지만 그것이야말로 이 직업의 긍정적인 면이 아니겠는가. 사건을 해결하여 따뜻한 환영을 확신한다면 의뢰인이 내 방문에 준비가 되어 있지 않다고 한들 무슨 상관이랴.

나는 주차를 하고 현관문으로 통하는 계단을 올라 초인종을 눌렀다. 초인종을 누름과 거의 동시에 현관문 창문에 불이 들어왔고, 이윽고 문이 열리고 검은 가마솥의 괴팍한 얼굴이 나타났다.

"지금 몇 신 줄 알아요?"

"막 여덟시가 지났습니다." 내가 말했다. "베를린에 있는 극장들이 막을 열고, 레스토랑의 손님들이 메뉴를 열심히 들여다보고, 어머니들은 아이들을 침대로 보낼 때가 됐는지 막 고민할 시간이군요. 랑케 부인, 안에 계십니까?"

"부인은 신사를 맞을 만한 옷을 차려입고 계시지 않아요."

"뭐, 괜찮습니다. 나도 부인을 위해 꽃이나 초콜릿을 가져오지 않았으니까. 그리고 나는 분명 신사는 아니죠."

"그 사실을 인정하시는군요."

"그걸 알려 드린 건 공짜입니다. 당신 기분을 좋게 하기 위해서죠. 이건 사업입니다. 그것도 시급한. 부인께서는 나를 만나고 싶어 하실 겁니다. 아니면 내가 왜 집 밖에 있는지 알고 싶어 하시겠죠. 그러니 얼른 가서 내가 여기 있다고 전해요."

나는 전에 방문했던 거실에 놓인, 팔걸이에 돌고래가 조각된 소파에 앉아 기다렸다. 두 번째로 앉게 된 이 소파는 아무래도 마음에 들지 않았다. 특히 거대한 고양이의 연한 적갈색 털로 뒤덮여 있는 지금은. 그 고양이는 긴 떡갈나무 탁자 아래에 있는 쿠션 위에서 늘어지게 자고 있었다. 랑게 부인이 거실에 모습을 나타냈을 때에도 나는 계속 바지에서 털을 집어내고 있었다. 그녀는 녹색 실크 가운과 그에 어울리는 슬리퍼를 신고 있었고 손가락에는 불을 붙이지 않은 담배가 끼워 있었다. 가슴이 패인 가운 위로는 풍만한 젖가슴이 분홍색 바다 괴물의 쌍둥이 혹처럼 드러나 보였다. 개가 낡은 깃털 목도리처럼 랑게 부인의 몸을 휘감은 라벤더 향에 코를 찡그린 채 굳은살이 박인 그녀의 뒤꿈치께에 묵묵히 서 있었다. 그녀의 목소리는 내가 기억하고 있던 것보다 더 남자 같았다.

"라인하르트가 이 일과 관계없다고 말해 주세요." 그녀가 고압적인 투로 말했다.

"전혀 없습니다." 내가 말했다.

그녀가 안도의 숨을 내쉬자 바다 괴물이 살짝 내려앉았다. "다행이군요." 그녀가 말했다. "그럼 나를 협박한 자가 누군지 알아내셨나요, 귄터 씨?"

"네. 킨더만 클리닉에서 일했던 남잡니다. 클라우스 헤링이라는 남자 간호사였죠. 이름만으로는 짚이는 게 없으시겠지만 두 달 전 킨더만이 해고한 자입니다. 거기서 일하던 동안 그가 아드님이 킨더만에게 쓴 편지들을 훔쳤을 거라는 게 제 추측입니다."

그녀는 자리에 앉아 담배에 불을 붙였다. "하지만 그가 킨더만에게 원한이 있었다면 왜 나를 선택했죠?"

"추측일 뿐이라는 걸 이해해 주십시오. 하지만 부인의 부와 큰 관계가 있겠죠. 킨더만도 부자지만 그의 재산은 부인의 십분의 일 정도일 겁니다, 랑게 부인. 더구나 킨더만의 재산 대부분은 클리닉에 묶여 있을 겁니다. 게다가 그는 친위대에 친구가 많습니다. 따라서 헤링은 단순히 부인을 쥐어짜는 편이 더 안전할 거라고 판단했는지 모릅니다. 어쩌면 이미 킨더만을 협박했다가 실패했는지도 모르죠. 정신요법 의사인 그는 아드님의 편지를 전에 입원했던 환자가 쓴 망상의 산물이라고 쉽게 설명해 버렸을지도 모르고요. 환자가 의사에게 호의를 품는 것은 흔한 일이니까요. 설령 킨더만 같은 혐오스러운 자라 할지라도."

"그를 만났나요?"

"만나지는 않았지만 클리닉에서 일하는 어떤 직원에게서 들은 말이 있습니다."

"알겠군요. 그럼, 이제 어떻게 해야죠?"

"제 기억이 맞는다면 부인께서는 아드님에게 달렸다고 말씀하셨습니다."

"맞아요. 아마 그 애는 당신이 알아서 해 주길 바랄 거예요. 어쨌든 짧은 시간 안에 해결하셨군요. 다음엔 어떻게 할 거죠?"

"지금 이 순간 제 파트너 슈탈레커가 놀렌도르프 광장에 있는 우리의 친구 헤링의 아파트를 감시하고 있습니다. 헤링이 아파트에서 나가자마자 슈탈레커가 아파트에 들어가 부인이 의뢰한 편지를 찾아올 겁니다. 이후 부인에게는 세 가지 선택지가 있습니다. 한 가지는 이 문제와 관련된 모든 걸 덮어 두는 겁니다. 또 다른 한 가지는 이 문제를 경찰의 손에 넘기는 것입니다. 그럴 경우 아드님이 동성애자라는 사실을 헤링이 밝힐 거라는 위험을 감수하셔야 합니다. 마지막으로 헤링에게 효과 있는 주먹맛을 보여 줄 수도 있습니다. 지나치지 않은 선에서요. 겁을 줘서 또다시 이런 짓을 하게 되면 어떻게 되는지 교훈을 주는 거죠. 개인적으로는 세 번째 방법이 늘 효과적이라고 생각합니다. 혹시 압니까? 부인 돈의 일부나마 돌려받는 결과를 낳을지도 모르죠."

"그 끔찍한 놈을 내 손으로 혼내 주고 싶군요."

"이런 일은 제게 맡겨 주시면 됩니다. 내일 전화드릴 테니 부인과 아드님의 결정을 알려 주십시오. 운이 좋으면 그때쯤엔 편지를 되찾았을 수도 있죠."

축하주로 그녀가 내온 브랜디를 단숨에 들이켤 필요까지는 없었다. 약간은 음미하고 즐겼어야 할 만큼 훌륭한 술이었다. 하지만 나는 피곤했고, 그녀와 바다 괴물이 소파 위에서 나를 현혹했을 때 일어나야 할 때라고 느꼈다.

지금 내가 살고 있는 곳은 쿠르퓌어슈텐담에서 약간 남쪽에 있는 파자넨 가의 큰 아파트로, 가까이에는 많은 극장과 내가 가 본 적 없는 고급 레스토랑이 있었다.

아파트는 조용하고 멋진 동네에 있었고, 여러 명의 아틀라스가 근육질 어깨 위에 온통 흰색으로 칠해진 정교한 장식용 현관 지붕을 받치고 있었다. 싼 아파트가 아니었다. 지난 이 년 동안 내 자신에게 허락한 사치가 있다면 이 아파트와 파트너를 둔 것이었다.

내게는 전자가 후자보다 더 성공적이었다.

페르가몬의 대제단에 들인 것보다 더 많은 대리석을 쓴 인상적인 복도를 지나 이층으로 올라가면 나오는, 전차만큼이나 천장이 높은 널찍한 아파트가 내가 사는 곳이었다. 독일인 설계사와 건축업자는 결코 인색이라는 말을 알지 못한 듯했다.

풋사랑처럼 쑤시는 발 때문에 뜨거운 물에 몸을 담갔다.

나는 오랫동안 욕조에 누워 천장 제일 높은 곳 오른쪽에 다소 장식적으로 설계된 스테인드글라스 유리창을 바라보았다. 나는 저런 건축적 구상이 어떻게 나온 건지 도무지 이해할 수 없었다.

욕실 창밖 뜰, 고고하게 홀로 서 있는 나무에 나이팅게일 한 마리가 앉아 있었다. 나는 저 새의 단순한 지저귐이 히틀러가 지저귀는 것보다 더 신뢰가 가는 것을 느꼈다. 이런 단순 비교를 내 친애하는 파이프 담배 애호가 파트너가 들었다면 즐거워했으리라는 생각이 들었다.

5

9월 6일 화요일

어둠 속에서 초인종이 울렸다. 나는 잠에 취한 채 손을 뻗어 테이블에 놓인 자명종을 주워 들었다. 새벽 네시 삼십분이었고, 내가 일어나기로 한 시각보다 거의 한 시간 이른 시각이었다. 초인종이 다시 울렸고, 이번에는 좀 더 오래 지속되었다. 나는 불을 켜고 거실로 나갔다.

"누구요?" 나는 그렇게 물었지만 사람들의 잠을 기꺼이 방해할 자들은 게슈타포뿐이라는 걸 잘 알고 있었다.

"하일레 셀라시에[13]다." 목소리가 말했다. "대체 누구라고 생각했나? 이봐, 귄터, 문 열어라. 우리를 여기서 밤새도록 세워 둘 셈인가."

그렇다. 게슈타포였다. 그들의 예비 신부 학교 예절은 숨길 수가 없었다.

문을 열자 모자를 쓰고 코트를 입은 두 맥주 통이 불쑥 나를 지나쳤다.

---

13. 에티오피아 제국의 마지막 황제.

"옷 입어." 한 사람이 말했다. "약속이 생겼다."

"젠장, 내 비서에게 한마디 해야겠군." 나는 하품을 했다. "이 일정을 완전히 잊고 있다니."

"재밌는 친구로군." 다른 사람이 말했다.

"이 친근한 방문은 하이드리히 생각인가?"

"입은 담배를 피울 때나 쓰지그래? 당장 옷을 입어. 그렇지 않으면 염병할 파자마 바람으로 연행할 테니까."

나는 주의 깊게 옷을 골랐다. 내가 가진 옷 중 가장 싸구려인 저면 포레스트 정장을 입고 낡은 구두를 신었다. 주머니에는 담배를 쑤셔 넣었다. 《베를린 일러스트레이티드 뉴스》 한 부도 챙겼다. 하이드리히의 아침 식사 초대란 것은 불유쾌한 방문이라는 것과 경우에 따라서는 장시간 돌아오지 못할 수도 있다는 것을 항상 각오해야 한다.

알렉산더 광장 바로 남쪽에 있는 디르크젠 가에 제국 경찰 위원회와 중앙 형사 법원이 불편하게 마주 서 있다. 법의 집행자와 심판자. 두 헤비급이 싸움을 시작하기 앞서 서로 노려보며 기선을 제압하려고 애쓰는 듯하다.

두 건물 중 더 잔인해 보이는 것은 간혹 '회색 고통'이라고 불리기도 하는 알렉스[14]로 건물 꼭대기 구석마다 돔 형태의 탑과, 정면과 후면의 꼭대기에 그보다 작은 탑이 고딕 요새처럼 설계되어 있었다. 1만 6천 평방미터를 점유하고 있는 이 건물은 건축학적인 면에서는 우수

---

14. 크리포 본부인 제국 경찰 위원회를 지칭.

하다고 할 수 없지만 내구성 면에서는 좋은 본보기가 되는 건물이다.

알렉스보다 약간 더 작은 베를린 법원은 알렉스보다는 평온해 보였다. 사암으로 된 네오바로크 양식 외관은 반대편 건물보다는 다소 더 영리하고 지적인 분위기가 감돌았다.

이 두 거인 중 어느 쪽이 승자가 될지는 알 수 없지만, 두 싸움꾼 모두 돈을 받아먹고 지려고 하는 상황에서 끝까지 자리를 지키고 시합의 결과를 보는 것은 무의미한 일이다.

차가 알렉스 중앙 마당으로 진입했을 때는 새벽이 물러가는 중이었다. 왜 하이드리히가 자신의 집무실이 있는 빌헬름 가의 정보부 본부 지포가 아닌 이곳으로 나를 소환했는지 여전히 영문을 알 수 없었다.

나를 호송해 온 두 사내가 나를 심문실로 데리고 간 다음 나만 남겨 놓고 가 버렸다. 옆방에서 비명이 들리기 시작하자 머리가 작동하기 시작했다. 빌어먹을 하이드리히 자식. 제대로 나타나는 적이 없군. 나는 담배를 꺼내 신경질적으로 불을 붙였다. 신물이 넘어오는 입에 담배를 물고 자리에서 일어나 더러운 창문으로 다가갔다. 보이는 것이라고는 내가 있는 곳과 같은 방의 창문들과 경찰 무선을 위한 옥상 위의 안테나뿐이었다. 나는 재떨이 대용으로 놓인 멕시코 커피 캔에 담배를 비벼 끄고 다시 테이블 앞에 앉았다.

점점 불안함을 느껴야 마땅했다. 자신들의 힘을 느껴 보라는 뜻이었다. 하이드리히가 모습을 드러낼 때에는 그에게 동조하게 된 나를 보게 될 것이었다. 그것이 하이드리히의 방식이었다. 분명 그는 지금 깊은 잠에 빠져 있을 터였다.

내가 느껴야 할 게 그것이라면 나는 다르게 느끼기로 마음먹었다. 아침 식사 대신 손톱을 물어뜯고 싸구려 신발의 밑창이 닳도록 심문실 안을 서성거리는 대신 닥터 마이어가 자연 긴장 해소라고 불렀든 뭐라고 불렀든, 나는 조금이나 그런 마음가짐을 가지려고 노력했다. 눈을 감고 코로 깊이 심호흡을 하며 단순한 형상에 초점을 맞춤으로써 그럭저럭 평온을 유지했다. 그 평온함 때문에 나는 문소리조차 듣지 못했다. 잠시 후 눈을 뜨고 심문실 안으로 들어오는 형사의 얼굴을 응시했다. 그가 천천히 고개를 끄덕였다.

"아, 당신은 멋진 사람이군." 그가 내가 가져온 잡지를 집으며 말했다.

"내가 좀 그렇지." 나는 시계를 보았다. 삼십 분이 지나 있었다. "당신은 느긋한 사람인가 본데."

"내가? 미안하군. 지루한 시간을 보내지 않은 것 같아 다행이지만. 여기서 좀 기다린 모양이로군."

"여기서는 누구나 그렇지 않나?" 나는 그의 목에 생긴, 때 묻은 깃 끝에 쓸려 난 종기를 바라보며 어깨를 으쓱했다.

그가 카바레 테너가 노래를 부를 때처럼, 넓은 가슴에 흉터가 있는 턱을 내리고 입을 떼자 그의 깊은 곳에서 목소리가 흘러나왔다.

"오, 그렇고말고. 탐정이라고 했나? 민완 탐정인가 보군. 탐정은 어느 정도 돈벌이가 되는지 물어도 되나?"

"당신 정도면 정기적으로 상납금이 들어올 텐데?" 그가 억지웃음을 지었다. "나는 먹고살 만하지."

"외롭지는 않나? 여기서 형사 생활을 하는 동안에는 친구가 많았을 텐데 말이야."

"걱정도 팔자시군. 파트너가 있어서 울고 싶어질 때면 파트너가 어깨를 빌려주지."

"오, 그렇군. 파트너라. 브루노 슈탈레커를 말하는 건가?"

"그래. 원한다면 주소를 가르쳐 줄 수도 있지만 이미 결혼을 해서 말이지."

"좋아, 귄터. 배짱이 두둑한 건 잘 알겠군. 필요 이상으로 연극을 할 필요는 없어. 당신은 네시 반에 깼더군. 지금 일곱시……,"

"정확한 시각을 알고 싶다면 경찰한테 물어보는 게 최고지."

"……그런데 왜 여기에 와 있는지 아직 묻지 않는군."

"우린 막 그 얘길 했다고 생각하는데."

"우리가? 내 머리가 나빠서 말이야. 당신 같은 민완 탐정이 그걸 알아차리는 건 그리 어렵지 않은가 보군. 우리가 무슨 말을 했지?"

"아, 빌어먹을. 이봐, 이건 당신 공연이야. 내 공연이 아니라. 그러니까 내가 막을 열고 염병할 조명을 켤 거라는 기대는 마. 당신이 막 앞에 서면 내가 제대로 된 장소에서 박수를 치며 웃을 준비를 하지."

"아주 좋아." 그의 목소리가 점점 굳어졌다. "어젯밤에 어디 있었나?"

"집에."

"알리바이가 있나?"

"그래. 내 테디 베어와 함께 있었지. 나는 침대에 들었어. 잤지."

"그 전에는?"

"의뢰인을 만나고 있었지."

"누군지는 말 못 하고?"

"이봐, 이 상황이 마음에 안 드는데. 뭘 들쑤시고 있는 거지? 지금 말해 주지 않으면 한마디도 하지 않을 거야."

"아래층에 당신 파트너가 와 있다."

"그 친구가 무슨 짓이라도 저질렀나?"

"그 친구가 한 짓이라면 자신을 죽게 한 거지."

나는 머리를 흔들었다. "죽게 했다니?"

"살해됐어. 좀 더 정확하게 말하자면. 이런 곳에서 우리가 보통 하는 말로 말이야."

"맙소사." 내가 다시 눈을 감으며 말했다.

"이게, 내 공연이다, 귄터. 그리고 나는 네가 막을 올리고 조명을 켜는 걸 도와주길 기대하지." 그가 가운뎃손가락으로 내 가슴을 찔렀지만 나는 아무것도 느끼지 못했다. "그럼 빌어먹을 대답을 해 보실까, 응?"

"이 빌어먹을 개자식아. 내가 그것과 아무 관계가 없다는 걸 모르겠나? 맙소사, 난 그의 유일한 친구였어. 네놈과 여기 알렉스에 있는 네놈의 깜찍한 친구들이 그를 슈프레발트의 한직으로 쫓아냈을 때 그를 건져 낸 사람이 나야. 나치에 대한 곤란한 충성 부족에도 불구하고 그 친구가 훌륭한 형사라는 걸 알아본 사람이 나라고." 나는 비통하게 머리를 흔들고 다시 욕을 내뱉었다.

"그를 마지막으로 본 게 언제지?"

"어젯밤, 여덟시쯤. 놀렌도르프 광장 메트로폴 극장 뒤편에 있는 주차장에 그를 두고 왔어."

"그는 일하는 중이었나?"

"그래."

"거기서 뭘 했는데?"

"누구를 쫓는 중이었어. 아니, 누군가를 감시하고 있었다는 게 맞겠군."

"극장에서 일하는 사람, 아니면 아파트에 사는 사람?"

내가 끄덕였다.

"어느 쪽이야?"

"말 못 해. 적어도 내 의뢰인과 상의하기 전까지는."

"그 의뢰인의 이름도 말할 수 없겠군. 자신을 뭐라고 생각하나? 신부? 이건 살인이야, 귄터. 파트너를 죽인 자를 잡고 싶지 않나?"

"그래서 당신 생각은 뭔데?"

"나는 네 의뢰인이 이 일과 관련이 있을 가능성에 대해 네가 생각해 봐야 할 거라고 생각하지. 아마 그는 이렇게 말하겠지. '귄터 씨, 나는 당신이 경찰과 이 불행한 문제에 대해서 상의하는 걸 허락할 수 없소' 라고. 그러면 수사는 어떻게 되지?" 그가 머리를 흔들었다. "빌어먹을 거래는 없다, 귄터. 나한테 말하거나 재판장한테 말해." 그가 자리에서 일어나 문으로 향했다. "너에게 달렸다. 생각해 보라고. 난 바쁠 게 없으니까."

그가 등 뒤로 문을 닫고 나간 후 혼자 남겨진 나는 일시적이나마 브루노와 그의 무해한 파이프에 불평했던 것에 죄책감을 느꼈다.

삼십 분 후 문이 열리고 고위급 친위대 장교가 심문실로 들어왔다.

"당신이 언제 나타날지 궁금하던 참이었습니다." 내가 말했다.

아르투르 네베가 한숨을 쉬고 머리를 흔들었다.

"슈탈레커 일은 안됐군." 그가 말했다. "좋은 친구였는데. 당연히 자네는 그를 보고 싶겠지." 그가 따라오라는 시늉을 했다. "그리고 자넨 하이드리히를 만나야 할 거야."

대기실을 지나 부검대가 줄지어 놓여 있는 썰렁한 시체 안치소로 들어가자 검시관이 사춘기쯤 된 여자의 벌거벗은 시체를 해부하고 있었다.

몇몇 부검대에는 시체가 놓여 있었는데, 어떤 것은 벌거벗었고, 어떤 것은 시트로 덮여 있었다. 브루노처럼 보이는 것은 아직 옷을 입고 있는 상태였는데, 사람이라기보다 수화물처럼 보였다.

나는 그 앞으로 다가가 시간을 들여 죽은 파트너를 꼼꼼히 살펴보았다. 셔츠 앞부분은 마치 그가 적포도주를 병째로 쏟은 것처럼 보였고, 떡하니 벌린 입은 치과 의자에 앉아 치료라도 받는 듯했다. 파트너십을 끝내는 데는 많은 방법이 있지만 어떤 방법도 이보다 더 영속적일 수는 없었다.

"의치를 하고 있는지는 몰랐는데." 브루노 입안에 금속성으로 반짝이는 것을 보고 내가 무심코 그렇게 말했다. "칼에 찔렸습니까?"

"한 번. 심장을 관통했네. 명치를 거쳐 갈비뼈 사이를 관통한 것 같아."

나는 그의 손을 하나씩 집어 들고 주의 깊게 살펴보았다. "방어하다 베인 상처가 없군요." 내가 말했다. "이 친구를 어디서 찾았습니까?"

"메트로폴 극장 주차장." 네베가 말했다.

그의 재킷 앞섶을 젖혀 보고 어깨에 메는 권총집이 비어 있는 것을 알았다. 그리고 상처를 살펴보기 위해 여전히 피로 끈적거리는 셔츠 단추를 풀었다. 피를 닦지 않고서는 뭐라고 말하기 어려웠지만 찔린 부위가 너덜너덜한 것으로 보아 범인은 칼을 찌른 다음 힘차게 비튼 것 같았다.

"칼로 사람을 어떻게 죽이는지 잘 아는 자가 죽였군요." 내가 말했다. "총검에 찔린 상처처럼 보입니다." 나는 한숨을 내쉬고 머리를 흔들었다. "충분히 봤습니다. 그의 아내를 이곳으로 불러 괴롭힐 필요는 없습니다. 제가 확인한 걸로 하죠. 그녀는 압니까?"

네베가 어깨를 으쓱했다. "난 모르네." 그가 시체 안치소 대기실 창으로 이끌었다. "하지만 누군가 곧 그녀에게 알릴 테지."

풍성한 콧수염을 기른 젊은 검시관이 담배를 피우기 위해 소녀의 시체 앞에서 하던 일을 멈췄다. 장갑 낀 손에 묻어 있던 피가 담배를 적시고 그의 윗입술에도 조금 묻었다. 네베가 발걸음을 멈추고 적잖이 불쾌한 기색으로 눈앞의 광경을 보았다.

"이봐?" 그가 화가 난 목소리로 말했다. "그것도 그놈 짓인가?"

검시관이 천천히 담배 연기를 내뿜고 나서 얼굴을 찡그렸다. "아직 시작 단계지만 같은 방법처럼 보입니다." 그가 말했다. "조건을 모두 구비했습니다."

"알겠네." 네베가 이 젊은 검시관을 좋아하지 않는다는 것은 누가 봐도 쉽게 알 수 있었다. "자네 보고서가 지난번 것보다는 자세하리라고 믿겠네. 더 정확할 것은 말할 나위도 없고." 그가 몸을 휙 돌리고 빠른 걸음으로 나가다가 어깨 너머로 목소리를 높여 덧붙였다. "그리고 나를 기다리게 하지 마."

네베의 전용차를 타고 빌헬름 가로 가는 도중에 무슨 말인지 물었다. "조금 전 부검실에서 하신 얘기가 뭡니까?"

"이보게, 친구." 그가 말했다. "이제부터 자네가 그걸 찾아내야 할 거야."

빌헬름 가 120번지에 있는 하이드리히의 SS 보안 방첩부 본부는 밖에서 보기에는 위협적으로 보이지 않았다. 오히려 우아해 보이기까지 했다. 이오니아식 주랑의 양쪽 끝에는 이 층짜리 사각형 정문 관리 초소가 있었고, 아치형 지붕이 있는 통로가 안쪽의 뜰로 이어져 있었다. 나무들을 심어 놓아 그 너머에 무엇이 있는지 보기 어렵게 만들었고, 두 보초의 존재만이 이곳이 어떤 종류의 관사인지 말해 주었다.

정문을 통과한 차는 주위를 관목으로 깔끔하게 단장한 테니스 코트 크기의 잔디밭을 지나 코끼리만큼 큰 창문이 나 있는 아름다운 삼층 건물 앞에 멈췄다.

돌격대원들이 달려 나와 차 문을 열었고, 우리는 차에서 내렸다.

내부 장식은 내가 기대했던 지포 본부와는 꽤 달랐다. 우리는 홀에서 기다렸다. 홀 중앙에는 여인상 모양의 기둥이 떠받치고 있는 화려한 금박 계단이 있었고, 천장에는 거대한 샹들리에들이 있었다. 나는 네베를 보고 강한 인상을 받았다는 것을 알리기 위해 눈썹을 치켜세웠다.

"나쁜 편은 아니지 않나?" 그가 그렇게 말하며 내 팔을 잡고 아름다운 정원이 내다보이는 프랑스식 창문으로 이끌었다. 창 너머 서쪽으로 그로피우스가 설계한 오이로파 하우스의 현대적 윤곽이 보였고, 북쪽으로는 프린츠 알브레히트 가에 있는 게슈타포 본부의 남쪽 부속 건물이 명확히 눈에 들어왔다. 전에 하이드리히의 명령으로 잠시 그곳에 구류된 적이 있었기 때문에 그 건물을 쉽게 알아볼 수 있었다.

그렇다고는 해도 일반적으로 지포라고 불리는 보안 방첩부와 게슈타포의 차이는, 이 두 조직에서 일했던 사람들조차 구분하기 어려웠다. 나는 그 차이를 보크부르스트 소시지와 프랑크푸르터 소시지의 차이 정도로 이해한다. 두 소시지는 각자 특정한 이름을 갖고 있지만 내가 보기엔 모양도 맛도 정확히 똑같다.

이 건물과 관련하여 확실히 아는 게 하나 있다면 프린츠 알브레히트 궁이라는 이 건물을 하이드리히가 유용하게 쓰고 있다는 점이었다. 하이드리히의 주인에 해당하는 힘러가 점거하고 있는, 예전에 프린츠 알브레히트 슈트라세 호텔이었던 게슈타포 본부 옆 건물과 비교하면 이 궁전이 더 나을지도 몰랐다. 현재 친위대 하우스가 된 그 오래된 호텔은 궁전보다 더 클 게 분명했다. 하지만 소시지의 경우와 마찬가지로 맛과 크기는 거의 상관이 없는 것이다.

아르투르 네베가 뒤꿈치를 부딪치는 소리를 듣고 주위를 둘러보자 독일 제3제국이 낳은 공포의 황태자가 우리 옆에 서 있었다.

큰 키에 해골처럼 마르고 데스마스크처럼 표정이 없는 길고 창백한 얼굴. 대쪽같이 곧은 등 뒤로 얼음 같은 손을 맞잡은 하이드리히는 우리 두 사람 모두에게 어떤 말도 건네지 않고 잠시 창밖을 바라보고 있었다.

"어서 오시오, 신사 양반들." 그가 마침내 입을 열었다. "멋진 날씨군. 좀 걸읍시다." 프랑스식 창을 열고 그가 정원으로 걸음을 옮길 때 나는 그의 발이 얼마나 큰지 알 수 있었고, 다리가 안쪽으로 얼마나 휘어 있는지 알 수 있었다. 마치 오랜 시간 동안 말을 타고 있었던 것 처럼. 제복 주머니에 달린 은 기수 배지로 판단해 보건대 아마 그는 정말 오랜 시간 말을 타고 지냈으리라.

상쾌한 공기와 따사로운 햇살이 있는 곳으로 나오자 그는 파충류 처럼 더 생기가 도는 것 같았다.

"여기는 프리드리히 빌헬름 1세의 여름 별장이었소." 그가 솔직하 게 말했다. "그리고 보다 최근 공화국 시절에는 이집트 왕이나 영국 수상처럼 중요한 손님을 맞는 데 쓰곤 했지. 당연히 그 우산을 든 멍 청이 말고 램지 맥도널드[15] 말이오. 역사가 깊은 궁전들이 많지만 이 궁이 가장 아름다운 것 같소. 나는 가끔 여길 걷지. 이 정원은 게슈타 포 본부와 연결돼 있어서 나한테는 아주 편하오. 그리고 한 해 중에 지금이 특히 좋을 때지. 집에 정원이 있소, 귄터 씨?"

"아니요." 내가 말했다. "정원은 항상 할 일이 넘칠 것처럼 보여서 말입니다. 쉴 때 내가 정말 해야 하는 건 쉬는 거죠. 정원에서 땅 파는 일을 시작하는 게 아니라."

"그렇다니 유감이군. 슐락텐제에 있는 우리 집에는 크로케를 할 수 있는 잔디가 딸린 멋진 정원이 있지. 당신들 가족들과 그 게임을 하면 어떻겠소?"

"됐습니다." 우리는 동시에 그렇게 말했다.

---

15. 영국 37대 수상.

"흥미로운 게임이오. 영국에서 아주 인기가 있다고 알고 있지. 새로운 독일 제국에 빗대어 보자면 흥미로운 게임이오. 법이란 다양한 강제성을 통해 사람을 움직이게 하여 작은 굴레를 통과하게 하는 것일 뿐이오. 하지만 공을 때릴 봉이 없다면 움직임이 있을 수 없지. 경찰에게는 크로케가 정말 완벽한 게임이오." 네베가 예의상 고개를 끄덕였고, 하이드리히는 자신의 비유에 만족한 듯 보였다. 그는 거리낌 없이 떠들기 시작했다. 자신이 싫어하는 것들—프리메이슨, 가톨릭, 여호와의 증인, 동성애 그리고 독일 군사 정보 기관 아프베어의 사령관인 카나리스 제독—에 대해서는 간단히. 그리고 자신에게 기쁨을 주는 것들—피아노와 첼로, 펜싱, 그가 가장 좋아하는 나이트클럽들과 가족—에 대해서는 길게.

"새로운 독일 제국은," 그가 말했다. "가족의 감소를 막는 데 최선을 다하는 한편 피로 맺은 국가 공동체를 설립중이오. 많은 것이 변하고 있소. 예를 들면 현재 독일 제국에는 22,787명의 매춘부가 있소. 올해 초에 비해 오천오백 명이 줄었지. 결혼과 출산이 늘었고, 이혼은 반감했소. 나치당에 가족이 왜 그렇게 중요하냐고 물을지도 모르겠군. 그렇다면 대답해 주지. 아이들. 우리의 아이들이 더 우수할수록 독일 제국의 미래가 더 밝아지는 것이오. 따라서 이 아이들을 위협하는 게 있다면 신속한 조치를 취해야 하오."

담배를 꺼낸 나는 그 말에 주의를 기울이기 시작했다. 그가 마침내 요점에 이른 것 같았다. 우리는 정원 벤치에 다다라 자리에 앉았다. 나는 흑빵 샌드위치에 끼인 닭 가슴살처럼 하이드리히와 네베 사이에 앉았다.

"당신은 정원을 좋아하지 않는다고 했지." 그가 사려 깊은 목소리로 말했다. "아이들은 어떻소? 아이를 좋아하나?"

"좋아합니다."

"다행이군." 그가 말했다. "개인적인 생각이지만 아이를 사랑하는 것은 대단히 중요한 일이지. 아이들이 싫을지라도 우리는 아이를 사랑해야 하오. 그렇지 않으면 인간성을 표현할 방법이 없으니까. 내 말이 무슨 말인지 알겠소?"

나는 확실하게 이해할 수 없었지만 어쨌든 고개를 끄덕였다.

"단도직입적으로 말해도 되겠소?" 그가 말했다. "아직은 기밀 사항이오."

"좋으실 대로."

"어떤 미치광이가 베를린 거리를 배회하고 있소, 귄터 씨."

나는 어깨를 으쓱했다. "그걸 아시다니 놀랍군요." 내가 말했다.

하이드리히가 성급하게 머리를 저었다.

"아니, 난 돌격대원이 어떤 늙은 유대인을 두들겨 패는 걸 말하는 게 아니오. 살인자를 말하는 거지. 그놈은 몇 달 동안 네 명의 젊은 독일 여자를 강간하고 죽이고 불구로 만들었소."

"신문에서 그런 기사를 본 기억이 없군요."

하이드리히가 웃음을 터뜨렸다. "신문은 우리가 허락하는 기사만 실을 뿐이지. 이 특별한 건에 대해서는 보도 금지령을 내렸소."

"슈트라이허와 그자가 발행하는 반유대주의 삼류 신문이 떠들어대면 유대인에게 그 죄가 덮어씌워질 테니까." 네베가 말했다.

"정확히 그렇소." 하이드리히가 말했다. "이 도시에서 반유대주의 폭동은 피하고 싶소. 그런 유의 일은 내 사회질서관에 반하는 짓이지. 경찰로서의 나를 불쾌하게 하는 짓이오. 우리가 유대인들을 청소하기로 결정했다면 그건 더 적절한 방법으로 취해질 것이오. 폭도의 힘을 빌려서가 아니라. 거기에는 상업 정책상의 함의도 있소. 이 주 전 뉘른베르크의 어떤 머저리들이 유대교 사원을 파괴하기로 마음먹었소. 그 사원은 독일계 보험회사에 고액의 보험을 막 들어 둔 참이었소. 그 사건으로 보험회사는 수천 마르크의 보험금을 지불해야 했지. 그러니까 당신도 알겠지만, 인종 폭동은 사업상 아주 손해요."

"왜 내게 이런 말을 하십니까?"

"난 이 미친놈을 잡고 싶소. 그것도 빨리, 귄터." 그가 건조한 눈으로 네베를 보았다. "크리포 최고의 수사력에 힘입어 한 유대인이 이미 살인자라고 자백했소. 하지만 마지막 살인이 일어났을 때 그는 확실히 구금 상태였기 때문에 그자는 아무래도 결백한 것 같소. 네베가 총애하는 경찰 중 한 명이 직무상 너무 열심이었던 나머지 그 사내를 범인으로 꿰어 맞춘 것 같소.

하지만 당신 귄터, 당신은 인종적 편견이나 정치적 사욕이 없소. 게다가 이 범죄 수사 분야에 상당한 경험도 있지. 어쨌든 교살범 고르만을 체포한 사람이 당신 아니었소? 십 년 전 일이지만 아직도 많은 사람이 그 사건을 기억하고 있지." 그는 말을 멈추고 내 눈을 똑바로 쳐다보았다. 불편할 만큼. "다시 말해 난 당신의 복귀를 원하오, 귄터. 크리포에 복귀해서 그놈이 또 살인을 저지르기 전에 그 미친놈을 찾아내시오."

나는 덤불 안으로 담배꽁초를 튀기고 자리에서 일어났다. 아르투르 네베가 아무 감정이 실리지 않은 눈으로 나를 응시했다. 내가 경찰에 복귀해 자신의 어떤 부하들보다 우선하여 수사를 이끌길 바라는 하이드리히에 동의하지 않는다는 듯이. 나는 또 다른 담배에 불을 붙이고 잠시 생각했다.

"이런, 다른 형사들이 있을 텐데요." 내가 말했다. "뒤셀도르프의 짐승 퀴어텐을 잡은 형사는 어떻습니까? 왜 그를 부르지 않습니까?"

"우린 이미 그를 검토했네." 네베가 말했다. "페터 퀴어텐이 먼저 자수한 것 같더군. 효과적인 수사였다고는 할 수 없지."

"그 밖에는 아무도 없다는 말입니까?"

네베가 머리를 흔들었다.

"당신도 알다시피 귄터," 하이드리히가 말했다. "다시 당신에게로 돌아왔군. 솔직히 말해 나는 독일 제국 전체를 통틀어 당신보다 더 나은 형사가 있는지 의심스럽소."

나는 웃음을 터뜨리며 머리를 저었다. "수완이 좋으시군요. 아주 좋습니다. 아이와 가족에 대한 멋진 연설 잘 들었지만, 장군, 당신이 맡고 있는 현대 경찰력이 무능하다는 사실을 비밀로 해 두고 싶은 게 진짜 이유라는 걸 우리 둘 다 잘 알고 있습니다. 경찰에도, 당신에게도 안 좋을 일이겠죠. 당신이 내가 복귀하길 바라는 진짜 이유는 내가 좋은 형사이기 때문이 아니라 현역 경찰들이 형편없기 때문입니다. 현재 크리포가 해결할 수 있는 범죄라면 인종 오염에 관한 것이거나 총통을 비방하는 것뿐이죠."

눈을 가늘게 뜬 하이드리히가 켕기는 게 있는 개처럼 미소를 지었다.

"내 말을 거절하는 거요, 귄터 씨?" 그가 차분한 음성으로 말했다.

"돕고 싶습니다, 정말로. 하지만 타이밍이 안 좋군요. 아시겠지만 내 파트너가 어젯밤 살해된 채 발견된 참입니다. 구식이라고 하실지 모르겠지만 나는 그를 죽인 자를 찾고 싶습니다. 보통의 경우라면 살인과 친구들에게 맡길 테지만 방금 말씀하신 것처럼 그 친구들에게 맡기기에는 너무 가망이 없어 보이지 않겠습니까? 그 친구들은 파트너를 죽인 사람으로 나를 체포했고, 강제로 자백서에 사인을 하게 할지도 모를 일입니다. 그럴 경우 나는 단두대를 피하기 위해 당신에게 협조해야겠죠."

"물론 나도 슈탈레커의 불행한 죽음에 대해 들었소." 그가 다시 자리에서 일어나 말했다. "그리고 당신은 당연히 그 건을 조사하고 싶겠지. 내 무능한 부하들이 조금이라도 도움이 된다면 주저 말고 말하시오. 어쨌든 가령 이 장애가 제거된다면 당신 대답은 어떻소?"

나는 어깨를 으쓱했다. "내가 만약 거절하면 나는 탐정 면허를 잃겠군요……."

"당연히……."

"총기 허가증에 운전면허증……."

"우린 뭔가 핑계거리를 찾아내겠지."

"……그렇게 되면 억지로라도 받아들여야겠군요."

"훌륭하군."

"조건이 하나 있습니다."

"뭐든."

"조사하는 동안 경감의 직위를 보장해 줄 것과 수사는 제가 원하는 방식으로 하게 해 주십시오."

"자, 잠깐," 네베가 말했다. "예전 직위로는 문제가 있나?"

"봉급을 제쳐 두고라도," 하이드리히가 말했다. "분명 상급 경관의 간섭에서 가능한 한 벗어나고 싶겠지. 아주 당신다운 생각이군. 크리포로 복귀함으로써 분명히 수반될 편견을 극복할 직위가 필요할 테니. 나도 그럴 생각이었지. 들어주겠소."

우리는 궁으로 발걸음을 돌렸다. 문 안에서 친위대 보안 방첩부 장교가 하이드리히에게 쪽지를 건넸다. 그는 그것을 읽고 미소를 지었다.

"이런 우연이 있나?" 그가 미소를 지었다. "내 무능한 경찰들이 당신 파트너를 죽인 자를 찾은 것 같소, 귄터 씨. 클라우스 헤링이라는 이름이 당신에게 어떤 의미가 있소?"

"슈탈레커가 살해당했을 때 그는 그자의 아파트를 지키는 중이었습니다."

"좋은 뉴스군. 아쉬운 점이 있다면 이 헤링이라는 자는 자살한 것 같소." 그가 네베를 보고 미소를 지었다. "가서 조사해 보는 게 좋겠군. 그렇게 생각하지 않소, 아르투르? 그렇지 않으면 여기 있는 귄터 씨는 우리가 조작한 일이라고 생각할 거요."

목을 맨 사람의 인상을 기괴하다는 표현 외에 달리 묘사하기는 어렵다. 입술이 하나 더 생긴 것처럼 부어오르고 튀어나온 혀, 달리는 개의 불알처럼 불거진 눈. 이런 것들을 보면 사고에 약간 영향을 미치게 된다. 따라서 그가 지역 토론 대회에서 상을 탈 위인은 아니리라는 느낌 이외에도 그가 서른 살쯤 되었고, 호리호리한 체격에 금발이라는 것과 목이 매달린 탓에 키가 더 커 보인다는 것을 제외하면 클라우스 헤링에 대해서는 할 말이 많지 않았다.

상황은 매우 명확해 보였다. 내 경험에 따르면 목을 매달았다는 것은 거의 항상 자살이다. 사람을 죽이겠다면 더 간단한 방법이 있다. 몇몇 예외적인 경우도 보았지만 그것은 모두 피해자가 변태적 성행위를 시도하다가 미주신경 억제라는 작은 사고를 당한 우발적 사건이었다. 이 같은 이상성욕자들은 대개 나체이거나 끈적끈적한 손에 포르노 잡지를 펼쳐 든 채 여성용 속옷 차림으로 발견되었고, 항상 남자들이었다.

헤링의 경우, 성적 사고에 따른 죽음이라는 증거는 발견할 수 없었다. 어머니가 골라 준 것 같은 옷차림에 몸 양옆에 늘어져 있는 손은 스스로 죽음을 자초했다는 것을 웅변하고 있었다.

알렉스에서 나를 심문했던 슈트룬크 경위가 하이드리히와 네베에게 상황을 설명했다.

"이 남자의 이름과 주소를 슈탈레커의 주머니에서 찾았습니다." 그가 말했다. "신문에 싸인 총검은 부엌에 있었습니다. 피가 묻은 걸로 보아 이 칼로 그를 죽인 것 같습니다. 헤링이 그를 죽였을 때 입었던 것 같은 피 묻은 셔츠도 찾았습니다."

"그 밖에는?" 네베가 말했다.

"슈탈레커의 권총집이 비어 있었습니다, 장군." 슈트룬크가 말했다. "이게 그의 총인지 아닌지 아마 귄터가 말해 줄 겁니다. 셔츠가 든 쇼핑백에서 찾았습니다."

그가 나에게 발터 PPK를 건넸다. 총구를 코에 대고 킁킁거리자 기름 냄새가 났다. 슬라이드를 당겨 총열을 들여다보니 탄창에 총알이 가득 차 있었는데도 불구하고 총알이 한 발도 장전되어 있지 않았다. 그리고 방아쇠울을 살폈다. 브루노의 이니셜이 검은색 금속에 깔끔하게 새겨져 있었다.

"브루노의 총이 맞군." 내가 말했다. "총에 손조차 대지 않은 것 같은데. 셔츠를 좀 보고 싶네."

슈트룽크가 허락을 구하는 눈빛으로 자신의 상관인 국가형사이사관을 힐끗 보았다.

"보여 주게, 경위." 네베가 말했다.

셔츠는 C&A 백화점에서 산 것으로 명치 부근과 오른쪽 소매에 피가 잔뜩 묻어 있었다. 대략적인 상황을 알 수 있을 듯했다.

"저 남자가 당신 파트너를 살해한 게 틀림없어 보이는군, 귄터 씨." 하이드리히가 말했다. "저자는 이곳으로 돌아와 옷을 갈아입은 후 자신이 저지른 짓을 자책한 것 같아. 자책한 끝에 목을 매단 거지."

"그렇게 보이는군요." 내가 크게 이의를 달지 않고 말했다. "하지만 괜찮으시다면, 하이드리히 장군, 이곳을 살펴보고 싶습니다. 혼자 말입니다. 한두 가지 호기심을 충족하기 위해서."

"좋소. 너무 오래 걸리진 않겠지?"

하이드리히와 네베 그리고 경위가 아파트에서 나가자 나는 클라우스 헤링의 시체를 자세히 보기 위해 가까이 다가갔다. 보아하니 계단 난간에 전기 코드를 묶고 올가미를 목에 건 다음 딛고 있던 계단에서 발을 뗀 것 같았다. 헤링의 손과 손목 그리고 목을 조사해 보면 실제로 그 방식대로 행해진 것인지 알 수 있을 터였다. 그의 죽음의 정황에는 무언가가 있었다. 꼬집어 말할 수 없는 무언가가. 미심쩍은 무언가가. 스스로 목을 매달기 전에 옷을 갈아입었다는 사실이 특히 의구심을 더했다.

나는 계단 난간 위로 올라가 계단통 벽 위쪽에 작은 단이 진 곳에 무릎을 꿇었다. 몸을 내밀고 내려다보니 올가미 매듭이 헤링의 오른쪽 귀 뒤쪽에 있는 것이 확실히 보였다. 직접 목을 매달 경우, 교살당해 매달린 시체와 비교해 매듭이 더 높은 곳에 위치하는 데다 중앙에 놓이는 것이 보통이다. 게다가 코드가 목을 파고든 부분 바로 아래에 끈 자국이 하나 더 있어서 내 의심은 더욱 굳어졌다. 스스로 목을 매기 이전에 클라우스 헤링은 목이 졸려 죽은 것이었다.

나는 헤링의 깃을 젖혀 아까 조사한 셔츠와 사이즈가 같은지 체크했다. 같은 사이즈였다. 그런 다음 난간에서 내려온 후 두어 계단을 내려왔다. 그의 양손과 손목을 조사하기 위해 발꿈치를 들었다. 오른손을 비틀어 펴자 피가 말라붙어 있었고, 손바닥에 박힌 듯 희미하게 빛나는 물체가 보였다. 나는 헤링의 살갗에서 그것을 뽑아 조심스럽게 내 손바닥 위에 놓았다. 아마도 헤링의 악력에 구부러졌을 그것은 피가 엉겨 붙어 있어 잘 보이지 않았지만 그 한가운데에 있는 문양은 해골임이 분명했다. 그것은 친위대 모자에 붙어 있는 배지였다.

나는 잠시 숨을 멈추고 어떻게 된 경위인지 생각해 보았다. 하이드리히가 이 일에 관여한 게 이제 분명했다. 프린츠 알브레히트 궁 정원에서 하이드리히는 브루노를 살해한 범인을 잡겠다는 내 의무감을 '장애'라고 표현하고, 그것이 '제거'될 경우를 상정하여 나에게 크리포로 복귀하라고 요구하지 않았던가? 그리고 목적을 달성하기에 충분할 만큼 완벽히 제거되지 않았는가? 그는 내 대답이 어떨지 예상했고, 우리가 정원을 거닐러 나가기 전에 이미 헤링을 죽이라고 명령한 게 분명했다.

이런저런 생각을 하며 나는 아파트 안을 조사했다. 매트리스를 들어 올리고, 수조 안을 살피고, 양탄자를 들추고, 의학 서적 한 질을 일일이 넘겨 보는 등 신속하고 꼼꼼하게 조사했다. 나는 그럭저럭 랑게 부인의 협박장에 줄곧 붙어 있던 나치스 정권 획득 5주년 기념우표 한 시트를 찾아냈다. 하지만 그녀의 아들이 킨더만 박사에게 보냈던 편지들은 찾을 수 없었다.

6

9월 9일 금요일

알렉스로 사건 회의를 하러 가는 게 낯설게 느껴졌고, 아르투르 네베가 나를 귄터 경감으로 부르는 것도 낯설게 느껴졌다. 괴링의 경찰 숙청을 더 이상 참을 수 없었던 1933년 6월의 어느 날 이후 오 년이 흘렀다. 나는 아들론 호텔에서 경비원이 될 생각으로 형사 자리를 사임했었다. 어차피 몇 달 뒤 그들은 나를 해고했을 터였다. 나치가 여전히 정권을 잡고 있는데도 누군가가 크리포의 상급 경찰 일원으로 알렉스에 복귀하라고 말했다면 나는 그 사람을 미친놈이라고 말했을 것이다.

테이블에 둘러앉은 면면의 표정을 추정해 보니 분명히 거의 같은 의견을 갖고 있는 듯했다. 국가형사이사관 서열 3위이자 크리포 행정부 수장인 한스 로베스, 베를린 경찰국장보이자 오르포의 제복 경찰 수장 프리츠 폰 데어 슐렌베르크 백작. 내 요청에 따라 소수의 인원으로 구성된 새 수사 팀에 합류한, 성범죄과에서 차출된 한 명, 살인과에서 차출된 두 명 모두 불안과 혐오가 뒤섞인 표정으로 나를 보았다.

그들을 탓할 일은 아니었다. 그들이 염려하는 한 나는 하이드리히의 스파이였다. 나 역시 그들의 위치에 있었다면 같은 방식으로 느꼈으리라.

내가 주관한, 불신의 분위기가 심화된 이 자리에는 두 사람이 더 있었다. 한 명은 여자로, 베를린 샤리테 병원에서 온 법정 정신의학자였다. 마리 칼라우 폼 호페는 그 자신 역시 범죄학자인 아르투르 네베의 친구로 범죄심리학적 문제에 관한 자문위원으로서 경찰본부에 공식적으로 합류했다. 또 한 사람은 베를린 프리드리히 빌헬름 대학 법의학 교수인 한스 일만으로, 나치즘에 대한 그의 반감 때문에 네베가 부득의하게 퇴직시키기 전까지는 알렉스의 고위급 병리학자였다. 일만이 현재 알렉스에서 근무하는 어느 검시관보다 실력이 좋다는 것은 네베도 인정하고 있는 바였고, 따라서 내 요청에 따라 그는 사건의 법의학적인 부분을 책임지도록 초빙되었다.

스파이에 여자에 반체제 인사. 내 새로운 동료들을 위해 자리에서 일어나 〈적기가赤旗歌〉[16]를 불러 줄 속기사만 있다면 완벽했다. 여기에 있는 내 새 동료들은 누구 하나 이것을 진지한 회의로는 받아들이지 않을 터였다.

나에 대한 길고 장황한 네베의 소개가 끝나자 회의는 내 주관으로 시작되었다.

나는 머리를 흔들었다. "나는 관료제를 싫어합니다. 아주 혐오하

---

16. 좌익, 특히 공산당과 관련된 노래로 영국 노동당의 반공식적인 당가이며, 북아일랜드 사회민주노동당과 아일랜드 노동당의 공식 당가이다.

죠. 하지만 여기서 요구되는 것은 정보의 관료제입니다. 점차 어떤 것
이 적절한지 알게 될 겁니다. 정보는 어떤 범죄 수사에서든 사람의 몸
을 흐르는 혈액과 같은 것이며, 그 정보가 오염되면 수사라는 몸 전체
가 독소로 오염됩니다. 잘못된 정보를 갖고 오는 것은 상관없습니다.
이 게임에서 우리가 옳은 방향을 찾을 때까지는 거의 늘 잘못된 정보
와 맞닥뜨릴 겁니다. 하지만 만약 우리 팀의 일원 중 누군가가 고의로
잘못된 정보를 흘린 걸 내가 알게 된다면 징계 심사 위원회에 넘기는
정도가 아닐 겁니다. 나는 그 사람을 죽일 겁니다. 신뢰할 수 있는 정
보입니다.

　이 말도 덧붙이고 싶습니다. 범인이 누구인지는 상관하지 않겠습
니다. 유대인이든 흑인이든 호모든 돌격대원이든 히틀러 유겐트 단
장이든 공무원이든 고속도로 건설 노동자든 내겐 다 같습니다. 그가
범인인 한은. 요제프 칸에 관한 이야기를 해 보겠습니다. 다들 알고
계시겠지만, 그는 브리기테 하르트만, 크리스티아네 슐츠, 자라 리슈
카를 살해했다고 자백한 유대인입니다. 현재 그는 형법 제51조에 따
라 헤어체베르게 정신병원에 수용되어 있고, 네 번째 희생자 로테 빈
터 양을 죽였다고 한 그의 자백을 검토하는 것이 이 회의의 목적 중
하나입니다.

　이 대목에서 본건의 법의학 자문역을 쾌히 수락해 주신 한스 일만
교수를 소개하겠습니다. 모르는 분들을 위해 말씀드리자면 그는 이
나라 최고의 병리학자 중 한 분입니다. 따라서 그와 함께 일하게 된
걸 매우 다행이라고 생각합니다."

　일만은 감사의 표시로 고개를 끄덕이고, 말고 있던 담배를 계속 말

기 시작했다. 호리호리한 몸집의 그는 검은 머리에 무테안경을 쓰고 턱에 작은 수염을 길렀다. 그는 담배를 싸는 종이를 핥는 것을 끝으로 기계가 만 것처럼 훌륭한 모양의 그 담배를 입에 물었다. 나는 말없이 감탄했다. 이 절묘한 재주에 비하면 의학적 재능이 보잘것없어 보일 정도였다.

"코르슈 형사조교가 본건의 사건 보고서를 읽은 다음 일만 교수가 검시 결과에 관한 소견을 말씀해 주실 겁니다." 나는 맞은편에 앉아 있는, 검은 머리에 다부진 젊은 남자에게 머리를 끄덕였다. 그의 얼굴은 지포 감식 부서의 경찰 화가가 그린 것처럼 어딘가 인공적인 데가 있었다. 세 가지 확실히 인상에 남는 부분을 빼면 그 외의 것은 거의 기억에 남지 않았다. 하늘로 몸을 솟구칠 준비를 마친 매처럼 툭 튀어나온 이마 한가운데에서 맞닿은 양 눈썹. 길고 교활해 보이는 마법사 같은 턱. 페어뱅크스[17] 스타일의 작은 콧수염. 코르슈가 목을 가다듬고 내가 생각했던 것보다 더 높은 옥타브로 보고서를 읽기 시작했다.

"브리기테 하트만. 15세로 양친 모두 독일인. 1938년 5월 23일 실종. 6월 10일 지스도르프의 시민 농장 내 감자 부대에서 시체로 발견. 노이쾰른 남쪽 브리츠 주거 단지에서 부모와 살던 피해자는 지하철을 타기 위해 집에서 나와 도보로 파르히머 가를 향해 이동중이었습니다. 피해자는 라이니크도르프에 사는 이모를 방문할 예정이었습니다. 이모가 홀츠하우저 슈트라세 역에서 기다렸지만 브리기테는 오지 않았습니다. 파르히머 역장의 진술에 따르면 피해자가 기차에 오

---

17. 더글러스 페어뱅크스(1883~1939), 미국 배우.

르는 모습을 본 기억이 없지만 당일 밤 맥주를 마셨기 때문에 기억을 못할 수도 있다고 했습니다." 이 말에 모두가 웃음을 터뜨렸다.

"미친 주정뱅이라니." 한스 로베스가 으르렁댔다.

"이 피해자는 장례가 끝난 두 소녀 중 하나입니다." 일만이 낮은 목소리로 말했다. "검시로 밝혀진 것 이외에 더 밝혀 낼 만한 게 없을 거라고 봅니다. 계속하시오, 코르슈 씨."

"크리스티아네 슐츠. 16세로 양친 모두 독일인. 1938년 6월 8일 실종. 7월 2일 슈트랄라우 마을과 슈프레 강 오른쪽 제방에 위치한 트렙토버 공원을 연결하는 기차선로 터널에서 시체로 발견. 단층 아치 유지 보수 구간으로 터널 중간쯤에 있습니다. 그곳에서 낡은 방수포에 싸여 있는 시체를 철도 선로공이 발견했습니다.

피해자는 가수였던 모양입니다. 독일 소녀 동맹[18]의 일원으로 저녁 라디오 프로그램에 종종 출연했던 것 같습니다. 실종됐던 날 밤 일곱 시에 그녀는 마우저렌 가에 있는 푼크트룸 스튜디오에서 히틀러 유겐트 단가를 솔로로 불렀습니다. 브란덴부르크—노이어도르프에 있는 비행 공장에서 엔지니어로 일하는 피해자의 아버지가 여덟시에 그녀를 태우러 오기로 되어 있었습니다. 하지만 타이어에 펑크가 나서 이십 분 정도 늦었습니다. 아버지가 스튜디오에 도착했을 때 이미 크리스티아네는 보이지 않았고, 그녀가 혼자 집으로 돌아간 것으로 추측한 그는 차를 몰고 스판다우로 돌아왔습니다. 아홉시 반까지 그녀가 돌아오지 않자 가족은 그녀의 가장 가까운 친구들에게 연락을

---

18. BdM(Bund Deutscher Mädel) 나치스당 청년 조직 중 여성 조직.

창백한 범죄자
—

취했고, 경찰에 신고했습니다."

코르슈는 일만을 슬쩍 쳐다보고 나서 나를 보았다. 그는 구태여 가다듬지 않아도 될 작은 수염을 매만진 다음 앞에 펼쳐 놓은 파일의 다음 페이지를 넘겼다.

"자라 리슈카," 그가 말했다. "16세로 양친 모두 독일인. 1938년 7월 6일 실종, 8월 1일 티어가르텐 공원 전승 기념탑 근처 배수로 아래에서 시체로 발견. 가족은 베딩의 안톤 가 거주. 아버지는 란트스베르거 가로수 길에 있는 도축장에서 근무. 어머니가 그녀를 도시 고속 전철역 근처 린도버 가에 있는 가게로 심부름을 보냄. 가게 주인이 그녀를 기억했습니다. 부모 모두 담배를 피우지 않는데도 그녀는 담배를 샀고, 마가린과 빵 한 덩어리를 샀습니다. 그러고 나서 옆에 있는 약국으로 갔습니다. 그곳 주인도 그녀를 기억하고 있습니다. 그녀는 거기서 슈바르츠코프 엑스트라 금발 염색약을 샀습니다."

독일 소녀의 60퍼센트가 그 염색약을 쓴다고 나도 모르게 중얼거렸다. 어쩐지 최근에는 쓸모없는 지식만 머리에 남아 있었다. 독일 수데텐 지역에서 일어나는 폭동과 프라하에서 열린 민족 회담 외에 정말 중요한 세계적 이슈에 대해서는 할 말이 그리 많지 않다는 생각이 들었다. 체코슬로바키아에서 일어나고 있는 일이 지금 가장 중요한 일인지 아닌지는 두고 봐야겠지만.

일만이 담배를 비벼 끄고 자신의 보고서를 읽기 시작했다.

"피해자는 나체로, 발이 묶인 흔적이 있습니다. 목에 두 군데의 자상. 목이 졸린 흔적이 뚜렷이 남아 있는데 피해자가 소리를 못 지르게 하려고 그랬던 것으로 추정됩니다. 목을 베였을 때 피해자는 의식이 없었을 겁니다. 목 양쪽에 난 타박상 흔적이 그것을 시사합니다. 그리고 이 부분이 흥미롭습니다. 발에 남은 혈액량, 비강과 머리털에 말라붙은 혈흔과, 발이 단단히 묶여 있었던 사실에서 피해자는 목이 베였을 때 거꾸로 매달려 있었다는 것이 제 소견입니다. 돼지처럼 말입니다."

"빌어먹을." 네베가 말했다.

"앞선 두 건의 기록을 본 바로, 수법이 동일할 가능성이 매우 높습니다. 내 전임자는 두 피해자가 땅에 눕혀진 상태로 목이 베였을 거라고 추측했지만 명백한 난센스이며 발목에 난 찰과상과 발에 남은 혈흔을 고려하지 않은 추측입니다. 매우 태만한 검시 보고서로 보이는군요."

"적어 두지." 아르투르 네베가 메모장에 쓰면서 말했다. "당신 전임자는, 내 생각도 그렇지만, 무능하기 그지없소."

"피해자의 질은 손상된 흔적이 없고 삽입된 징후도 보이지 않습니다." 일만이 말을 이었다. "하지만 항문은 두 손가락이 들어갈 만큼 넓게 벌어져 있습니다. 검사 결과 정액 반응이 나왔습니다."

누군가가 으르렁거렸다.

"위는 이완되어 있고 내용물은 없습니다. 브리기테는 역으로 가기 전에 점심으로 시럽에 절인 사과와 버터를 바른 빵을 먹었습니다. 사망 시점에는 먹은 음식이 모두 소화가 진행된 상태였습니다. 하지만 사과는 쉽게 소화되지 않습니다. 수분은 빠져나가지만요. 따라서 사망 시점은 피해자가 점심 식사를 한 후 여섯 시간에서 여덟 시간 사이, 실종 보고가 들어온 후 두 시간이 지나서일 거라고 사료됩니다.

피해자는 납치된 이후 살해됐다는 게 명백한 결론입니다."

나는 코르슈를 보았다. "마지막 피해자를 부탁하네, 코르슈."

"로테 빈터," 그가 말했다. "16세로 부모 모두 독일인. 1938년 7월 18일 실종되어 8월 25일 시체로 발견. 프라거 가 거주자로 중급 학교 진학을 위해 지역 중등학교에 다니고 있었습니다. 동물원에서 주관하는 승마 강습을 받으러 나갔다가 실종됐습니다. 시체는 무겔 호수 보트 창고 내 낡은 카누에서 발견되었습니다."

"우리의 범인은 동에서 번쩍, 서에서 번쩍하는군." 폰 데어 슐렌베르크 백작이 낮은 목소리로 말했다.

"흑사병처럼 말이야." 로베스가 말했다.

일만이 다시 보고를 이어 나갔다.

"교살됐습니다. 후두, 설골, 방패연골이 골절된 것으로 보아 슐츠 살해 건보다 훨씬 강도 높은 폭력이 자행된 것 같습니다. 우선 이 피해자는 다른 피해자보다 힘이 셌고, 운동으로 단련되어 있었습니다. 저항이 더 심했을 것으로 보입니다. 목 오른쪽 경동맥에 자상이 있지만 사인은 질식입니다. 앞서와 마찬가지로 두 발이 묶인 흔적이 있고, 머리털과 비강에 혈흔이 있었습니다. 의심할 여지 없이 피해자는 목이 베였을 때 거꾸로 매달려 있었고, 다른 건과 유사하게 체내에는 피가 거의 남아 있지 않았습니다."

"염병할 흡혈귀의 소행으로 들리는군." 살인과 형사 중 한 명이 소리쳤다. 그가 칼라우 폼 호페를 힐끗 보며 말했다. "죄송합니다." 그녀가 머리를 저었다.

"성폭행 흔적이 있습니까?" 내가 물었다.

"악취가 심해서 피해자의 질을 세정해야 했기 때문에," 일만의 목소리에 짜증의 기색이 더해졌다. "정액은 발견되지 않았네. 하지만 질 입구에 긁힌 자국이 보이고 골반에 타박상이 있는 걸로 보아 삽입이 행해진 걸로 보이네. 그것도 억지로."

"목이 베이기 전에 말입니까?" 내가 물었다. 일만이 끄덕였다. 방 안이 잠시 침묵에 잠겼다. 일만이 또 다른 담배를 말기 시작했다.

"이제 또 한 명의 소녀가 실종됐습니다." 내가 말했다. "맞나, 도이벨 경위?"

도이벨이 의자에서 불편한 듯 뒤척였다. 덩치가 큰 금발 사내로 그의 고뇌가 가득한 회색 눈은 두꺼운 방호용 가죽 장갑을 필요로 하는 종류의 심야 경찰 업무를 너무 많이 봐 온 것처럼 보였다.

"네, 경감님." 그가 말했다. "그녀의 이름은 이르마 한케입니다."

"담당자인 자네가 그녀에 대해 할 말이 있겠군."

그가 어깨를 으쓱했다. "좋은 독일인 집안에서 자랐습니다. 나이는 17세, 슈테글리츠의 슐로스 가에서 삽니다." 수첩에 눈길을 주느라 그는 잠시 말을 멈췄다. "8월 24일 수요일, 독일 소녀 동맹을 대표해 국가 경제 프로그램의 일환인 회수 활동을 위해 집에서 나온 후 실종됐습니다." 그가 다시 말을 끊었다.

"그녀가 뭘 회수했나?" 백작이 물었다.

"다 쓴 치약 튜브입니다. 튜브의 금속이……,"

"고맙네, 경위, 치약 튜브 조각의 가치가 어떤지 아네."

"네, 알겠습니다." 그가 다시 수첩을 힐끗 보았다. "그녀는 포이바흐 가, 토르발트젠 가 그리고 문스터 제방에서 목격됐습니다. 문스터 제방은 묘지를 끼고 남쪽으로 뻗어 있는데, 묘지기가 이르마의 특징과 일치하는 독일 소녀 동맹 단원이 오후 여덟시 삼십분에 그곳을 걷고 있었다고 증언했습니다. 그는 그녀가 서쪽 비스마르크 가로 가는 거라고 생각했습니다. 그녀가 부모님에게 여덟시 사십오분쯤 돌아올 거라고 말했다는 걸로 보아 집으로 돌아가는 길이었다고 추정됩니다. 물론 그녀는 귀가하지 않았습니다."

"그 밖의 단서는?' 내가 물었다.

"없습니다, 경감님." 그가 잘라 말했다.

"고맙네, 경위." 나는 담배에 불을 붙인 다음 그 불을 일만의 사제담배에 갖다 댔다. "좋습니다. 그렇다면," 나는 담배를 뻐끔거렸다. "다섯 명의 피해자 모두 같은 또래에 우리가 각별히 여기는 전형적인 아리아인입니다. 즉, 그들 모두 태어날 때부터 금발 머리거나 금발로 물을 들였습니다.

그리고 우리의 세 번째 베를린 처녀가 살해된 직후 요제프 칸이 창녀 강간 미수로 체포됐습니다. 즉, 그는 화대를 내지 않고 가려고 했습니다."

"전형적인 유대 놈이군." 로베스가 말했다. 그러자 약간 웃음이 일었다.

"그때 칸은 아주 날카로운 칼을 소지하고 있었고, 절도와 성추행 전과도 있습니다. 그야말로 안성맞춤이죠. 그래서 그롤만 지서의 빌리오이메 수사관은 자신이 잭팟을 터뜨리기로 마음먹었습니다. 그는 감언이설과 주먹을 섞어 가며 머리가 좀 모자란 청년 요제프와 이야기를 나눈 끝에 그럭저럭 자백서에 사인을 받아 냈습니다.

신사분들, 이제 여러분에게 칼라우 폼 호페 여사를 소개하도록 하겠습니다. 그녀는 모두 아시다시피 분명히 여성입니다. 여자가 있어야 할 곳은 가정이며 당을 위해 당원을 생산해야 하고 남편을 위해 요리를 해야 하기 때문에 박사임에도 불구하고 본인이 그렇게 불리는 걸 원치 않으셔서 '여사'라고 호칭했습니다. 그녀는 실제로 정신요법 의사이며 범죄자의 심리라는 불가해한 미스터리에 정평이 있는 전문가입니다."

　내 눈이 테이블 끝에 앉은 크림처럼 부드러운 느낌의 여인을 훑었다. 미색 스커트와 실크 블라우스 차림의 그녀는 금발 머리를 조각처럼 멋진 뒤통수에 핀으로 고정해 올리고 있었다. 그녀가 내 소개에 미소를 짓고 서류 가방에서 파일을 꺼내 자신 앞에 펼쳤다.

　"요제프 칸은 아이였을 때, 1915년에서 1926년 사이 서유럽 아이들에게 유행했던 급성 기면성뇌염에 걸렸습니다. 이것이 그의 성격에 큰 영향을 미쳤습니다. 이 병의 중증 기간을 거친 아이들은 점점 안절부절못하고 짜증을 내다가 공격적 성향마저 띠고 급기야 도덕관념을 상실하는 증세를 보이기까지 했습니다. 물건을 요구하고, 훔치고, 거짓말을 하고, 때로는 잔혹한 행동을 하기도 하죠. 끊임없이 떠들어서 학교에서나 가정에서 점점 다루기 힘들어집니다. 비정상적인 성적 호기심과 성적인 문제도 종종 관찰되고요. 뇌염이 완전히 치료된 청년기가 되어서도 간혹 같은 증상, 특히 성욕을 억제하지 못하는 증상을 보이는데 요제프 칸이 분명히 그런 경우에 해당합니다. 그는 파킨슨병 증세를 보이고 있고, 결국 신체적 쇠약에 이르게 될 겁니다."

　폰 데어 슐렌베르크 백작이 하품을 하고 손목시계를 들여다보았다. 하지만 박사는 개의치 않았다. 오히려 그의 무례한 태도를 재미있어하는 것 같았다.

"그의 명백한 범죄 성향에도 불구하고," 그녀가 말했다. "저는 요제프가 이 소녀들 중 어느 누구도 죽였을 거라고 생각하지 않습니다. 일만 교수와 법의학적 증거를 놓고 토의한 결과 저는 이 일련의 살인은 칸이 저지르기에는 불가능한 계획된 범죄라고 생각합니다. 칸이라면 우발적 살인만 가능할 겁니다. 그것도 피해자를 죽인 다음 그 자리에 그냥 두고 갔을 겁니다."

일만이 끄덕였다. "그의 진술을 분석해 보면 주지의 사실과 큰 차이가 있습니다. 그는 스타킹으로 교살했다고 진술했습니다. 하지만 검시 결과 맨손으로 목을 졸랐다는 게 매우 명확해 보입니다. 그리고 그는 칼로 피해자의 명치를 찔렀다고 진술했습니다. 검시 결과 피해자 중 누구도 찔리지 않았습니다. 피해자는 모두 베였습니다. 목을. 게다가 네 번째 살인은 칸이 구금되어 있는 동안 일어난 일입니다. 그 네 번째 살인은 다른 범인의 소행일까요? 누군가가 이전 세 살인을 모방한 걸까요? 아닙니다. 이전 세 살인이 전혀 보도되지 않았기 때문에 모방은 불가능합니다. 그리고 네 건의 살인 방식 유사성이 너무 확실하기 때문에 그렇다고 볼 수 없습니다. 살인은 모두 같은 사람에 의해 저질러진 겁니다." 그가 칼라우 폼 호페 여사를 보고 미소를 지었다. "덧붙이실 게 있소, 마담?"

"요제프 칸이 저지르기에는 불가능한 살인이라는 것 말고는 없어요." 그녀가 말했다. "요제프 칸은 제3제국에서는 일어날 수 없어 보였던 일종의 사기 피해자입니다." 그녀는 입가에 미소를 머금고 파일을 덮었다. 그리고 의자에 몸을 기댄 다음 담배 케이스를 열었다. 박 사라는 호칭과 마찬가지로 흡연은 여자들이 해서는 안 되는 것이었지만 그녀는 그런 것에 별로 구애받지 않는 것처럼 보였다.

다음으로 입을 연 사람은 백작이었다.

"지금까지의 정보에 비추어 본건의 보도 규제가 이제 해제될지 국가형사이사관님께 여쭤 봐도 되겠습니까?" 그가 네베의 대답을 듣고 싶은 열망에 테이블로 몸을 기울이자 그의 벨트가 삐걱거리는 소리를 냈다. 젊은 폰 데어 슐렌베르크는 현재 모스크바 대사이자 한때 유명했던 장군의 아들로, 흠잡을 데 없는 집안 출신이었다. 네베가 대답이 없자 그가 덧붙였다. "신문의 공식적인 성명 같은 게 없이 어떻게 어린 딸자식을 둔 부모들에게 주의가 필요하다는 것을 각성시킬 수 있을지 모르겠군요. 당연히 모든 경찰서는 시내 전역에 경계령을 내려야 할 필요가 있습니다. 하지만 제국 수상의 성명이 있다면 내 오르포 부하들이 일하기가 더 쉬워질 겁니다."

"매스컴이 이런 살인자를 자극할 수 있다는 것은 범죄학상 주지의 사실이오. 칼라우 폼 호페 여사가 확인해 줄 거라 확신하오."

"맞아요." 그녀가 말했다. "연쇄살인범은 신문지상에 자신의 이야기가 실리는 걸 좋아하는 경향이 있어요."

"어쨌든," 네베가 말을 이었다. "오늘 선전성에 전화해서 젊은 여성들에게 주의를 촉구할 수 있는 방안이 있는지 물어보겠소. 그런 거라면 상급집단지도자의 승인을 받아야 할 거요. 그분은 독일 여성들 사이에 공포를 조장하는 말을 절대 해서는 안 된다고 걱정하셨소."

백작이 끄덕였다. "그렇다면 이제," 그가 나를 보고 말했다. "경감에게 묻고 싶은 게 있군요."

그가 미소를 지었지만 나는 그 미소에 쉽게 마음을 놓지 않았다. 오만한 인상으로 보아 그는 상급집단지도자인 하이드리히와 같은 학교 출신인 것 같다는 인상을 주었다. 나는 마음속으로 그가 날릴 첫 펀치에 대비해 가드를 올렸다.

"유명한 교살범 고르만 사건을 훌륭히 해결한 수사관이었던 그가 이 특별한 사건에 대한 자신의 생각을 우리에게 말해 줄까요?"

그는 마치 괄약근을 조이고 있는 것처럼, 불편해 보이는 정도를 넘어선 형식적인 미소를 끊임없이 짓고 있었다. 적어도 괄약근은 발달되어 있을 터였다. 숙청된 돌격대 사령관 에른스트 룀처럼 호모라는 소문이 도는 전직 돌격대원 볼프 폰 헬도르프 백작의 부관이었을 정도면 슐렌베르크의 엉덩이는 눈 나쁜 소매치기를 유혹할 만하다고 해도 이상하지 않았다. 그가 자신의 의뭉스러운 질문을 의식하면서 덧붙였다. "우리가 찾는 범인의 성격 같은 거라도?"

"그 점에 대해서는 제가 이번 사건의 수사 책임자를 도울 수 있을 거예요." 칼라우 폼 호페 여사가 말했다. 백작이 짜증스럽다는 듯 그녀를 향해 머리를 휙 돌렸다.

그녀가 바닥에 있던 서류 가방에서 큰 책 한 권을 꺼내 테이블 위에 올려놓았다. 연이어 꺼낸 책이 폰 데어 슐렌베르크의 잘 닦인, 목이 긴 군화 높이만큼 테이블에 쌓였다.

"딱 그런 질문을 예상해서 제 마음대로 범죄 심리를 다룬 책 몇 권을 가져왔습니다." 그녀가 말했다. "하인들의 『직업적 범죄자』, 불펜의 명저 『성적 비행 안내서』, 히르슈펠트의 『성적 이상』, F. 알렉산더의 『범죄자와 재판관들』……."

백작에게는 감당이 안 되는 행동이었다. 그가 테이블 위에 펼쳐진 자신의 서류를 모으더니 자리에서 일어나며 신경질적인 미소를 지었다.

"다음에 듣겠소, 폼 호페 여사." 그런 다음 뒷굽을 울리며 회의실에 있는 사람들에게 딱딱하게 인사한 뒤 회의실 밖으로 나갔다.

"무례한 자식." 로베스가 중얼거렸다.

"괜찮아요." 그녀가 쌓여 있는 참고 문헌 위에 《독일 경찰 저널》 몇 부를 더하며 말했다. "배울 마음이 없는 사람에게 가르칠 순 없죠."블라우스를 찢고 나올 듯한 그녀의 멋진 가슴만큼이나 멋진 탄력적 태도에 감탄하며 나는 미소를 지었다.

회의가 끝나고 나는 그녀와 단둘이 남을 기회를 잡기 위해 조금 꿈지럭거렸다.

"그가 좋은 질문을 했습니다." 내가 말했다. "아쉽지만 나는 그 질문에 대답할 말이 별로 없었죠. 도와주셔서 고맙군요."

"그런 말씀 마세요." 폼 호페 여사가 서류 가방에 책들을 집어넣으며 말했다. 나는 그 책들 중 하나를 집어 들고 훑어보았다.

"당신의 대답이 흥미롭더군요. 술 한잔 사도 되겠습니까?"

그녀가 손목시계를 보았다. "네." 그녀가 미소를 지었다. "그거 좋죠."

옛 성곽이 있는 클로스터 가 변두리에 위치한 디 레체 인스탄츠*Die Letze Instanz*[19]는 알렉스 경찰들과 근처 최고 재판소 법원 공무원들이 선호하는 바로, 바 이름도 그런 의미에서 따왔다.

내부는 짙은 갈색 나무 패널로 되어 있었고, 바닥에는 판석이 깔려 있었다. 바 옆에는 17세기 군인 모양의 꼭지가 달린 거대한 노란색 자기로 된 맥주 통 펌프와 녹색과 갈색, 노란색 타일이 깔린 사람 형상의 큼직한 의자가 있었다. 그 차갑고 불편해 보이는 왕좌에는 창백한 안색에 검은 머리의 바 주인 바른슈토프가 깃 없는 셔츠를 입고 자루 대용으로 쓰이기도 하는 큼지막한 앞치마를 두른 채 앉아 있었다. 바에 들어서자 그가 나를 따뜻하게 맞이하며 우리에게 구석에 있는 조용한 자리를 안내하고 맥주 두 잔을 내왔다. 옆 테이블의 한 사내가 우리 둘 다 한 번도 본 적 없는 거대한 돼지 족발을 헤집고 있었다.

"시장하십니까?" 내가 그녀에게 물었다.

"저 사람을 본 후로는 아니에요." 그녀가 말했다.

"알겠습니다. 저 모습에 식욕이 떨어지셨나 봅니다. 족발과 사투하는 모습이 철십자 훈장이라도 받으려고 애쓰는 것 같군요."

그녀는 미소를 지었고, 우리는 잠시 침묵에 빠졌다. 이윽고 그녀가 입을 열었다. "전쟁이 날 거라고 생각하세요?"

나는 맥주 거품에서 대답이라도 떠오르길 기대하듯 맥주잔을 응시했다. 나는 어깨를 으쓱하고 손을 저었다.

"최근 일어나는 일에 계속 눈을 감고 있진 않습니다." 나는 그렇게 말하고 브루노 슈탈레커에 대한 일과 크리포로 복직한 이유를 설명했다. "이런 걸 물어도 될까요? 범죄심리학 전문가니까 당신은 총통

19. '최후의 심판'이라는 뜻.

의 사고방식에 대해 일반인보다 조예가 더 깊을 겁니다. 그의 행동이 형법 51조에 정의되어 있는 강박적인 증상이나 충동 조절 장애에 해당됩니까?"

이번에는 그녀가 맥주잔에서 영감을 찾을 차례였다.

"이런 대화를 나눌 만큼 우리는 서로에 대해 잘 모르지 않나요?" 그녀가 말했다.

"그런 것 같군요."

"하지만 이건 말해 두죠." 그녀가 목소리를 낮추며 말했다. "『나의 투쟁』[20]을 읽어 보셨나요?"

"모든 신혼부부에게 무료로 나눠 준 그 이상한 구닥다리 책 말입니까? 내 생각에 그 책은 그 때문에라도 독신으로 남아야 할 이유가 된 책이죠."

"나는 읽어 봤어요. 내가 알아챈 것 중 하나는 일곱 페이지 내내 한 구절이 반복해서 나온다는 거예요. 히틀러는 성병과 그 결과에 대해 언급하죠. 정말로 그는 성병의 박멸을 독일 국민이 선결해야 할 과제라고 주장해요."

"맙소사, 그가 매독 환자라는 말을 하고 있는 겁니까?"

"나는 아무 말도 하고 있지 않아요. 나는 총통의 그 위대한 책에 쓰여 있는 걸 말하고 있는 것뿐이에요."

"하지만 그 책은 20년대 중반에 출간됐습니다. 그가 매독에 걸렸었다면 이제 제3기에 접어들었겠군요."

20. 히틀러의 자서전.

창백한 범죄자
–
111

"알게 되면 흥미로울 거예요." 그녀가 말했다. "헤어체베르게 정신병원의 요제프 칸 같은 많은 환자들이 기질성 정신병을 앓고 있는데 매독의 직접적인 결과예요. 모순된 말을 하거나 그런 생각을 믿죠. 희열과 무관심 사이를 넘나들고, 보통은 정서가 불안해요. 미친 듯한 희열, 과대망상, 극단적인 피해망상이 전형적인 증상이죠."

"맙소사, 당신이 빼놓은 거라면 그 미친 콧수염뿐이군요." 내가 말했다. 나는 불을 붙인 담배를 음울하게 빨았다. "음울한 대화는 그만하고 주제를 바꾸는 게 어떻겠습니까. 우리의 연쇄살인범 친구에 관한 얘기 같은 발랄한 대화를. 녀석의 노림수를 알 것 같습니다. 녀석이 노리는 상대는 미래의 젊은 엄마죠. 정당의 새로운 구성원을 낳을 많은 출산 기계를. 나 역시 그들이 항상 떠드는 아스팔트 문명의 부산물, 즉 우생학적으로 결함이 있는 여자들이 점점 늘어나 아이가 없는 가족이 많아지는 걸 전적으로 찬성합니다. 적어도 우리가 이 고무 경찰봉 정권을 말살할 때까지는. 정신이상자가 그렇게 많은데 한 명 더 있다고 해서 뭐가 달라지겠습니까?"

"필요 이상의 말씀을 하시는군요." 그녀가 말했다. "우린 모두 잔인해질 수 있죠. 우린 모두 잠재적 범죄자예요. 삶이란 문명이라는 껍데기를 유지하려는 투쟁일 뿐이에요. 때로 그 껍데기가 벗겨지면 잔혹한 살인자가 되는 거죠. 페터 퀴어텐이 좋은 예예요. 사람들은 그가 그렇게 끔찍한 범죄를 저지를 수 있으리라고는 전혀 생각하지 못했을 만큼 친절한 남자였었죠."

그녀는 서류 가방을 다시 뒤적거리더니 테이블을 훔치고 두 맥주잔 사이에 푸른색 표지의 얇은 책을 올려놓았다.

"퀴어텐이 체포된 이후 그를 관찰할 기회가 있었던 법의학자 카를 베르크가 쓴 책이에요. 나는 베르크를 만난 적이 있고, 그의 업적을 존경해요. 그는 법의학과 사회의학에 관한 뒤셀도르프 연구소를 설립했고, 잠시 뒤셀도르프 법원의 법의학 고문으로 일했어요. 이 책 『사디스트』는 살인자의 심리에 관한 저작들 중 최고일 거예요. 원하신다면 빌려 드릴게요."

"고맙습니다. 읽어 보고 싶군요."

"사디스트를 이해하는 데 도움이 될 거예요." 그녀가 말했다. "퀴어텐 같은 사람의 정신세계를 파악하기 위해서는 이 책이 필독서예요." 그녀가 다시 가방을 뒤적였다.

"『악의 꽃』." 내가 제목을 읽었다. "샤를 보들레르." 나는 책을 펼치고 시를 대강 훑어보았다. "시집인가요?" 나는 눈썹을 추켜올렸다.

"오, 그렇게 의심스러운 눈으로 보지 말아요, 경감님. 나는 완벽하게 진지하니까요. 번역이 훌륭해요. 거기에 기대 이상으로 많은 것이 담겨 있다는 걸 아시게 될 거예요. 정말로요." 그녀가 나에게 미소를 지었다.

"학교에서 괴테를 배운 이후로 시를 읽어 본 적이 없습니다."

"괴테를 어떻게 생각하시죠?"

"프랑크푸르트 법률가가 좋은 시를 썼다는 정도?"

"재미있는 평가네요." 그녀가 말했다. "그렇다면 당신이 보들레르를 더 좋게 평가하길 기대할게요. 이제 나는 가 봐야 할 것 같아요." 폼 호페 여사는 자리에서 일어났고 우리는 악수를 했다. "다 읽으시면 부다페스터 가 괴링 연구소로 갖다 주세요. 동물원 수족관 바로 건너

창백한 범죄자
-
113

편에 있어요. 보들레르에 대한 수사관의 의견이 듣고 싶을 거예요."
그녀가 말했다.

"즐거울 것 같군요. 그리고 나도 닥터 란츠 킨더만에 대한 당신의
의견을 듣고 싶습니다."

"킨더만? 란츠 킨더만을 알아요?"

"약간."

그녀가 나를 신중한 눈빛으로 바라보았다. "경감님은 사람을 놀라
게 하는 분이군요. 정말로요."

7

9월 11일 일요일

나는 아직 푸른 기가 남아 있는 토마토를 선호하는 편이다. 그런 토마토가 달콤하고, 부드러우면서도 단단하며, 껍질이 신선해 샐러드에도 적합하다. 하지만 시간이 지나면 껍질에 주름이 잡히고 손에 쥐면 물컹한 느낌이 들며 맛도 약간 시큼해지기 시작한다.

여자도 마찬가지다. 이 여자는 아마 나에겐 조금 푸른 기가 도는 여자인 것 같았고, 지나치게 새침해 보였다. 그녀는 우리 집 현관문 앞에 서서 마치 연인으로서 부족한 면이 있는지 없는지 나를 평가하듯 무례하게 나를 위아래로 훑어보았다.

"뭐지?" 내가 물었다. "용건이라도?"

"국가를 위해 자원 회수 활동중이에요." 장난기 가득한 얼굴로 그녀가 설명했다. 그녀가 자신의 말을 입증하려는 듯 들고 있던 가방을 들어 보였다. "정당 경제 프로그램이죠. 오, 경비가 들여보내 줬어요."

"그렇군. 정확히 회수하려는 게 뭐지?"

그 순간 그녀가 눈썹을 치켜세웠다. 그녀의 아버지는 자신의 딸이 엉덩이를 맞을 만큼 어리지 않다고 생각하는지 궁금했다.

"그러니까, 어떤 게 있죠?" 그녀의 목소리에는 깔보는 듯한 기색이 있었다. 뚱한 태도의 그녀는 예쁘고 관능적이었다. 평상복 차림이라면 스무 살쯤으로 보였으리라. 하지만 두 갈래로 땋은 머리에 튼튼한 부츠를 신고 긴 남색 스커트와 잘 다린 흰 블라우스에 갈색 가죽 BdM —독일 소녀 연맹— 재킷을 입은 그녀는 열여섯 이상은 되지 않았을 거라 생각했다.

"뭐가 있는지 찾아보마." 나는 그녀의 어른 같은 태도가 조금은 재미있었다. 독일 소녀 연맹의 소녀들에 대해 가끔 들리는 소문이 아무래도 사실인 것 같았다. 전반적으로 정조 관념이 없고, 바느질, 응급 처지, 독일 민족사를 배워야 할 히틀러 유겐트 캠프에서 임신하게 된 소녀들이 많다고 들었다. "안으로 들어오는 게 좋겠구나."

소녀는 밍크코트를 질질 끄는 듯 느긋한 걸음으로 현관문 안으로 들어와 거실을 힐끗 살폈다. 그리 강한 인상을 받은 것 같지는 않았다. "집이 좋네요." 그녀가 중얼거리듯 말했다.

나는 문을 닫고 거실 테이블에 놓인 재떨이에 들고 있던 담배를 놓았다. "여기서 기다리려무나." 나는 그녀에게 말했다.

침실로 들어가 침대 밑에서 낡은 셔츠와 올이 드러난 타월을 넣어 둔 슈트케이스를 끄집어냈다. 말할 것도 없이 먼지와 카펫 보풀이 딸려 나왔다. 내가 몸을 일으켜 몸에 묻은 먼지를 떨어냈을 때 그녀는 현관문에 기대 내 담배를 피우고 있었다. 버릇없게도 그녀는 담배 연기를 완벽한 고리 모양으로 만들어 내게 뿜었다.

"너처럼 조신하고 예쁜 여자애들은 담배를 피워서는 안 된다고 생각했는데." 내가 짜증을 억누르며 말했다.

"그래요?" 그녀가 실실 웃었다. "우리가 하지 말아야 할 것들이 꽤 많죠. 이것도 해서는 안 되고 저것도 해서는 안 되죠. 요즘은 모든 게 해서는 안 될 것들인가 봐요. 안 그래요? 충분히 즐겨야 할 젊은 나이에 즐길 수 없다면 그런 것들이 무슨 소용이죠?" 그녀가 현관문에서 등을 떼더니 성큼성큼 발걸음을 옮겼다.

꽤 맹랑한 계집애라고 생각하며 나는 그녀를 따라 응접실로 갔다.

그녀가 후루룩 수프를 마시듯 요란스럽게 담배를 빨더니 고리 모양의 담배 연기를 다시 내게 뿜었다. 그 고리를 잡을 수 있다면 그것을 잡아 그녀의 귀여운 목에 둘렀으리라.

"어쨌든," 그녀가 말했다. "앉을 자리도 없을 만큼 잡다한 물건들이 많은 건 아니군요. 그렇죠?"

내가 웃음을 터뜨렸다. "내가 싸구려 담배나 피우는 부류로 보이니?"

"아니, 그런 것 같진 않아요." 그녀가 인정했다. "이름이 뭐예요?"

"플라톤."

"플라톤. 어울리는 이름이네요. 그럼, 플라톤, 원한다면 키스해도 좋아요."

"유혹해 놓고 도망치려는 건 아니겠지?"

"독일 소녀 동맹의 별명을 들어 보신 적 없어요? 독일 침대 동맹이라는? 독일 남자의 필수품?" 그녀는 내 목에 팔을 두르고 화장대 거울 앞에서 연습했을 것 같은 다양한 교태를 부렸다.

뜨거운 젊은 가슴은 처진 감이 있었지만 나는 그녀의 나긋나긋한 키스에 능숙하게 반응했고, 젊은 가슴을 움켜쥐고 젖꼭지를 애무했다. 이내 나는 땀이 밴 손으로 그녀의 통통한 엉덩이를 감싸 쥐고 점점 신경이 쓰이는 부분으로 가까이 끌어당겼다. 나에게 몸을 밀착하면서 그녀는 음란한 눈을 희번덕거렸다. 솔직히 내가 유혹한 게 아니라는 말은 할 수 없었다.

"잠잘 때 읽어 주는 동화 중에 아는 게 있나요, 플라톤?" 그녀가 킥킥거렸다.

"아니." 나는 그녀를 더욱 세게 움켜쥐며 말했다. "하지만 나쁜 얘기는 많이 알고 있지. 예쁘지만 버릇없는 공주가 산 채로 끓는 물에 넣어져 사악한 트롤에게 잡아먹히는 이야기 같은 것 말이야."

내가 그녀의 스커트를 들어 올리고 팬티를 내리기 시작했을 때는 그녀의 부정직한 연푸른 두 눈에 희미한 의심의 빛이 비치기 시작했고, 미소는 더 이상 자신감에 차 있지 않았다.

"그런 이야기라면 잔뜩 해 줄 수 있지." 내가 위협조로 말했다. "경찰들이 딸들에게 하는 얘기 같은 거 말이야. 아버지들이 기쁜 마음으로 딸들에게 악몽을 선사할 수 있는 끔찍하고 소름 끼치는 이야기랄까."

"그만둬요." 그녀가 신경질적으로 웃었다. "나를 겁줄 작정이군요." 이제는 확실히 좋은 계획이 아니라고 판단한 듯 그녀는 내가 사타구니에 보송보송하게 난 음모가 드러나도록 끌어내린 팬티에 필사적으로 손을 뻗었다.

"잔뜩 겁을 주면 귀여운 예쁜 딸이 낯선 남자의 집에 함부로 들어갈 걱정을 안 해도 되니까. 그 남자가 사악한 트롤로 변할 수도 있거든."

"제발, 선생님. 그만두세요." 그녀가 말했다.

나는 그녀의 알궁둥이를 철썩 때리고 그녀를 놔주었다.

"내가 트롤이 아니라 경찰인 걸 고맙게 여겨야 할 거야, 공주님. 그렇지 않았으면 넌 케첩을 뒤집어쓴 것처럼 됐을 테니까."

"경찰이라고요?" 눈물이 그렁그렁한 그녀가 침을 삼키고 말했다.

"그래, 경찰이지. 그리고 또다시 네가 창녀 놀이를 하는 걸 보게 된다면 네 아버지에게 회초리를 들게 할 거야, 알겠니?"

"네." 그녀는 속삭이듯 말하고 재빨리 팬티를 추켜올렸다.

나는 바닥에 떨어뜨렸던 낡은 셔츠와 타월 무더기를 주워 들어 그녀의 팔에 안겼다.

"이제 내가 경찰 업무를 수행하기 전에 여기서 나가려무나." 깜짝 놀란 그녀는 내가 니벨룽이라도 된다는 듯 거실을 가로질러 아파트 밖으로 뛰쳐나갔다.

나는 문을 닫고 그녀가 남기고 간 냄새와 나긋나긋한 육체의 감촉, 좌절된 욕망을 뒤로하고 술을 한 잔 따라 마신 다음 찬물로 샤워했다.

타다 만 낡은 두꺼비집처럼 도처에 걱정이 이는 것 같은 올 9월은 쉽게 다시 불이 붙었고, 나는 체코슬로바키아의 수데텐 지역에 거주하는 독일인들의 뜨거운 피가 내 흥분처럼 손쉽게 잠재워지길 바랐다.

형사는 날씨가 더우면 범죄가 증가하리라고 예상한다. 가장 악질적인 범죄자들조차 1월과 2월에는 집 안의 난롯가를 떠나지 않는다.

그날 늦게 베르크 교수의 『사디스트』를 읽으며 단지 너무 춥고 너무 비가 많이 온다는 이유로 외출을 하지 않은 사람들 중 얼마나 많은 수가 춥고 비가 많이 오는 날씨에도 집 밖을 떠돈 퀴어텐의 손아귀에서 목숨을 구했는지 궁금했다. 그렇다 하더라도 아홉 건의 살인, 일곱 건의 살인미수, 마흔 건의 방화는 기록적인 숫자였다.

베르크에 따르면 폭력적인 집안에서 자라 이른 나이에 범죄자의 길에 들어선 퀴어텐은 좀도둑질을 일삼다가 몇 차례 감옥살이를 한 후 서른여덟의 나이에 성격이 드센 여자와 결혼했다. 그에게는 고양이 같은 말 못 하는 동물들을 고문하는 가학적 충동이 내재되어 있었고, 이제 결혼한 그는 정신적 구속복 안에 이러한 기질을 가둬 둬야 했다. 하지만 아내가 집에 없을 때면 퀴어텐의 악마적 기질은 억누르기에는 너무 힘이 셌고, 그는 자신에게 악명을 안겨 준 끔찍하고 사디스트적인 범죄를 저지르기에 이르렀다.

사디즘은 성적인 측면에서 발현한다고 베르크는 설명한다. 퀴어텐의 가정환경이 그의 성적 일탈 성향을 낳았고, 그의 이른 다양한 성경험들이 일탈에 직접적인 영향을 미쳤다.

체포된 퀴어텐이 처형되기 전 12개월 동안 퀴어텐을 수시로 면담한 베르크는 그에게 주목할 만한 성향과 재능이 있다는 것을 알게 되었다. 그는 매우 매력적이며, 뛰어난 기억력과 예리한 관찰력을 겸비한 총명한 사람이었다. 베르크는 사람들이 그에게 편하게 다가갔다는 점을 강조했다. 또 하나의 두드러진 성격적 특성은 허영심으로, 그 허영심은 마음만 먹으면 뒤셀도르프 경찰을 농락할 수 있다는 태도와 말쑥한 외모에서 잘 드러났다.

문명화된 사회 일원으로서 살아가는 사람이라면 베르크의 결론이 그다지 편하지만은 않았을 것이다. 형법 제51조에 의하면 퀴어텐은 정신이상자에 부합하지 않았고, 전적으로 강박적이거나 전체적으로 불가항력적이도 않았으며, 교정의 여지가 없는 잔악한 성격도 아니었다.

그 결론이 우울하지만 않았어도 나는 보들레르를 읽고 도살장에 들어선 수송아지처럼 영혼의 안식을 느꼈을지도 모른다. 이 고딕풍의 프랑스 시가 랑드뤼[21], 고르만 혹은 퀴어텐의 가감 없는 범죄 심리를 알려 줄 거라는 칼라우 폼 호페 여사의 제안을 수용하기 위해 초인적인 상상력을 동원할 필요까지는 없었다.

하지만 시에는 무언가가 더 있었다. 연쇄살인범의 심리를 알려 주는 단순한 단서보다 더욱 깊고 보편적인 무언가가. 폭력에 대한 보들레르의 관심 속에서, 과거에 대한 향수 속에서, 그리고 죽음과 타락의 세계를 폭로하는 운율 속에서 나는 전적으로 현시대에 존재하는 악마의 이야기의 울림을 들었고, 분노로 법을 조종하는 변형 범죄자의 창백한 투영을 보았다.

나는 문장에 대한 기억력이 좋은 편은 아니다. 국가를 거의 외우지 못한다. 하지만 이 시집에 담긴 몇몇 시구만큼은 코에서 끊임없이 맴도는, 사향과 타르가 섞인 냄새처럼 머릿속에 남았다.

그날 저녁 차를 몰고 브루노의 아내 카티아를 보러 베를린 첼렌도

---

21. 앙리 랑드뤼, 1차 세계대전 당시 여성들에게 접근하여 사기 행각을 벌이고 십여 명의 여성들을 살해한 프랑스의 연쇄살인범.

르프에 있는 집을 방문했다. 브루노가 죽은 이후 두 번째 방문으로, 카티아를 돕기 위해 내가 보험회사에 청구한 서신에 대한 보험회사 측 답장을 포함하여 그가 사무실에 남겨 둔 물건들을 챙겨 갔다.

당연히 첫 방문 때보다 더 할 말이 없었지만 그럼에도 나는 카티아의 손을 잡고 슈납스 몇 잔을 마시고 울컥하는 마음을 다스리면서 한 시간을 꽉 채워 머물렀다.

"하인리히는 잘 견디고 있습니까?" 나는 그의 침실에서 들리는 명백한 흥얼거림을 들으며 거북하게 물었다.

"저 애는 아직 그 일에 대해 별말이 없어요." 그녀의 비탄이 약간 당혹으로 바뀌었다. "아버지가 돌아가셨다는 사실을 회피하려고 노래를 부르는 걸 거예요."

"슬픔을 받아들이는 방식은 사람마다 다르니까요." 내가 어물쩍 둘러대듯 말했지만 그 말은 진심이 아니었다. 아버지가 일찍 돌아가셨을 때 내 나이는 하인리히보다 많지 않았다. 그때 나는 나 역시 언젠가는 죽을 수밖에 없다는 피할 수 없는 잔인한 논리를 가슴에 새겼었다. 보통이라면 나는 하인리히의 상황에 둔감하지 않았을 터였다.

"그런데 왜 저 노래를 불러야 하죠?"

"저 애는 아버지의 죽음이 유대인 때문이라고 생각해요."

"터무니없는 생각이군요." 내가 말했다.

카티아가 한숨을 쉬고 머리를 저었다. "저도 그렇게 말했어요, 베르니. 하지만 곧이듣지 않아요."

나가는 길에 아이의 방 앞에 잠시 멈춰 서서 그의 우렁찬 목소리를 들었다.

"빈총에 총알 재고 총검을 닦아라. 이 세상을 오염시키는 잡종 유대인을 죽이자."

나는 방문을 열고 어린 깡패 녀석의 턱에 한 방 날리고 싶은 유혹을 잠시 느꼈다. 하지만 그게 무슨 소용이란 말인가? 저 애에게 무슨 말을 한들 도움이 되겠는가? 공포에서 벗어나는 방법은 많이 있었고, 그것은 증오와는 전혀 상관없었다.

8

9월 12일 월요일

배지, 신분증, 사층 사무실. 곳곳에서 눈에 띄는 친위대 제복들을 빼면 거의 옛날로 돌아간 기분이었다. 아쉽게도 이곳에서의 행복한 기억은 많지 않았지만 행복이라는 것은 알렉스에서 충분히 제공되는 감정이 결코 아니었다. 의자 다리로 사람의 신장을 패길 좋아하는 나치들이라면 모를까. 몇 번인가 예전에 나를 알던 사람들이 복도에서 멈춰 서서 인사를 건네며 브루노 소식을 들었다면서 유감스러워했다. 하지만 보통은 암 병동에서 장의사를 만난 듯한 시선을 보냈다.

도이벨, 코르슈 그리고 베커가 내 사무실에서 나를 기다리고 있었다. 도이벨이 두 젊은 경관에게 담배 펀치라는 미묘한 기술을 설명중이었다.

"맞아." 그가 말했다. "상대가 입에 담배를 물고 있을 때 어퍼컷을 날리는 거야. 열린 턱은 부서지기 쉽지."

"시류에 따르는 수사 방법을 들으니 멋지군." 내가 문을 열고 들어오며 말했다. "자네는 의용대 출신인가 보군, 도이벨."

그 사내가 미소를 지었다. "제 경력을 보셨나 보군요, 경감님."

"난 많은 걸 읽지." 내가 내 자리에 앉으며 말했다.

"전 책을 많이 읽지 않습니다." 그가 말했다.

"그거 놀라운데."

"그 여자가 말한 책을 읽고 계십니까, 경감님?" 코르슈가 물었다. "그 범죄 심리를 알려 준다는 그 책?"

"우리가 잡을 녀석은 그렇게 많은 설명이 필요 없는 놈이야." 도이벨이 말했다. "그냥 미친놈일 뿐이지."

"어쩌면." 내가 말했다. "하지만 우린 그놈을 곤봉과 브라스 너클²² 로 잡을 건 아니야. 자네가 평소에 쓰는 방법은 잊어버려. 담배 펀치 든 뭐든." 나는 도이벨을 노려보았다. "이런 살인자는 잡기 어렵다. 평상시에는 일반인처럼 보이고 행동하기 때문이지. 게다가 범죄와 관련 있는 특징이 전혀 없는 데다 동기도 없고, 그놈을 잡는 데 정보 제공자에게 의존할 수도 없으니까."

VB3─성범죄과─ 부서에서 차출된 형사조교 베커가 머리를 저었다.

"말씀중에 죄송하지만, 경감님, 그렇지 않습니다. 성도착자에 관해서는 정보 제공자가 몇 명 있습니다. 호모와 남창 말입니다. 경감님 말씀도 맞지만 가끔 그놈들이 도움이 될 때가 있습니다."

"도움이 되고말고." 도이벨이 웅얼거렸다.

"좋아." 내가 말했다. "그치들과 이야기해 보지. 하지만 우선 이 사

---

22. 격투할 때 손 관절에 끼우는 쇳조각.

건에는 우리가 고려해야 할 사항이 두 가지 있다. 첫 번째, 소녀들이 실종된 후 시내 전역에서 시체로 발견됐다는 점이다. 우리의 살인자가 차를 이용하고 있다는 뜻이지. 또 한 가지는, 내가 아는 한 피해자들이 유괴되는 모습을 봤다는 목격자가 전혀 없다는 점이다. 비명을 지르고 발길질을 하며 차 트렁크로 끌려간 소녀를 봤다는 목격자가 전혀 없지. 그렇다는 건 내가 보기엔 피해자들이 기꺼이 살인자를 따라갔다는 걸 뜻한다. 피해자들은 두려워하지 않았어. 피해자 모두가 살인자를 잘 알았던 건 아닐 테지만 그의 직업 때문에 그들은 살인자를 믿었을 가능성이 매우 높다."

"어쩌면 성직자일지도 모릅니다." 코르슈가 말했다. "아니면 청소년 지도자거나요."

"아니면 형사나." 내가 말했다. "그것들 중 하나일 공산이 크다. 어쩌면 전부 다일 수도 있고."

"그놈이 변장했을지도 모른다고 생각하십니까?" 코르슈가 물었다.

나는 어깨를 으쓱했다. "나는 우리가 모든 가능성을 열어 두고 있어야 한다고 생각한다. 코르슈, 자네는 성범죄 전과 기록이 있는 자 중에 제복을 입는 직업이 있는 자, 교회와 관련 있는 자, 운전면허가 있는 자를 추리게." 코르슈의 어깨가 살짝 처졌다. "엄청난 작업이라는 거 알아. 크리포 행정부장 로베스에게 협조를 구해 두겠네. 그가 자네를 도와줄 거야." 나는 손목시계를 보았다. "그리고 뮐러 형사이사관이 십 분 안에 VC1 부서로 자네를 만나러 올 거야. 자네는 가 보는 게 좋겠군."

"한케 양에 대한 단서는 아직 아무것도 없나?" 코르슈가 나가자 내가 도이벨에게 물었다.

"제 부하들이 샅샅이 수색했습니다." 그가 말했다. "철도 제방, 공원, 공터. 텔토브 운하 바닥도 두 번이나 훑었습니다. 그 이상으로 저희가 할 수 있는 게 많지 않습니다." 그가 담배에 불을 붙이고 얼굴을 찌푸렸다. "지금쯤 그녀는 죽었을 겁니다. 누구나 알 수 있는 사실이죠."

"자네는 그녀가 행방불명된 지역 일대의 호별 방문 조사를 지휘하도록. 모두와 이야기를 나누게. 다시 말하지만 그녀의 학교 친구들을 포함해서 한 명도 빼놓지 말고. 누군가는 무언가를 봤을 게 틀림없다. 도움이 될 만한 사진들을 가져가도록."

"괜찮으시다면 이 말씀을 드리고 싶습니다, 경감님." 그가 으르렁거리듯 말했다. "그 일은 분명 오르포의 제복 입은 친구들이 할 일입니다."

"그 돌대가리들은 주정뱅이와 매춘부 들이나 체포하는 데 적격이다." 내가 말했다. "하지만 이 일은 머리가 요구되는 일이지. 이상."

또다시 얼굴을 찌푸린 도이벨이 담배를 내 얼굴에 비벼 껐으면 하는 내색을 숨기지 않고 담배를 끈 다음 마지못해 내 사무실에서 나갔다.

"도이벨에게 오르포에 대해 말씀하실 때는 신경을 쓰시는 게 좋을 것 같습니다, 경감님." 베커가 말했다. "그는 얼간이 달루에게의 친굽니다. 둘은 슈테틴[23] 의용 연대에 함께 있었죠." 그 의용대는 전직 군

---

23. 폴란드 서북부의 항구 도시로 원래는 독일령.

인들로 구성된 준군사 조직이었다. 그들은 독일 내 공산주의자들을 척결하고 폴란드로부터 독일 국경을 수호할 목적으로 1차 대전 후 조직된 군인들이었다. 쿠르트 '얼간이' 달루에게는 현재 오르포의 수장이었다.

"고맙네, 이미 그 친구 파일을 읽었지."

"그는 한때 유능한 형사였습니다. 하지만 요즘은 쉬운 근무 조에서 일하다가 집으로 일찍 사라지죠. 에버하르트 도이벨이 원하는 건 연금을 충분히 받을 수 있을 만큼 오래 버티고, 딸이 얼른 자라 은행 지점장과 결혼하는 모습을 보는 것뿐입니다."

"알렉스에는 그런 친구들이 많지. 자네도 아이들이 있지 않나, 베커?"

"아들이 하나 있습니다, 경감님." 그가 자랑스럽게 말했다. "노르프리트라고 하죠. 이제 조금 있으면 두 살입니다."

"노르프리트라고? 정말이지 독일인 같은 이름이군."

"아내가 지었습니다. 아내가 로젠베르크 박사의 아리안 이론에 푹 빠져 있어서 말입니다."

"아내는 자네가 성범죄과에서 일하는 걸 어떻게 생각하나?"

"우리는 제가 하는 일에 대해 그리 많이 대화를 나누지 않습니다. 아내에게 걱정을 끼치고 싶지 않아서요. 그리고 저는 일개 형사일 뿐이죠."

"성도착자에 관한 정보 제공자에 대해 말해 보게."

"이전 매음굴 감시과인 M2에 있었을 땐 한두 명의 끄나풀을 이용하는 정도였습니다." 그가 설명했다. "하지만 변태과를 맡고 있는 마이징거는 항상 끄나풀들을 이용하죠. 그는 그들에게 의존합니다. 몇 년 전에 우정 동맹이라고 불리는 동성애 조직이 있었습니다. 회원이 삼만 명쯤 됐죠. 마이징거는 전체 명단을 손에 넣었고, 지금도 가끔 그들을 이용해 정보를 얻고 있습니다. 그는 외설 잡지 구독자 명단도 압수했습니다. 발행인 명단도 포함해서요. 우리는 그들 중 두 명을 이용했죠. 그리고 힘러 국가지도자의 대관람차라는 것도 있습니다. 전기로 회전하는 카드 색인표에 수천, 수만 명의 이름이 기재되어 있습니다, 경감님. 우리는 언제라도 그것을 이용할 수 있습니다."

"집시 점쟁이를 이용할 수 있다는 것처럼 들리는군."

"힘러가 그 똥 같은 기계에 빠져 있다고들 합니다."

"꿀에 환장한 사내들은 어떻게 하지? 모든 매음굴이 폐쇄된 지금 이 도시 꿀벌들은 어디로 가나?"

"안마 업소에 갑니다. 아가씨를 부른 다음 먼저 등을 주무르게 하죠. M2의 부서장인 쿤은 그들에겐 별 신경을 안 씁니다. 최근 이상한 놈이 방문했는지 알아볼까요, 경감님?"

"시작하기에 좋은 곳 같은데."

"실종자 수색용 E영장이 필요할 겁니다."

"가서 하나 발급받는 게 좋겠군, 베커."

베커는 키가 컸다. 푸른 눈은 작고 따분해 보였고, 밀짚 같은 노란 머리는 숱이 적었으며, 코는 개를 닮았고, 조증 환자가 조롱하는 듯한 미소를 지었다. 얼굴이 냉소적으로 보였는데, 실제로 그런 성격이었다. 베커의 평소 말투에는 굶주린 하이에나 무리에서 느껴지는 것 이상으로 생명의 고귀한 아름다움에 대한 모독이 흘러넘쳤다.

안마 업소에 가기에는 너무 이른 시간이라고 판단한 우리는 우선 외설 잡지 쪽을 캐 보기로 결정하고 알렉스에서 나와 할레셰스 토르 방면 남쪽으로 차를 몰았다.

도시 고속 전철 철로 변에 있는 벤데 호아스는 고층 회색 건물이었다. 우리는 맨 꼭대기 층으로 올라갔다. 냉소를 띤 베커가 그곳에 있는 문 중 하나를 걸어찼다.

땅딸막한 체구에 단안경을 쓰고 콧수염을 기른 사내가 의자에 앉아서 자신의 사무실로 걸어 들어오는 우리를 보고 신경질적인 미소를 지었다. "아, 베커 씨. 어서 오세요. 친구분과 같이 오셨군요. 잘하셨습니다."

퀴퀴한 냄새를 풍기는 대단찮은 방이었다. 책상과 캐비닛 주위에 책과 잡지가 잔뜩 쌓여 있었다. 나는 잡지 한 권을 집어 들고 넘겨 보기 시작했다.

"잘 있었나, 헬무트." 베커가 다른 잡지를 집어 들며 싱긋 웃었다. 그는 페이지를 넘기면서 만족의 신음 소리를 냈다. "추잡하군." 그가 웃음을 터뜨렸다.

"사양 말고 보십시오, 신사분들." 헬무트라고 불린 사내가 말했다. "뭔가 특별히 찾으시는 게 있다면 얼마든지 말씀하십시오. 부끄러워 마시고." 의자에 몸을 기대고 그는 더러운 회색 조끼 주머니에서 코담배 갑을 꺼내 더러운 엄지손톱으로 튕겨 열었다. 그 도락품을 한 줌 집어 코로 흡입하는 소리가 주는 불쾌감이 주위에 있는 인쇄물이 눈에 주는 불쾌감과 동일했다. 바지 앞 단추를 압박할 목적으로 찍어 낸 잡지에는 가까이에서 찍었지만 화질이 형편없는 산부인과 진찰 사진이 실려 있었고, 부분적으로 텍스트가 첨부되어 있었다. 이것을 믿는다면 젊은 독일 간호사들은 도둑고양이 수준보다 더 나을 것 없는 성생활을 즐기고 있는 것이었다.

베커가 들고 있던 잡지를 바닥에 던지고 다른 잡지를 집었다. "「처녀의 신혼 첫날밤」이라." 그가 제목을 읽었다.

"형사님이 보실 만한 건 아니죠." 헬무트가 말했다.

"「딜도 이야기」?"

"그럭저럭 볼 만합니다."

"「지하철에서의 강간」."

"아, 그게 지금 제일 잘나가는 겁니다. 거기에 나오는 여자가 제가 본 군침 도는 여자들 중 최고랍니다."

"몇 번 만나 봤겠군. 안 그런가, 헬무트?"

그가 다소곳이 미소를 지으며 베커의 어깨 너머로 그 사진을 들여다보았다.

"꽤 예쁜, 이웃집 소녀 타입 같지 않습니까?"

베커가 코웃음을 쳤다. "네놈이 개집 옆에 산다면."

"오, 재밌군요." 헬무트가 웃음을 터뜨리고 안경을 닦기 시작했다. 그가 안경을 닦자 침대 장식용 퀼트 같은 싸구려 갈색 직모 가발 사이로 긴 회색 머리칼이 혈관이 비치는 귀에 대롱대롱 매달렸다.

"젊은 여자를 절단하는 걸 좋아하는 남자를 찾고 있다." 내가 말했다. "이런 유의 변태들을 만족시키는 건 없나?"

헬무트가 미소를 지으며 슬프다는 듯이 머리를 저었다. "없습니다,

경찰 나리, 죄송하지만 없습니다. 사디스트 시장에는 그다지 손대지 않고 있습죠. 저희는 채찍이나 수간 같은 건 손 뗐습니다."

"잘났군." 베커가 비웃었다.

나는 캐비닛을 열어 보려고 했지만 잠겨 있었다.

"이 안에 뭐가 들었지?"

"서류가 조금 있습니다. 돈 몇 푼이 든 금고하고요. 나리가 관심 있으실 만한 건 아무것도 없습니다."

"열게."

"정말입니다, 나리. 흥미 있을 만한 건 아무것도……," 그가 내 손에 들린 라이터를 보고 입안이 마른 듯 말을 멈췄다. 내가 보고 있던 잡지 밑에 라이터를 대고 불을 켰다. 잡지가 푸른 불꽃을 내며 타기 시작했다.

"베커. 이 잡지 가격이 얼마라고 했지?"

"오, 이 잡지들은 꽤 비쌉니다, 경감님. 적어도 십 마르크씩은 할 겁니다."

"이 쥐구멍에 있는 잡지들이 이천 마르크어치는 될 것 같군."

"충분히요. 불이라도 나면 큰일이겠군요."

"난 저자가 보험에 들었길 바라네."

"캐비닛 안을 보시겠습니까?" 헬무트가 말했다. "말씀만 하셨으면 됐을걸." 내가 불타는 잡지를 금속 쓰레기통에 던지자 그가 베커에게 열쇠를 내밀었다.

첫째 칸에는 금고 외에 아무것도 없었지만 맨 아래 칸에는 또 다른 외설 잡지가 한 무더기 쌓여 있었다. 베커가 한 권을 집어 표지가 없는 잡지를 들췄다.

"「처녀 제물」." 제목을 읽고 나서 베커가 말했다. "이것 좀 보십시오, 경감님."

그가 내게 엉성한 가발을 쓴 늙고 추한 남자가 고등학생쯤 되는 소녀에게 체벌을 가하는 일련의 사진을 보여 주었다. 여자의 벌거벗은 등에 남은 남자의 회초리 자국은 진짜처럼 보였다.

"끔찍하군." 내가 말했다.

"아시겠지만 저는 그냥 유통업자입니다." 헬무트가 더러운 손수건에 코를 풀며 말했다. "제작자가 아니라요."

한 장의 사진이 매우 흥미로웠다. 사진 속 손과 발이 묶인 소녀가 인신 공양으로 바쳐진 듯 교회 제단에 누워 있었다. 그녀의 성기에는 거대한 오이가 삽입되어 있었다. 베커가 헬무트를 사납게 노려보았다.

"하지만 제작자를 알겠지?" 베커가 입을 다물고 있는 헬무트의 멱살을 잡고 입가를 후려치기 시작했다.

"제발 때리지 마십쇼."

"이렇게 맞는 게 즐거울 텐데, 이 역겨운 변태 놈아." 그가 계속 그의 얼굴을 때리며 으르렁댔다. "어서 말해. 아니면 이걸로 말하게 해 줄 테다." 그가 주머니에서 짧은 고무 곤봉을 빼 들더니 그것을 헬무트의 얼굴에 대고 눌렀다.

"폴리차입니다." 헬무트가 외쳤다. 베커가 그의 얼굴을 세게 거머쥐었다.

"계속해."

창백한 범죄자

"테오도어 폴리차. 그가 사진사입니다. 쉬프바우어담 극장 안에 스튜디오를 갖고 있습니다. 그가 그 사진을 찍은 사람입니다."

"거짓말을 했다간, 헬무트," 베커가 헬무트의 볼을 곤봉으로 뭉개며 말했다. "다시 돌아오겠다. 그때는 네놈의 잡지만 불타는 게 아니라 네놈도 탈 거야. 알았나?" 그가 그를 밀쳤다.

헬무트가 손수건으로 피 묻은 입을 두드리며 말했다. "네, 나리. 알고말굽쇼."

다시 밖으로 나오자마자 나는 배수로에 침을 뱉었다.

"입안에 신물이 고이지 않습니까, 경감님? 딸이 없는 게 얼마나 다행인지 모르겠습니다."

그 말에 동의하고 싶었다. 소리 내어 말하지 않았을 뿐.

우리는 북쪽으로 차를 몰았다.

회색 화강암 산처럼 공공건물이 잔뜩 늘어서 있는 도시가 나타났다. 국가의 중요성을 일깨우기 위해 거대하게 지어진 건물은 동시에 개인의 하찮음을 자각하게 했다. 이것은 국가사회주의 체제의 사업이 어떤 것인지 이제 막 보여 주는 것일 뿐이었다. 이렇게 웅장한 건물들을 수용하는 정부라면 국민은 위압당하기 마련이었다. 그리고 한 구역에서 다른 구역으로 쭉 뻗은 넓고 긴 거리는 행진하는 군대를 위해서 계획된 것일 뿐으로 보였다.

금세 속이 좋아진 나는 베커에게 프리드리히 가에 있는 음식점 앞에 차를 세우게 하고 콩 수프 2인분을 샀다. 늘어선 작은 계산대 중 한 곳에 서서 소시지를 사기 위해 줄을 선 베를린 주부들을 보았다. 긴 대리석 카운터 위에 똬리를 튼 소시지는 대형차에서 나온 녹슨 스프링 같았고, 타일 벽에 걸린 큼직한 소시지 덩어리는 지나치게 익은 바나나처럼 보였다.

베커는 기혼자임에도 여자들에게서 눈을 떼지 않고 우리가 서 있는 동안 가게에 들어온 거의 모든 여자에게 외설에 가까운 촌평을 달았다. 게다가 조금 전 그 사무실에서 외설 잡지 두어 권을 챙겼다는 것도 알고 있었다. 그런 걸 보고 싶단 말인가? 그는 잡지들을 감추려고도 하지 않았다. 그자의 얼굴을 때려 입에서 피를 터뜨리고, 고무 곤봉으로 위협하고, 그자를 추잡한 놈 취급한 다음 아무렇지도 않게 그자의 추잡한 잡지를 챙겨 왔다. 이것이 크리포에서 하는 짓이었다.

우리는 차로 돌아갔다.

"폴리차라는 자에 대해 아나?" 내가 말했다.

"만난 적 있습니다." 베커가 말했다. "똥 같은 놈이라는 것 외에 무슨 말이 더 필요하겠습니까?"

슈프레 강변 북쪽에 위치한 쉬프바우어담 극장 외관의 탑 부분은 석고로 된 트리톤[24]과 돌고래, 그리고 여러 벌거벗은 요정으로 장식되어 있었고, 폴리차의 스튜디오는 지하에 있었다.

계단을 내려가 긴 복도로 접어들었다. 폴리차의 스튜디오 문 앞에서 크림색 블레이저, 녹색 바지에 라임 빛 실크 스카프를 넥타이처럼 두르고 빨간 카네이션을 꽂은 사내를 만났다. 아무리 신경을 쓰고 돈을 들였다고 해도 전체적으로 어딘가 부족해 보이는 인상이 집시의 묘석 같았다.

---

24. 그리스 신화에 나오는 반인반어.

창백한 범죄자
—
135

우리에게 눈길을 준 폴리차는 우리가 진공청소기를 팔러 온 사람이 아니라고 결론을 내린 듯했다. 그는 달리기가 빠른 사내가 아니었다. 엉덩이는 너무 컸고, 다리는 너무 짧았으며, 분명 폐는 딱딱하게 굳었으리라. 하지만 그가 복도를 거의 십 미터쯤 내달렸을 때에야 우리는 무슨 일이 일어나고 있는지 알아차렸다.

"이 개자식." 베커가 중얼거렸다.

베커와 내가 쉽게 잡을 수 있으리라는 것을 알 텐데도 도망을 치려는 그의 어리석음에 베커가 낸 이성적인 목소리가 그에게는 공포와 불안 때문에 쇳소리로 들렸으리라.

베커의 목소리는 쇳소리도, 부드러운 소리도 아니었다. 멈추라는 외침에 폴리차는 잠시 멈칫하더니 속도를 내어 다시 도망치기 시작했다. 나는 그를 따라잡으려고 안간힘을 썼지만 그는 간발의 차이로 내 앞에 있었다. 몇 초 후면 베커가 놈을 따라잡을 터였다.

이내 나는 베커의 손에 들린 총신이 긴 파라벨룸을 보았고, 두 사람에게 멈추라고 소리 질렀다.

폴리차는 반사적으로 멈춰 섰다. 요란한 총소리에 귀를 막는 것처럼 양팔을 들어 올리던 그가 몸을 돌리더니 무너져 내렸다. 총알이 관통한 안구 혹은 안구가 있었던 자리에서 피와 젤리 같은 물을 흘리면서.

우리는 폴리차의 시체를 굽어보고 섰다.

"대체 무슨 짓이지?" 내가 숨을 헐떡이며 말했다. "티눈이라도 있나? 구두가 지나치게 꽉 끼나? 아니면 폐가 못 견딜 거라는 생각이라도 들었나? 이봐, 베커, 난 자네보다 열 살이 더 많지만 내가 잠수복을 입고 있었다고 해도 이놈을 잡았을 거야."

베커가 한숨을 쉬고 머리를 저었다.

"젠장, 죄송합니다, 경감님." 그가 말했다. "저는 단지 부상을 입힐 생각이었습니다." 그를 죽였다는 걸 전혀 못 믿겠다는 듯이 그가 어색하게 총을 힐끗 보았다.

"부상을 입히려고 했다고? 저놈의 귓불이라도 겨냥했나? 좋아, 베커, 자네가 버팔로 빌[25]이 아닌 이상 다리를 겨냥하게. 염병할 머리털을 맞출 시도는 하지 말고." 나는 사람들이 몰려들까 봐 당황하여 주위를 둘러보았지만 복도는 조용했다. 내가 그의 총을 턱으로 가리켰다. "어쨌든, 그 대포는 뭐야?"

베커가 총을 들어 올렸다. "파라벨룸입니다, 경감님."

"제기랄, 자네는 제네바 협정도 들어 본 적 없나? 석유라도 시추할 총이군."

나는 나가서 영구차를 부르라고 그를 보낸 다음 그가 없는 사이에 폴리차의 스튜디오를 둘러보았다.

볼 게 그리 많지 않았다. 가랑이를 벌리고 있는 여자의 사진들이 암실에 줄지어 걸린 채 말라 가고 있었다. 내가 헬무트의 사무실에서 본, 성기에 오이가 박혀 있던 여자 사진들처럼 채찍, 사슬, 수갑, 촛대가 놓인 제단 등이 있는 사진들이었다. 그리고 우리가 헬무트의 사무실에서 찾아낸 것 같은 잡지들이 몇 묶음 있었다. 폴리차가 다섯 소녀의 살인자라고 의심할 만한 건 아무것도 없었다.

---

25. 윌리엄 프레더릭 코디. 버팔로 빌이라는 별명으로 유명한 미국 서부 시대 총잡이.

창백한 범죄자
—

사무실 밖으로 나오자 베커가 오르포 경사와 같이 있었다. 꼬마들이 배수로 앞에 서서 죽어 있는 고양이 시체라도 보듯 두 사람은 폴리차의 시체를 내려다보고 있었고, 경사는 부츠 끝으로 폴리차의 옆구리를 찌르기까지 하고 있었다.

"창문을 제대로 냈는걸." 그 사내가 감탄하듯 말했다. "이 안에 젤리 같은 게 이렇게 많이 들었을 줄은 몰랐어."

"엉망진창이군그래." 베커가 열의 없는 목소리로 말했다.

내가 다가가자 두 사람은 시체에서 눈을 들었다.

"영구차는 오고 있나?" 베커가 끄덕였다. "좋아. 자네는 돌아가면 보고서를 작성하게." 내가 경사에게 말했다. "그리고 영구차가 도착할 때까지 시체를 지키도록. 알겠나. 경사?"

그가 자세를 똑바로 했다. "네, 경감님."

"자네 솜씨에 만족했나?"

"네, 뭐." 베커가 말했다.

"그럼 가지."

우리는 차로 걸어갔다.

"어디로 가는 겁니까?"

"안마 업소 몇 군데를 체크할까 하네."

"에보나 빌레친스카와 이야기하시죠. 그녀는 가게를 몇 개 소유하고 있습니다. 여자들이 벌어들이는 금액에서 이십오 퍼센트를 떼죠. 아마 그녀의 가게는 리하르트 바그너 가에 있을 겁니다."

"리하르트 바그너 가?" 내가 말했다. "대체 거기가 어디지?"

"슈프레 가와 만나는 곳으로 전에는 제젠하이머 가라고 불렸죠. 경감님도 아시다시피 오페라하우스가 있는 동넵니다."

"히틀러가 좋아하는 게 축구가 아니라 오페라인 게 다행이군."

베커가 씩 웃었다. 차를 몰고 가면서 그는 자신감을 회복한 듯 보였다.

"정말 개인적인 질문을 하나 해도 되겠습니까, 경감님?"

나는 어깨를 으쓱했다. "말해 보게. 어쩌면 그 대답을 우편으로 보낼 수도 있네."

"혹시 유대인과 자 본 적 있으십니까, 경감님?"

나는 그의 눈을 보려고 했지만 그는 차도만 바라볼 뿐 눈을 돌리려고 하지 않았다.

"아니, 있다고는 할 수 없는데. 하지만 인종법 때문에 그런 건 아니야. 나와 자고 싶은 유대인 여자를 만나 본 적이 없어서겠지."

"그럼 기회가 오면 거부하시지 않을 겁니까?"

나는 어깨를 으쓱했다. "아마 거부하지 않겠지." 말을 멈추고 그의 말을 기다렸지만 별다른 말이 없었기 때문에 나는 말을 이었다. "왜 그런 걸 묻지?"

베커가 운전대 너머로 미소를 지었다.

"우리가 가는 업소에 귀여운 유대인 창녀가 있습니다." 그가 열의를 담아 말했다. "정말 끝내주는 여자죠. 그곳이 뱀장어처럼, 꼭 물면 놓지 않는다니까요. 남자가 피라미라도 되는 양 꼭 잡고 있다가 사정하지 않을 수 없게 합니다. 내가 만나 본 창녀 중에 최고였습니다." 그가 믿을 수 없다는 듯이 머리를 흔들었다. "무르익은 유대인 여자를 이길 건 없다니까요. 깜둥이 여자나 중국 여자조차 상대가 안 됩니다."

"자네가 그렇게 편견 없는 사람인 줄 몰랐군, 베커." 내가 말했다.
"아니면 범세계적인 사람인 건가. 맙소사, 괴테를 읽은 적도 있나 보
군."

베커가 웃음을 터뜨렸다. 그는 폴리차에 관한 일은 까맣게 잊은 듯
했다. "에보나에 대해 말씀드려 두자면, 우리가 마음을 느긋하게 먹지
않으면 그녀는 한마디도 하지 않을 거라는 겁니다. 무슨 말인지 아시
겠죠. 술도 한잔하면서 조바심을 내지 말아야 합니다. 한가한 것처럼
행동해야죠. 우리가 공무를 집행하러 온 것처럼 행동하는 순간 그녀
는 셔터를 내리고 침실들의 유리창을 닦기 시작할 겁니다."

"뭐, 요즘엔 별의별 사람들이 다 있으니까. 내 입버릇 중에 수프가
끓고 있는 스토브에는 손을 대지 않는 법이라는 게 있지."

폴란드인인 에보나 빌레친스카의 짧게 친 머리에서는 마카사르 머
릿기름 냄새가 희미하게 풍겼고, 움푹 파인 가슴골이 위험해 보였다.
대낮인데도 새틴 슬립이 투명하게 비치는 복숭앗빛 실내복 차림에
굽 높은 실내화를 신고 있었다. 에보나는 베커가 집세를 깎아 주러 오
기라도 한 것처럼 그를 반갑게 맞았다.

"내 사랑, 에밀," 그녀가 달콤하게 속삭였다. "이렇게 오래간만에 오
시다니. 어디 숨어 계셨던 거예요?"

"난 이제 성범죄과가 아니야." 그가 그녀의 볼에 키스하며 해명했
다.

"그것 참 안됐네요. 거기서 잘하셨는데." 그녀는 마치 내가 비싼 양

탄자를 얼룩지게 하는 뭔가이기라도 한 것처럼 내게 리트머스 시험지 같은 눈빛을 보냈다. "같이 오신 분은 누구세요?"

"괜찮아, 에보나. 친구야."

"친구분에게도 이름이 있겠죠? 친구분은 숙녀의 집을 방문할 때 모자를 벗는 법도 모르시나 보죠?"

나는 말없이 모자를 벗었다. "베른하르트 귄터요, 빌레친스카 부인." 그녀와 악수하며 내가 그렇게 말했다.

"뵙게 돼서 반가워요, 정말로요." 억양이 강하고 나른한 그녀의 말투는 슬립 아래 희미하게 보이는 코르셋 윤곽 안쪽 어딘가에서 시작되는 듯했다. 비죽 내민 입에 닿을 때쯤 그 말투는 요정의 새끼 고양이보다 더 유혹적으로 변했다. 그 입은 또한 나를 꽤나 질리게 했다. 립스틱을 망치지도 않고 켐핀스키[26]에서 다섯 코스의 요리를 해치울 것 같은 입. 지금은 내가 그 미뢰의 대상이 된 것 같았다.

그녀는 우리를 포츠담의 변호사조차 마음 놓게 할 만큼 안락한 거실로 안내한 다음 술병이 잔뜩 늘어서 있는 테이블 쪽으로 천천히 다가갔다.

"뭘 드시겠어요, 신사분들? 모든 술이 갖춰져 있답니다."

베커가 껄껄 웃었다. "분명히 그렇겠지."

나는 희미한 미소를 지었다. 베커 때문에 몹시 짜증이 나기 시작했다. 스카치위스키라고 답한 내게 에보나가 글라스를 건넬 때 그녀의 찬 손이 내 손에 닿았다.

---

26. 1897년 베를린에서 시작된 전 세계적 호텔 그룹.

창백한 범죄자
—

그녀는 허겁지겁 쓴 약을 삼키기라도 하는 것처럼 잔에 든 술을 한 모금 삼키더니 나를 큰 가죽 소파 쪽으로 잡아당겼다. 베커가 씩 웃으며 우리가 앉은 소파 옆 안락의자에 앉았다.

"제 오랜 친구 아르투르 네베는 잘 지내시나요?" 그녀가 물었다. 놀란 나를 개의치 않고 그녀가 덧붙였다. "오, 그래요. 아르투르와 저는 오랫동안 알고 지냈어요. 사실, 그가 처음 크리포에 들어갔던 1920년부터요."

"늘 똑같지." 내가 말했다.

"언제 한번 들르라고 전해 주세요." 그녀가 말했다. "그가 온다면 언제든 환영이에요. 원한다면 공짜로 즐기게 해 줄 테니까. 끝내주는 안마만이라도. 네, 그래요. 뻐근함을 풀러 오라고 전해 주세요. 내가 직접 해 드리겠다고요." 그녀가 자신의 말에 크게 웃음을 터뜨리고 담배에 불을 붙였다.

"전해 주지." 과연 그런 말을 전할지, 그녀가 정말 진심으로 한 말인지 궁금해하며 나는 그렇게 말했다.

"그리고 당신, 에밀. 당신은 둘이서 해 주는 게 좋겠죠, 안 그래요?"

나는 우리가 온 진짜 목적에 대해 말을 꺼내려고 했지만 베커는 이미 박수를 치며 입을 조금 전보다 더 헤벌쭉 벌리고 있었다.

"그렇지. 좀 쉬어 볼까. 편하고 안락하게 말이야." 그가 의미심장한 눈으로 나를 힐끗 보았다. "우린 급할 게 없어. 그렇죠, 경감님?"

나는 어깨를 으쓱하고 머리를 저었다.

"우리가 온 목적을 잊어버리지 않는 한은." 내가 도덕군자연하게 들리지 않도록 애쓰며 말했다.

에보나 빌레친스카가 자리에서 일어나 커튼 뒤 벽에 붙은 벨을 눌렀다. 그녀가 혀를 차더니 말했다. "왜 머리를 비우시지 않는 거죠? 신사분들이 여기 오는 이유는 걱정을 잊기 위해서죠."

그녀가 등을 돌린 사이 베커가 내게 눈살을 찌푸리고 머리를 저었다. 나는 그가 뜻하는 게 뭔지 정확히 알 수 없었다.

에보나가 내 목덜미를 당기더니 대장장이의 집게만큼이나 강한 손아귀로 그 부위의 살을 주무르기 시작했다.

"여기가 많이 뭉쳐 있군요, 베른하르트." 그녀가 유혹하는 목소리로 말했다.

"분명 그럴 거야. 알렉스가 나더러 끌라고 하는 마차를 당신이 봐야 하는데 말이야. 태워야 할 승객들이 많은 건 말할 것도 없지." 이번엔 내가 베커에게 의미심장한 눈길을 보냈다. 이내 나는 내 목에서 에보나의 손을 잡아끌어 그 손에 다정하게 키스했다. 손에서 나는 요오드 비누 냄새는 더할 나위 없는 최음제였다.

에보나가 데리고 있는 여자들이 곡마단의 말들처럼 천천히 방 안으로 걸어 들어왔다. 몇몇은 슬립과 스타킹 차림이었지만 대부분은 벌거벗은 채였다. 여자들은 베커와 내 주위에 자리를 잡고 마치 우리가 존재하지 않는다는 듯이 담배를 피우며 마음대로 술을 마시기 시작했다. 여자의 나신을 본 지가 오래되었지만 평범한 여자들의 나신이었다면 눈살을 찌푸렸으리라는 것을 인정해야 했다. 하지만 이 여자들은 눈길을 잡아끌었고, 우리의 호색한 눈초리에도 아랑곳하지 않았다. 식탁 의자를 집어 든 한 여자가 그것을 내 앞에 놓더니 내가 바란 대로 음부가 정확히 보이게 다리를 벌리고 앉았다. 한술 더 떠

그녀는 의자 좌석에 알궁둥이를 비비기 시작했다.

자리에서 벌떡 일어난 베커가 들뜬 길거리 행상처럼 양손을 비볐다.

"이거 참, 멋지지 않습니까?" 양옆의 여자에게 팔을 두른 베커의 얼굴이 흥분으로 벌겋게 달아올라 있었다. 거실을 둘러보던 그는 원하는 것을 찾지 못했다는 얼굴을 하고 입을 열었다. "에보나, 사랑스럽고 귀여운 유대인 여자는 어딨지?"

"에스터 말인가 보군요. 유감스럽게도 그 애는 떠났어요." 우리는 부연 설명을 기다렸지만 그녀의 입에서 나온 것은 담배 연기뿐이었다.

"유감인데." 베커가 말했다. "여기 내 친구에게 그녀가 얼마나 멋진지 막 설명했던 참인데 말이야." 그가 어깨를 으쓱했다. "어쩔 수 없지. 대신 다른 여자가 잔뜩 있으니까." 내 얼굴에 떠오른 표정을 무시하면서 두 창녀에게 부축을 받는 주정뱅이처럼 여전히 두 여자에게 팔을 걸친 그가 삐걱거리는 복도로 나가더니 침실 중 한 곳으로 들어가 버렸다. 남은 여자들 사이에 나만 남겨 두고.

"당신은 누굴 골랐죠, 베른하르트?" 에보나가 손가락을 튀기더니 앞에 있는 여자들 중 한 명을 가리켰다. "얘와 에스터는 아주 닮았답니다." 그녀가 여자의 벌거벗은 엉덩이를 움켜쥐고 내 쪽으로 돌려세운 다음 손바닥으로 그녀의 엉덩이를 부드럽게 더듬었다. "척추뼈가 남들보다 많아서 허리에서 엉덩이로 이어지는 선이 길죠. 정말 아름답지 않나요?"

"정말 아름답군." 내가 그녀의 대리석 같이 찬 엉덩이를 토닥이며 점잖게 말했다. "하지만 솔직히 나는 좀 구식이라. 나를 좋아하는 여자가 좋아. 내 지갑이 아니라."

에보나가 미소 지었다. "아니에요, 전 당신이 그런 타입이라고 생각하지 않아요." 그녀가 애견을 다루듯 그녀의 엉덩이를 찰싹 때렸다. "자, 나가려무나. 너희 모두."

나는 방을 조용히 빠져나가는 여자들을 보면서 베커 같은 대우를 받지 못했다는, 실망에 가까운 감정을 느꼈다. 그녀가 내 양가감정을 감지한 것 같았다.

"당신은 에밀 같지 않군요. 그는 손톱만 보여 줘도 좋아하죠. 등골이 부러진 고양이와도 잠을 잘 양반이에요. 술, 어때요?"

나는 드러내 놓고 술잔을 돌리는 시늉을 했다. "그거 좋지." 내가 말했다.

"그럼, 내가 당신을 위해 뭔가 해 줄 수 있는 게 있을까요?"

팔에 밀착해 오는 그녀의 가슴을 느낀 나는 미소를 짓고 팔에 걸린 것을 내려다보았다. 나는 담배에 불을 붙이고 그녀의 눈을 보았다.

"원하는 게 어떤 정보뿐이라고 해도 실망한 척은 하지 않겠지."

그녀가 미소를 짓고 내 팔에서 떨어져 술잔으로 손을 뻗었다. "어떤 정보 말인가요?"

"한 남자를 찾고 있어. 당신이 우스갯소리로 받아들이기 전에 말해 두자면 내가 찾고 있는 남자는 네 건의 실적을 올린 살인자야."

"제가 어떻게 도와 드려야 하죠? 제가 운영하는 건 매음굴이에요. 탐정 사무소가 아니라."

"당신이 데리고 있는 여자를 거칠게 다루는 남자는 흔치 않을 것 같은데."

"여기 오는 남자 중에 벨벳 장갑을 끼는 남자는 없어요, 베른하르트. 그 정도만 말해 두죠. 그들 대부분은 여자의 속옷을 찢을 특권을 돈 주고 샀다고 생각하니까요."

"그렇다면 이 직업에 수반되는 일반적인 위험을 뛰어넘은 사람이라든가. 아마 당신이 데리고 있는 여자들 중 한 명은 그런 단골이 있을 텐데. 어떤 아가씨에게 그런 단골이 있다는 걸 들은 여자가 있거나."

"당신이 찾는 살인자에 대해서 자세히 말해 봐요."

"아는 게 많지 않아." 나는 한숨을 쉬었다. "이름도, 어디에 사는지도, 어디에서 왔는지도, 어떻게 생겼는지도 몰라. 내가 아는 건 그놈이 여학생을 묶는 걸 좋아한다는 거야."

"많은 남자들이 여자를 묶는 걸 좋아하죠." 에보나가 말했다. "왜 그런 걸 좋아하는지는 나도 몰라요. 여기서는 금지돼 있지만 채찍질을 좋아하는 사람도 있어요. 그런 돼지 같은 놈들은 감방에 처넣어야 해요."

"단서가 될 만한 건 뭐든 괜찮아. 지금은 손을 놓고 있는 상태야."

에보나가 어깨를 으쓱하고 담배를 비벼 껐다. "맙소사," 그녀가 말을 이었다. "나도 전엔 여학생이었죠. 당신이 말한 네 소녀처럼."

"다섯일 수도 있어. 모두 열다섯, 열여섯의 나이야. 모두 좋은 집안 자식들로 이 미치광이에게 납치당해서 강간당하고 목을 베이고 벌거 벗은 시체로 버려지기 전엔 미래가 창창했지."

에보나는 골똘히 생각에 잠긴 듯 보였다. "내 짐작으로," 그녀가 조심스럽게 말을 꺼냈다. "어린 소녀를 사냥감으로 생각하는 남자라면 내 가게든 다른 가게든 이런 곳에 오는 부류가 아닐 거예요. 이런 곳은 남자의 욕구를 충족해 주니까요."

나는 고개를 끄덕였지만 퀴어텐의 경우를 생각했다. 그 경우라면 그녀의 말은 얼마든지 뒤집힐 수 있었다. 나는 그 예를 굳이 들지 않기로 했다.

"별로 도움이 안 되는 얘기 같네요."

에보나는 자리에서 일어나 양해를 구하고 자리를 떴다. 다시 돌아왔을 때는 조금 전 내가 마지못해 감탄하는 시늉을 해야 했던 허리가 가늘고 긴 여자와 함께였다. 이번에는 가운을 입고 있었는데, 벗고 있었을 때보다 오히려 불안해하는 것처럼 보였다.

"헬레네예요." 에보나가 다시 자리에 앉으며 말했다. "헬레네, 자리에 앉아서 널 죽이려고 했던 남자에 대해서 경감님께 말씀드리렴."

여자는 베커가 앉았던 의자에 앉았다. 그녀는 예뻤지만 다소 지쳐 보였다. 잠을 충분히 못 잤거나 어떤 약을 먹은 것처럼. 그녀는 감히 나와 눈을 마주치지 못하고 입술을 씹으며 긴 빨강 머리를 잡아당기고 있었다.

"자, 어서." 에보나가 재촉했다. "널 잡아먹지 않으실 거야. 그러려면 벌써 그러셨겠지."

"우리가 찾는 남자는 여자를 묶고 싶어 하는 자야." 격려하듯 몸을 앞으로 내밀고 내가 말했다. "그런 다음 그자는 목을 조르거나 베지."

"죄송해요." 잠자코 있던 그녀가 입을 열었다. "말하기가 힘들어요. 그 일은 깡그리 잊고 싶지만 에보나가 어떤 여학생들이 살해당했다고 하길래. 돕고 싶어요. 정말로요. 하지만 힘들어요."

나는 담배에 불을 붙이고 그녀에게 담뱃갑을 내밀었다. 그녀가 머리를 저었다. "천천히 말해도 돼, 헬레네." 내가 말했다. "그 사람이 손님이었나? 안마를 받으러 온?"

"제가 법정까지 가야 하는 건 아니겠죠? 재판관 앞에 서서 제가 매춘부라고 말해야 하는 거라면 저는 아무 말도 하지 않을 거예요."

"나한테만 말하면 돼."

그녀는 열의 없이 코를 훌쩍였다.

"뭐, 당신은 믿을 만한 분 같군요." 그녀가 내 손에 들린 담배를 힐끗 보았다. "마음을 바꿔도 될까요?"

"물론이지." 나는 담뱃갑을 내밀었다.

첫 모금의 담배가 그녀를 진정시킨 것 같았다. 괴로운 듯 입을 연그녀는 약간 당혹스러워했고, 아마 약간의 공포감도 더해졌을 터였다.

"한 달 전 어느 날 저녁 어떤 손님을 맞았어요. 안마를 해 주고 나서제가 해 주길 바라는 게 있는지 물었더니 저를 묶고 자기를 빨아 달라는 거예요. 추가 비용으로 이십 마르크가 든다고 했더니 알겠다더군요. 그래서 통닭구이가 된 통닭처럼 묶인 채 그를 빨아 준 다음 풀어달라고 했죠. 그런데 그가 비웃는 기색이 역력한 눈으로 저를 더러운창녀라든가 뭐, 그 비슷한 말로 불렀어요. 쑥스러워서 그러는 건지 행위가 끝나고 나면 태도가 변하는 남자들이 많아요. 그 남자는 좀 다른 것 같아서 있는 힘을 다해 침착해지려고 애썼어요. 그런데 그놈이칼을 꺼내더니 제가 겁먹은 모습을 보고 싶어 하는 것처럼 그 칼을 제

목에 갖다 대지 뭐예요. 저는 겁을 먹었죠. 목청껏 소리를 질렀다가는 당황한 그놈이 당장 제 목을 벨 것 같아서 대화를 나눠야겠다고 생각했어요." 그녀가 다시 한 번 담배를 깊이 빨았다.

"하지만 그건 제 목을 조르라는 신호나 마찬가지였어요. 제가 입을 열자 비명을 지를 거라고 생각했나 봐요. 그놈이 제 목을 움켜쥐고 조르기 시작했어요. 그때 만약 어떤 애가 실수로 그 방에 들어오지 않았더라면 그놈이 저를 난도질했을 거예요. 분명히요. 그 후로 일주일간 목에 멍이 들어 있었어요."

"다른 아가씨가 들어왔을 때 어떻게 됐지?"

"정확히는 모르겠어요. 저는 그때 그놈이 잽싸게 택시를 잡아타고 집으로 내빼는 걸 보는 것보다 숨을 쉬는 데 더 열중하고 있었으니까요. 이해하시겠죠? 제가 아는 건 그놈이 자기 소지품을 낚아채더니 문밖으로 사라졌다는 것뿐이에요."

"차림이 어땠지?"

"군복을 입고 있었어요."

"어떤 군복? 조금 더 구체적으로 말해 주겠나?"

그녀가 어깨를 으쓱했다. "제가 헤르만 괴링이라도 되는 줄 아세요? 젠장, 저는 그게 어떤 군복인지 모른다고요."

"그게 녹색이었나? 검은색? 갈색? 아니면 다른 색? 자, 아가씨, 생각해 봐. 중요한 거니까."

그녀는 담배를 뻑뻑 피우더니 참을성 없이 머리를 흔들었다.

"바랜 군복이었어요. 오래 입었던 것처럼."

"전쟁 베테랑인 것 같았다는 말인가?"

"네, 비슷했어요. 좀 더 프로이센 군인 같은 느낌이었달까. 아시잖아요, 그 왁스를 발라 굳힌 콧수염이며 기갑부대 부츠며. 아, 그래요. 거의 잊고 있었는데 부츠에 박차가 달려 있었어요."

"박차?"

"네, 말을 탈 때 쓰는."

"그 밖에 다른 건?"

"끈으로 연결된 나팔 모양의 술 부대를 어깨에 메고 있었어요. 허리춤까지 내려오는. 슈납스로 가득 차 있다더군요."

나는 만족스럽게 고개를 끄덕이고 이 여자를 안았다면 어땠을지 궁금해하며 소파에 몸을 기댔다. 그제야 그녀의 손에 누르스름하게 변색한 자국이 눈에 띄었다. 그것은 니코틴이나 황달, 체질적인 특징이 아니라 그녀가 군수 공장에서 일했다는 증거였다. 예전에 란트베어 운하에서 건진 시체의 신원을 같은 방식으로 확인한 적이 있었다. 한스 일만에게서 배운 것 중 하나였다.

"저기요," 헬레네가 말했다. "만약 이 개자식이 잡히면 보통은 게슈타포의 환대를 받게 되겠죠? 손가락 죄는 기구와 고무 곤봉으로요."

"아가씨," 내가 자리에서 일어서며 말했다. "그건 믿어도 돼. 도와줘서 고맙군."

자리에서 일어난 헬레네가 팔짱을 끼고 어깨를 으쓱했다. "네, 뭐, 저도 한때 여학생이었으니까요. 무슨 말인지 아시죠?"

나는 에보나를 슬쩍 보고 미소를 지었다. "알고말고." 나는 복도를 따라 늘어서 있는 침실을 향해 머릿짓을 했다. "돈 후안이 수사를 끝내면 전해. 난 펠처 레스토랑의 수석 웨이터에게 물을 게 있어서 갔다고. 그런 다음 아마 열대 식물원의 매니저를 만나서 어떤 정보를 얻을 수 있는지 알아보겠지. 그 후에는 알렉스로 가서 총기를 수리하지 않을까 싶군. 뭐, 가는 도중에 시답잖은 순찰 업무를 볼지도 모르지만."

9

9월 16일 금요일

"어디 출신인가, 고트프리트?"

남자가 자랑스럽게 미소를 지었다. "수데텐란트의 에거. 몇 주만 있으면 독일이라고 불릴 데요."

"난 그걸 무모함이라고 부르지." 내가 말했다. "몇 주만 있으면 너희 수데텐도이치 당[27]이 우리 모두를 전화戰火로 몰고 갈 테지. 수데텐도이치 당 전역에 이미 계엄령이 선포됐다."

"남자들이라면 자신의 신념을 지키기 위해 죽어야 하오." 그가 의자에 몸을 기대고 심문실 바닥에 박차를 굴렸다. 나는 자리에서 일어나 셔츠의 단추를 풀고 창문으로 들어오는 햇살을 피했다. 더운 날이었다. 옛 프로이센 기병대 장교 제복은 고사하고 재킷을 걸치기에도

---

27. 독일인이 모여 살던 체코슬로바키아의 수데텐란트 지역에서 창당된 정당으로 체코슬로바키아 정부가 독일 국가사회주의 노동당을 불법화하자 콘라트 헨라인이 만든 정당.

너무 더웠다. 오늘 아침 일찍 체포된 고트프리트 바우츠는 왁스를 발라 군힌 콧수염이 처질 조짐을 보이기 시작하는 데도 열기를 못 느끼는 것 같았다.

"여자들은 어떤가?" 내가 물었다. "여자들도 역시 죽어야 하나?"

그의 눈이 가늘어졌다. "그보다 먼저 왜 날 여기로 데려왔는지 말해 주는 게 먼저 아닌가, 경감?"

"리하르트 바그너 가에 있는 안마 업소에 대해 들어 본 적 있나?"

"없는 것 같은데."

"너는 한 번 보면 쉽게 잊을 수 없는 사람이야, 고트프리트. 네가 백마를 타고 계단을 질주하는 모습을 보인다 해도 네 외모 쪽을 기억하기가 더 쉬울 것 같은데. 그건 그렇고, 왜 그 군복을 입고 있는 거지?"

"난 독일을 위해 복무했고, 그걸 자랑스럽게 여기오. 왜 내가 군복을 입으면 안 되지?"

나는 전쟁이 끝났다는 말을 하려고 했지만 고트프리트 같은 미치광이한테는 별 효과가 없을 것 같은 데다 또 다른 전쟁이 시작되려 하고 있었다.

"그러니까, 리하르트 바그너 가에 있는 안마 업소에 갔다는 건가, 아니라는 건가?"

"갔을지도 모르지. 그런 데를 늘 정확히 기억하는 건 아니니까. 난 그런 데를 습관적으로 다니지…….."

"자기소개는 그만둬. 거기에 있는 여자 중 하나가 네놈한테 죽을 뻔했다는 증언이 있어."

"터무니없는 소리."

"그 여자는 아주 강력하게 주장하던데."

"그 여자가 날 고발했다고?"

"그래. 그 여자가."

고트프리트 바우츠가 의기양양한 태도로 씩 웃었다. "저런. 우리 둘 다 그게 사실이 아니라는 걸 알잖소, 경감. 우선, 그게 나인지 대면도 하지 않았고. 둘째 전 독일을 통틀어 어떤 창녀도, 잃어버린 푸들조차 경찰에 신고하지 않을 거요. 고발도 없고, 목격자도 없고, 나는 우리가 왜 이런 대화를 나누고 있는지 이유를 전혀 모르겠군."

"그 여자 말로는 네놈이 돼지처럼 묶인 자신에게 거시기를 빨게 한다음 목을 조르려고 했다던데."

"그 여자 말, 그 여자 말. 이보쇼, 이게 무슨 똥 같은 짓이지? 이게 그여자 말에 대한 내 대답이오."

"목격자가 있다는 걸 잊어버렸나, 고트프리트? 네놈이 목을 조르고 있을 때 그 방에 들어온 여자를? 아까도 말했지만 네놈은 쉽게 잊힐 사람이 아니야."

"지금 사실을 말하고 있는 사람이 누군지 법정에서 판가름을 내 봅시다. 조국을 위해 싸웠던 바로 이 몸인지, 귀엽고 멍청한 두 꿀벌인지. 그 둘도 똑같이 준비가 되어 있겠지?" 그는 지금 소리를 지르고 있었고, 이마에서는 페이스트리 반죽에 바르는 글레이즈처럼 땀이 흐르기 시작했다. "당신은 지금 누군가 게워 낸 토사물을 찔러 보는 중이고. 당신도 알겠지만."

나는 다시 자리에 앉아 가운뎃손가락으로 그의 얼굴 한가운데를 가리켰다.

"잔머리 굴리지 마, 고트프리트. 여기서는 말이야. 알렉스는 막스 슈멜링[28]보다 더 다양한 방법으로 널 짓이겨 놓을 수 있는 데다 시합이 끝난다 해도 네놈은 대기실에조차 갈 수 없어." 나는 깍지를 낀 손을 뒤통수에 대고 뒤로 의자에 몸을 기댄 다음 무심한 표정으로 천장을 올려다보았다. "내 말을 믿는 게 좋아, 고트프리트. 그 귀여운 꿀벌은 내가 시키는 그대로 할 테니까. 내가 공개 법정에서 재판관의 거기를 빨라고 해도 빨 여자야. 알아듣겠나?"

"나가 뒈지시지그러나." 그가 으르렁댔다. "날 위한 맞춤형 감방을 만들 생각이라면 감방 열쇠도 필요 없겠지. 그런데 왜 내가 당신 질문에 대답해야 하지?"

"마음대로 해. 난 급할 거 없으니까. 나로 말할 것 같으면, 이제 집으로 돌아가서 뜨거운 물에 몸을 담근 다음 숙면을 취할 생각이다. 그런 다음 여기로 돌아와서 네놈이 어떤 밤을 보냈는지 봐 주마. 뭐, 어쩌겠어? 사람들이 이곳을 괜히 '잿빛 감옥'이라고 부르는 줄 아나."

"좋아. 알았다고." 그가 신음 소리를 냈다. "얼른 그 엉터리 질문을 하라고."

"우린 네놈 방을 조사했다."

"마음에 들었소?"

"벌레들도 네놈과는 안 살겠더군. 밧줄을 찾았다. 내 조사관은 네놈이 누군가의 목을 조르는 데 쓸 용도로 카데베 백화점에서 산 걸로 보고 있다. 그게 아니면 누군가를 묶을 용도든지."

---

28. 1930년부터 1932년까지 프로 복싱 세계 헤비급 챔피언을 지냈던 독일 권투 선수.

"그게 아니면 내 직업용 밧줄이든가. 난 로쉴링 이삿짐센터에서 일하오."

"알아, 확인했지. 그런데 왜 그걸 집으로 가져왔지? 왜 밴에 놔두지 않았지?"

"목을 맬 작정이었으니까."

"왜 마음이 바뀌었지?"

"잠시 생각해 보니까 상황이 그렇게 나쁘지 않다는 생각이 들었지. 당신을 만나기 전까지는."

"침대 밑 가방에서 나온 피 묻은 천은 뭐야?"

"그거? 생리 자국. 내가 아는 여자가 실수를 했지. 태우려고 했는데 잊어버렸지 뭐야."

"증명할 수 있나? 그 여자가 네 말을 입증할 수 있나?"

"불행히도 잘 모르는 여자라서 말이오, 경감. 알겠지만 우연히 만난 여자요." 그가 잠시 사이를 두었다. "하지만 과학 실험을 해 보면 내 말을 입증할 수 있을 거 아니오?"

"실험을 통해 인간의 피인지 아닌지 정도는 입증되겠지. 하지만 네가 말한 것만큼 정밀한 것까지는 무리야. 병리학자가 아니라서 확신할 순 없지만."

나는 다시 자리에서 일어나 창가로 갔다. 주머니에서 담배를 찾아 불을 붙였다.

"담배?" 그가 고개를 끄덕이자 나는 테이블 위로 담뱃갑을 던졌다. 나는 그에게 수류탄을 던지기 전에 그가 첫 모금을 피우게 내버려 두었다. "나는 네 소녀의 살인 사건을 수사중이다. 어쩌면 다섯일 수도 있지." 내가 조용히 덧붙였다. "그게 네놈이 지금 여기 있는 이유야. 이른바 중요 용의자랄까."

자리에서 벌떡 일어난 고트프리트가 아랫입술을 핥자 담배가 테이블 위로 떨어졌다. 그는 머리를 가로젓기 시작했다. 끝도 없이.

"아니야. 아니야. 아니야. 사람을 잘못 봤어. 난 그 일에 대해서는 털끝만큼도 몰라. 제발 믿어 주시오. 난 결백해."

"1931년에 드레스덴에서 네놈이 강간한 여자는 어떤가? 네놈은 그걸로 감방에 갔다 오지 않았나, 고트프리트? 네놈의 전과를 확인해 봤지."

"미성년자와 한 거였소. 어린 여자와 한 것뿐이라고. 난 몰랐소. 동의하에 한 거라니까."

"어디 보자. 그 여자가 몇 살이었더라? 열다섯? 열여섯? 살해된 소녀들과 같은 나이로군. 아무래도 네놈은 딱 그 나이 대 여자를 좋아하나 보군. 자신의 열등감을 소녀들에게 전가하는 거지. 어떻게 그 여자들을 구슬렸지?"

"아니오, 사실이 아니오. 맹세컨대……,"

"피해자들이 그렇게 혐오스럽던가? 네놈이 파렴치한 짓을 하도록 도발하던가?"

"그만해, 제발……,"

"결백하단 말이지. 웃기지 마. 네놈의 결백 주장은 하수구 속 똥만큼의 가치도 없어, 고트프리트. 결백이란 건 법을 준수하는 시민에게 해당하는 말이지 안마 업소에서 여자의 목이나 조르는 네놈 같은 하수구 쥐새끼한테는 어울리는 말이 아니야. 자, 이제 자리에 앉아서 입닥치고 있어."

그는 잠깐 뒤꿈치의 박차를 흔들다가 털썩 주저앉았다.

"난 아무도 죽이지 않았다고." 그가 구시렁댔다. "**당신**이 어떻게 갖다 붙여도 난 결백해. 정말이라고."

"그럴지도 모르지." 내가 말했다. "하지만 대패질을 하면 대팻밥이 나오는 법이야. 따라서 결백한지 아닌지 당분간 여기 있어야겠어. 적어도 조사가 끝날 때까지는." 나는 재킷을 주워 들고 문으로 향했다.

"한 가지만 더 묻겠다." 내가 말했다. "네놈은 차가 없을 것 같은데. 맞나?"

"내 돈으로 산 차 말이오? 농담하쇼?"

"이삿짐 운반 차량은 어때. 운전하나?"

"그래요. 내가 운전하지."

"밤에 쓴 적 있나?" 그는 침묵을 지켰다. 내가 어깨를 으쓱하고 말했다. "뭐, 나야 언제든 자네 고용주한테 물어보면 되니까."

"그건 금지 사항이지만 가끔 썼소. 그래요. 약간의 자유재량이 있달까." 그가 나를 똑바로 쳐다보았다. "하지만 결코 누구를 죽이는 데 쓰지 않았소. 당신이 뜻한 게 그거라면."

"그건 아니었어. 하지만 괜찮은 생각인데."

나는 아르투르 네베의 집무실 의자에 앉아서 그의 전화 통화가 끝나길 기다렸다. 마침내 그가 심각한 얼굴로 전화기를 내려놓았다. 내가 막 입을 떼려는데 그가 입술에 손가락을 갖다 대고 책상 서랍을 열어 찻주전자용 보온 덮개를 꺼내 전화기에 덮었다.

"뭐 하시는 겁니까?"

"전화에 도청 장치가 있네. 아마 하이드리히 짓이겠지만 누가 알겠나? 보온 덮개가 우리 대화를 지켜 줄 걸세." 그가 총통 사진 밑에 놓인 의자에 몸을 기대고 긴 한숨을 내뱉었다. "베르흐테스가덴[29]에서 온 부하의 전화였네. 히틀러와 영국 수상의 회담이 잘 진행되지 않은 것 같군. 우리의 경애하는 독일 총통은 영국과의 전쟁을 대단찮게 여기는 것 같아. 협상할 기색이 전혀 없어.

당연히 그는 수데텐 지역의 독일인들에게는 관심이 없네. 민족주의라는 건 단지 구실일 뿐이야. 모두가 아는 사실이지. 그가 원하는 건 오직 오스트리아 헝가리 제국의 중공업이야. 전 유럽과 싸움을 벌이려면 그게 필요하지. 맙소사, 그가 체임벌린[30]보다 힘 있는 사람과 협상했길 바라네. 그는 또 우산을 들고 왔나 보더군. 멍청한 은행장 자식."

"그렇게 생각하십니까? 우산을 들고 다닌다는 건 그가 합리적인 사람이라는 걸 뜻하는 것 같은데요. 히틀러나 괴벨스가 우산을 갖고 다니는 사람들을 도발한다는 게 상상이 가십니까? 우산을 갖고 다닌 것 자체가 영국이 급진적이 될 수 없다는 걸 뜻하죠. 그리고 우리는 그 점을 부러워해야 합니다."

"훌륭한 이론이군." 그가 미소를 지으며 말했다. "그건 그렇고 자네

---

29. 히틀러의 은신처.
30. 아서 네빌 체임벌린. 재무부 장관을 거쳐 1933년에서 1940년까지 영국 총리를 지냈으며 수데텐 귀속 문제가 불거지자 1938년 뮌헨회담을 개최하여 당사국인 체코슬로바키아의 불참하에 수데텐의 합병을 요구하는 히틀러의 요구를 받아들였다.

가 체포한 자에 대해 말해 보게. 우리가 찾는 놈 같나?"

나는 확신할 수 있는 뭔가를 찾길 바라며 벽과 천장을 힐끗 둘러본 뒤 지하 감방에 있는 고트프리트 바우츠의 존재를 부정한다는 듯이 손을 들어 보였다.

"정황상 녀석은 요건에 맞는 놈입니다." 나는 하루치 한숨 중 하나를 지금 썼다. "하지만 녀석을 연루시킬 만한 게 아무것도 없습니다. 우리가 그놈 방에서 찾은 밧줄은 죽은 소녀 중 하나의 발에 묶여 있던 것과 같은 밧줄입니다. 하지만 아주 흔한 밧줄이죠. 이곳 알렉스에서도 같은 걸 씁니다.

침대 밑에서 찾은 피 묻은 옷가지는 피해자 중 하나의 것일지도 모릅니다. 그의 주장대로 생리 자국일지도 모르고요. 녀석은 밴을 쓸 수 있었으니까 피해자를 살해한 후 비교적 용이하게 그 밴으로 시체를 날랐을지도 모릅니다. 부하들이 지금 차 안을 조사중이지만 치과의사의 손만큼이나 깨끗하겠죠.

그리고 당연히 녀석은 전과가 있습니다. 전에 성폭행―미성년자 강간―으로 감방에 간 적이 있죠. 최근에 그놈은 매춘부를 꼬드겨 밧줄로 묶은 후 목을 조르려고 했던 것 같습니다. 따라서 우리가 찾는 놈에 부합한다는 심증이 가는 녀석입니다." 나는 머리를 저었다. "하지만 염병할 프리츠 랑[31]의 영화보다 더 현실성이 없습니다. 제가 원하는 것은 물증입니다."

네베가 알았다는 듯이 머리를 끄덕이며 책상 위에 부츠를 신은 발

---

31. 독일 출신 영화감독, 시나리오 작가, 독일 표현주의 예술가.

을 올렸다. 모은 손끝을 톡톡 맞부딪치며 그가 말했다. "사건을 조작하는 건 어떤가? 녀석이 말려들겠나?"

"녀석은 멍청하지 않습니다. 시간이 걸릴 겁니다. 저는 심문에 능하지 않고, 지름길로 갈 생각도 없습니다. 조서 위에 부러진 이가 나뒹굴게 하는 일은 피하고 싶습니다. 그게 바로 요제프 칸이 자백하기로 마음먹고 구속복 차림으로 정신병원에 있는 이유죠." 나는 네베의 허락도 없이 책상 위에 있는 담배 케이스를 열고 미제 담배를 꺼내 괴링이 그에게 선물한 거대한 탁상용 황동 라이터로 불을 붙였다. 수상은 자신에게 소임을 다한 사람에게 언제나 라이터를 주었다. 유모가 아이에게 눈깔사탕을 주듯.

"그건 그렇고, 칸은 풀려났습니까?"

네베의 마른 얼굴이 언짢은 표정을 지었다. "아니, 아직은."

"녀석이 아무도 죽이지 않았다는 사실을 고려하면 그를 석방할 때라고 생각하지 않으십니까? 우리에겐 아직 어느 정도 규범이 있을 텐데요. 아닙니까?"

그가 자리에서 일어나 책상을 돌아 내 앞에 섰다.

"이 말을 듣고 싶은 건 아니겠지만, 베르니, 나도 그러고 싶네."

"왜 이번 건은 예외로 두는 겁니까? 화장실에 거울이 없는 이유는 아무도 변기에 앉은 자신의 얼굴을 보고 싶어 하지 않기 때문입니다. 위에서는 그를 석방할 생각이 없군요. 그렇습니까?"

네베가 책상 쪽으로 몸을 기울이고 팔짱을 긴 다음 잠시 자신의 부츠 끝을 응시했다.

"그보다 더 나빠. 그는 죽었네."

창백한 범죄자
—
161

"무슨 일이 있었던 겁니까?"

"공식적으로 말인가?"

"말씀해 보시죠."

"요제프 칸은 평정을 잃고 자살했네."

"그럴듯하게 들리는군요. 하지만 다르게 알고 계실 테죠?"

"나도 확실한 건 모르네." 그가 어깨를 으쓱했다. "정보에 입각한 추측만 할 뿐이지. 나는 이야기를 듣고, 보고서를 읽고, 몇 가지 합당한 결론을 내릴 뿐이야. 국가형사이사관인 나는 당연히 내무성 내의 모든 비밀 지령에 접근할 수 있지." 그가 담배를 꺼내 불을 붙였다. "보통 이런 지령들은 중립적인 냄새를 풍기는 관료적 자세를 취하네.

뭐, 어쨌든 현재 심각한 체질성 질환 조사를 위한 새 위원회를 설립할 움직임이……,"

"이 나라가 걸린 병에 대한 위원회 말입니까?"

"……'총통의 방침에 기초한 적극적 우생학'을 장려할 목적이지." 그가 담배를 쥔 손을 자신의 뒤 벽에 걸린 초상화를 향해 흔들었다. "'총통의 방침'이라는 말을 들을 때마다 사람들은 총통이 쓴 책에 있는 구절을 떠올리네. 그럼 책에서 육체적 변성과 정신적 질환이 민족의 장래 건강을 해치지 않도록 최신 현대 의학적 수단을 강구해야 한다고 총통이 말한 부분을 찾을 수 있을 걸세."

"그 수단이란 게 대체 뭡니까?"

"열성인자는 가정을 꾸리지 못하게 해야 한다는 것 같아. 합리적인 것처럼 들리기도 하지. 그렇지 않나? 자기 앞가림도 할 수 없는 사람이 아이를 낳아 양육할 수는 없으니까."

"열성인자인 히틀러 유겐트 지도자들이 그걸 단념할 것 같진 않군요."

네베가 코웃음을 치고 다시 자신의 자리로 돌아갔다. "자네는 입조심을 해야 할 것 같군, 베르니." 그가 슬며시 미소를 지으며 말했다.

"괴상하다는 겁니다."

"뭐, 이런 거야. 최근 특수 시설에 수용된 가족들의 불평 신고가 크리포에 많이 들어오는데, 이미 비공식적으로 일종의 안락사 같은 행위들이 행해지고 있다고 의심이 되네."

나는 몸을 앞으로 숙이고 눈 사이의 콧등을 쥐었다.

"혹시 두통 없으십니까? 저는 가끔 두통이 입니다. 냄새가 원인이죠. 특히 페인트 냄새. 영안실의 포름알데히드 냄새도 그렇고. 그중 최악은 눈을 게슴츠레하게 뜨고 럼주 냄새를 풍기는 인간들이 노숙하는 곳에서 나는 지린내죠. 제가 꾸는 최악의 악몽 속에서나 맡을 수 있는 냄새라고나 할까요. 아르투르, 이 도시에서 나는 악취는 모두 맡았다고 생각했는데 방금 하신 말에서는 한 달 묵은 똥에 일 년 된 계란을 섞어서 튀긴 것 같은 냄새가 나는군요."

네베가 서랍을 열고 병 하나와 글라스 두 개를 꺼냈다. 아무 말 없이 그는 글라스에 술을 가득 따랐다.

나는 그것을 단숨에 들이켠 다음 그 술이 심장과 위에 전해지는 느낌을 기다렸다. 나는 고개를 끄덕여 또 한 잔을 청했다. 내가 말했다. "이보다 나쁠 수는 없을 거라고 생각하면 늘 상황은 생각보다 더 나빠집니다. 그러고는 그보다 더 나빠지죠." 나는 두 번째 잔을 털어 넣고 빈 잔을 응시했다. "솔직히 말해 주셔서 고맙습니다, 아르투르." 나는 무거운 발걸음을 옮겼다. "술도 고맙고요."

"용의자에 대한 보고를 계속해 주게." 그가 말했다. "부하 두 명에게 착한 경찰과 나쁜 경찰 역을 맡겨서 녀석을 흔들어 보는 게 좋을지도 몰라. 구타는 집어치우고, 좀 옛날 방식의 심리적인 압박 같은 걸 해 보게. 무슨 말인지 알겠지. 그건 그렇고, 반원들은 마음에 드나? 손발은 맞나? 불만 같은 건 없나?"

나는 다시 자리에 앉아 나치당 집회만큼이나 오래 내 부하들에 대한 결점을 늘어놓을 수도 있었지만 그가 정말로 그런 것을 원한 건 아닐 것이었다. 크리포에는 내 수사반에 있는 세 명의 형사보다 못한 녀석들이 수백 명 있다는 사실을 알고 있었다. 따라서 나는 그냥 고개를 끄덕이고 다 괜찮다고 말했다.

하지만 네베의 집무실 문가에서 나는 나도 모르게 자동적으로 그 말을 내뱉었다. 상대방의 감정을 해치지 않기 위해서 머리를 숙였을 뿐이라고 자위할 상황일지라도 누군가에 대한 답례로 의무감에서 나온 말은 아니었다. 내가 먼저 한 말이었다.

"하일, 히틀러."

"하일, 히틀러." 네베는 뭔지 몰라도 쓰기 시작한 것에서 눈을 떼지 않고 우물거리듯 대답했기 때문에 내 표정을 보지 못했다. 나도 내 표정이 어떤지 알 수 없었다. 내 표정이 어떻든 그것은 내 진짜 불만이 알렉스에 있는 내 자신이라는 자각에서 기인한 것이었다.

10

9월 19일 월요일

전화가 울렸다. 침대 끝에서 몸을 굴려 전화를 받았다. 도이벨이 말하는 동안 시간을 체크했다. 새벽 두시였다.

"다시 말해 봐."

"실종된 소녀를 발견한 것 같습니다, 경감님."

"죽었나?"

"덫에 걸린 쥐 같습니다. 아직 정확한 신원을 확인하지 못했지만 피해자 중 하나로 보입니다, 경감님. 일만 교수에게 전화했습니다. 그가 오는 중입니다."

"어디에서 발견했지, 도이벨?"

"동물원 역입니다."

차를 타러 내려간 바깥은 여전히 따뜻했고, 나는 잠도 깰 겸 밤공기를 만끽하기 위해 차창을 열었다. 슈테글리츠에 있는 자기 집에서 자고 있을 한케 부부만 빼면 모든 이에게 멋진 날이 될 것 같은 날씨였다.

네온 빛을 발하는 기하학적 형태의 가게가 늘어선 쿠르퓌어슈텐담 가를 따라 동쪽으로 운전해 가다가 불을 환하게 밝힌 대식물원이 있는 요아힘슈탈러 가를 향해 북쪽으로 방향을 틀었다. 그곳에 동물원역이 있었다. 역 앞에는 경찰 밴 몇 대와 쓸모없을 구급차가 있었고, 형사 한 명이 흥청망청 밤을 새우고 있는 주정뱅이 몇 명을 쫓아내는 중이었다.

나는 역 안으로 들어가 중앙 매표소 홀을 가로질러 분실물 보관소와 수하물 보관소 구역 앞에 세워진 경찰 저지선을 향해 걸었다. 저지선을 지키는 두 남자에게 배지를 꺼내 보이고 저지선을 통과했다. 모퉁이를 도는 와중에 도이벨과 마주쳤다.

"뭘 발견했지?"

"트렁크에 담긴 소녀 시체입니다, 경감님. 상태와 냄새로 판단하건대 한동안 거기 들어 있었던 것 같습니다. 트렁크는 수하물 보관소에 있었습니다."

"교수는 왔나?"

"교수와 사진사 모두 왔습니다. 아직 시체를 육안으로 관찰하고 있을 뿐입니다. 일단 경감님을 기다리라고 했죠."

"자네의 깊은 사려가 감동적이군. 누가 시체를 발견했나?"

"저희 반의 제복 경사와 제가 발견했습니다."

"그래? 어떻게 알았지? 무당한테 상담이라도 했나?"

"익명의 제보 전화가 왔습니다, 경감님. 알렉스로요. 그가 시체가 있는 곳을 당직 경사에게 말했고, 당직 경사가 제 부하 경사에게 말했습니다. 그가 제게 전화해서 우리는 곧장 여기로 왔습니다. 트렁크를 찾아서 소녀를 발견한 다음 경감님께 전화한 겁니다."

"익명의 제보자라. 몇 시에 전화가 왔지?"

"열두시쯤이오. 저는 막 교대한 참이었습니다."

"전화 받은 친구에게 직접 얘기를 듣고 싶은데. 누군가 보내서 그 친구가 교대하지 않았는지 확인하고 적어도 보고가 끝날 때까진 퇴근하지 말라고 전하게. 여기는 어떻게 들어왔지?"

"야간 담당 역장에게 말했습니다. 수하물 보관소 업무가 끝나면 그가 열쇠를 보관합니다." 도이벨이 몇 미터 떨어진 곳에서 기름때가 묻은 옷을 입고 손바닥의 살을 물어뜯고 서 있는 뚱뚱한 남자를 가리켰다. "저 사람입니다."

"우리가 그의 저녁 간식을 방해하고 있나 보군. 그에게 이 부서에서 일하는 모든 사람의 이름과 주소를 알려 달라고 하고 아침 몇 시에 문을 여는지 물어보게. 그들의 근무시간과 상관없이 평소 문을 여는 시간에 그들 모두를 여기서 보고 싶네. 그들의 이력서와 함께 말이야." 나는 말을 끊고 다음에 이어질 상황에 대비해 마음을 다졌다.

"좋아. 이제 현장으로 안내하게."

수하물 보관소에는 한스 일만이 '파손 주의'라는 라벨이 붙은 커다란 소포에 앉아 말아서 만든 담배를 피우며 경찰 사진사가 카메라 삼각대를 설치하고 플래시를 준비하는 모습을 지켜보고 있었다.

"아, 경감." 그가 나를 보고 자리에서 일어나며 말했다. "우리도 막 도착했지. 일을 시작하기 전에 자네가 기다리길 바랄 거라고 생각했네. 저녁거리가 좀 지나치게 익어서 이게 필요할 걸세." 그는 내게 고무장갑을 건넨 다음 못마땅하다는 듯이 도이벨을 바라보았다. "자네도 낄 텐가, 경위?"

도이벨이 얼굴을 찌푸렸다. "괜찮으시다면 저는 안 끼는 게 좋겠습니다, 검시관님. 평소라면 끼겠지만 저 나이 대의 딸이 있어서."

나는 끄덕였다. "자네는 베커와 코르슈를 깨워서 이리로 데려오는 게 낫겠네. 왜 우리만 빈둥거려야 하는지 모르겠군."

도이벨이 자리를 뜨려고 몸을 돌렸다.

"아, 경위." 일만이 말했다. "우리의 오르포 친구들 가운데 누군가가 커피를 끓여 줄 수 있는지 물어봐 주게. 난 잠이 깨면 일을 훨씬 더 잘하니까. 그리고 내 말을 받아 적을 사람이 필요하네. 자네 부하의 글씨는 읽을 만한가?"

"그럴 겁니다, 검시관님."

"경위, 오르포 전체의 교육 수준에 관해 확신할 수 있는 건 베팅 슬립[32]을 틀리지 않고 적을 수 있다는 정도지. 괜찮다면 확실히 알아봐 주게. 나중에 상형문자 같은 걸 해독하느니 내가 직접 쓰는 게 나을 테니까."

"알겠습니다." 도이벨이 희미한 미소를 띠고 그의 지시를 수행하러 갔다.

"저 친구가 예민한 타입이라고는 생각해 본 적 없는데 말이야." 일만이 등을 돌려 사라지는 그를 보며 한마디 했다. "시체를 꺼리는 경찰이 상상이 가나. 사들이려는 부르고뉴 와인의 시음을 거절하는 포도주상 같군. 상상이 안 가. 도대체 어디서 저렇게 쥐어박고 싶은 놈

---

32. 도박에서 건 돈을 메모하여 기록하는 장부.

들만 찾아내는 거지?"

"간단하죠. 길거리에 나가서 가죽 반바지 입은 녀석들만 깡그리 구슬려서 데려오면 됩니다. 그게 나치가 자연선택이라고 부르는 방식이죠."

수하물 보관실 안쪽 바닥에 시체가 담긴 트렁크가 놓여 있었다. 시체는 시트로 덮여 있었다. 우리는 커다란 소포 두 덩이를 끌어와 그 위에 앉았다.

일만이 시트를 걷었을 때 짐승 우리에서 나는 냄새가 훅 끼쳐서 움찔한 나는 내 어깨 너머 더 나은 공기를 찾아 반사적으로 머리를 돌렸다.

"그래, 게다가," 그가 중얼거렸다. "더운 여름이 계속되고 있으니까."

푸른 가죽을 댄 널찍한 고급 트렁크에는 놋쇠 자물쇠와 금속 장식들이 달려 있었다. 뉴욕과 함부르크를 운항하는 호화 여객선에 선적될 법한 종류의 트렁크였다. 열여섯 살가량의 벌거벗은 소녀는 마지막 여행으로 트렁크에 홀로 탑승한 셈이었다. 부분적으로 갈색 커튼처럼 보이는 천에 싸인 그녀는 등을 바닥에 대고 있었고, 다리가 왼쪽으로 접혀 있었다. 벌거벗은 가슴은 등 밑에 무언가가 받치고 있는 것처럼 위로 솟아 있었다. 머리와 몸통이 불가능한 각도를 이루고 있었다. 벌어진 입이 거의 미소를 짓고 있는 것처럼 보이는 데다 눈을 반쯤 뜨고 있어서 코에서 흘러나온 마른 피와 발목에 묶인 밧줄이 없더라면 소녀는 이제 막 긴 잠에서 깨어날 참인 것 같았다.

도이벨의 부하인 경사 한 명이 공책과 연필을 들고 도착했다. 건장

한 체격의 그는 휴대용 술병 두께보다 짧은 목에 가슴은 샌드백 같았다. 일만과 나에게서 조금 떨어진 곳에 앉아 사탕을 빨며 거의 무관심한 태도로 다리를 꼬는 모습으로 보아하니 그는 우리 앞에 펼쳐진 광경에 조금도 동요하는 것 같지 않았다.

일만이 그를 잠시 평가하듯 살펴보더니 고개를 끄덕이고 자신이 본 것을 묘사하기 시작했다.

"청소년기 여성으로," 그가 엄숙한 음성으로 말을 이었다. "16세 전후로 추정되며 대형 고급 트렁크에 나체 상태로 누워 있음. 시체 일부는 크레톤 천[33]으로 덮여 있고, 발은 밧줄로 묶여 있음." 그는 중간중간 경사가 받아 적는 속도에 맞춰 말을 끊었다.

"시체에서 천을 들추고 확인한 결과 머리가 몸통에서 완전히 분리된 것으로 판명. 부패가 진전된 상태로 보아 적어도 사에서 오 주 동안 트렁크 안에 들어 있었음이 확실함. 손에서 방어한 흔적을 찾아볼 수 없음. 실험실에서 보다 확실한 조사를 하기 위해 손가락을 피복被服하겠음. 손톱은 본인이 깨문 것처럼 보이므로 조사는 시간 낭비일 공산이 큼." 그가 검시 도구 상자에서 두꺼운 종이봉투 두 장을 꺼냈고, 나는 그를 도와 죽은 소녀의 손을 그 봉투로 단단히 감쌌다.

"이보게, 이게 뭐지? 내가 잘못 본 건가, 아니면 피 묻은 블라우스인가?"

"그녀의 독일 소녀 동맹 유니폼 같군요." 그가 먼저 블라우스를, 그다음 감청색 스커트를 집어 드는 모습을 보며 내가 말했다.

---

33. 커튼 등에 쓰이는 천.

"우리에게 그녀의 세탁물까지 보내다니 우리의 친구는 매우 사려가 깊은 사람이군. 어떤 친구인지 약간은 알 것 같아. 먼저 익명으로 알렉스에 전화를 건 다음 이제는 이건가. 이따가 내게 일기장을 찾아보라고 말해 주게. 오늘이 내 생일인지 아닌지 체크해 보게."

무언가가 눈에 띄어 나는 몸을 숙이고 트렁크 밖으로 빠져나온 사각형 모양의 작은 카드를 주웠다.

"이르마 한케의 신분증이군요." 내가 말했다.

"뭐, 신원을 밝힐 수고를 덜어 준 것 같군." 일만이 경사를 향해 머리를 돌렸다. "트렁크에서 죽은 소녀의 옷가지와 신분증 발견." 그가 구술했다.

신분증 한가운데에 핏자국이 있었다.

"손가락 자국이 있는 것 같습니까?" 내가 그에게 물었다.

그가 내 손에서 카드를 가져가 주의 깊게 살폈다. "그래, 그런 것 같아. 하지만 별 도움이 될 것 같지 않군. 실제로 지문이 나온다면 다른 얘기지만. 지문이 우리의 많은 기도에 응답이 될 테지."

나는 머리를 저었다. "그건 응답이 아닙니다. 질문이죠. 범인이 정신이상자라면 왜 성가시게 자신이 죽인 피해자의 신원을 알리려고 했을까요? 제 말은 혈흔이 피해자의 것이라고 가정하면, 그녀는 이미 죽은 후라는 거죠. 그렇다면 우리가 찾는 녀석은 그녀의 이름을 왜 굳이 알고 싶어 했을까요?"

"아마 알렉스에 전화를 걸어 피해자의 이름을 밝히려고 한 게 아닐까?"

"그럴지도 모르죠. 하지만 왜 몇 주나 지나서 전화를 했을까요? 이상하지 않습니까?"

"일리가 있군, 베르니." 그는 신분증을 담은 종이봉투를 조심스럽게 검시 도구 상자에 넣은 다음 트렁크로 눈을 돌렸다. "또 뭐가 있는지 볼까?" 그가 트렁크 안에 있던 작지만 무거워 보이는 자루를 들고 안을 힐끗 보았다. "이 이상한 건 뭐지?" 그는 내가 볼 수 있도록 자루의 주둥이를 벌렸다. 빈 치약 튜브로, 이르마 한케가 국가 경제 프로그램 일환으로 그것을 수집하는 중이었다는 걸 뜻했다. "우리의 살인마는 모든 걸 고려한 걸로 보입니다."

"그 개자식은 우릴 우습게 보는 것 같군. 우리에게 모든 단서를 주면서 말이야. 우리가 계속 녀석을 못 잡는다면 놈이 얼마나 우쭐댈지 생각해 보게."

일만은 경사에게 몇 가지 사항을 더 구술한 다음 현장검증을 마친다고 선언했고, 그다음은 사진사의 차례였다. 장갑을 벗고 트렁크가 놓인 곳에서 자리를 옮기자 역장이 커피를 준비해 놓았다. 죽음의 맛을 없애기 위해서는 내 혀를 감싸는 진하고 뜨거운 이 커피가 필요했다. 일만이 수제 담배 두 개비를 꺼내 나에게 한 개비를 건넸다.

통통한 담배에서는 숯불로 구운 과일의 즙 같은 맛이 났다.

"자네가 체포한 그 미친 체코인은 어디 있나?" 일만이 말했다. "자신을 기병대 장교라고 생각하는 자 말일세."

"진짜 기병대 장교였던 것 같습니다. 동부전선에서 얻은 전쟁신경증을 완전히 회복하지 못할 것 같더군요. 그렇더라도 완전히 미치지는 않았지만, 솔직히 말해서 확실한 증거가 나오지 않는다면 녀석에게서 뭔가를 끌어낼 자신이 없습니다. 그리고 누구라도 알렉스 스타

일로 자백을 강요해서 감방에 처넣을 생각은 없습니다. 어차피 녀석은 입을 다물고 있죠. 주말 내내 심문을 계속하고 있지만 여전히 무죄를 주장하고 있습니다. 트렁크를 맡긴 자가 그자인지 수하물 보관소 직원이 신원을 확인해 준다면 모를까, 아니라면 그자를 풀어 줄 생각입니다."

"그렇다면 자네의 예민한 부하가 열 받겠군." 일만이 싱긋 웃었다. "딸이 있다는 친구 말이야. 자네가 오기 전에 그와 얘기를 나눠 봤는데, 그 친구는 자네가 그자의 유죄를 확증하기도 전에 그자의 유죄가 밝혀지는 건 시간문제인 걸로 확신하더군."

"분명 그럴 겁니다. 그 친구는 내가 자신을 시켜 체코 녀석을 독방으로 데려가 흠씬 두들겨 패게 할 확실한 이유로 그자의 미성년자 강간을 들고 있죠."

"요즘 경찰 녀석들의 수사 방법은 아주 거칠지. 그런 에너지가 어디서 나오는 걸까?"

"녀석들은 에너지를 비축할 생각뿐입니다. 아까의 태도로 알 수 있듯 도이벨의 취침 시간은 벌써 지났습니다. 요즘 형사들은 자신의 근무시간을 은행 근무시간으로 아니까요." 나는 도이벨에게 손짓을 했다. "베를린에서는 대부분의 범죄가 낮 시간에 일어난다는 걸 알고 있습니까?"

"자네는 분명 우리의 친근한 이웃 게슈타포가 아침 일찍 현관문을 두드린다는 걸 잊은 모양이군."

"도청 부서에서 나온 형사조교 이상의 계급이 찾아올 일은 없겠죠. 그것도 당신이 중요한 인물이 아닌 이상은."

고개를 돌리자 최선을 다해 지쳐 죽을 것 같은 나머지 병원 침대에 누워야 할 듯한 시늉을 하고 있는 도이벨이 서 있었다.

"사진사가 피해자의 사진을 다 찍으면 트렁크가 닫혀 있는 사진 몇 장이 필요하다고 말하게. 수하물 보관소 직원이 출근하기 전까지 그 사진들을 준비해 놓도록. 그게 직원들의 기억을 상기시키는 데 도움이 될 거야. 사진 촬영이 끝나자마자 여기 계신 교수님이 트렁크를 알렉스로 가져갈 테니까."

"피해자의 가족은 어떻게 할까요, 경감님? 소녀는 이르마 한케겠죠?"

"물론 공식적인 확인이 필요할 걸세. 피해자에 대한 교수님의 일처리가 끝난 다음에. 피해자의 어머니를 위해서라도 조금은 말쑥하게 단장을 해야겠지."

"난 장의사가 아니야, 베르니." 그가 쌀쌀맞게 말했다.

"왜 이래요. 전에 당신이 걸레가 된 시체를 꿰매는 걸 봤습니다."

"분명 그런 적이 있긴 하지." 일만이 한숨을 쉬었다. "할 수 있는 데까지 해 볼게. 어쨌든 하루 종일 걸릴 거야. 내일까진 할 수 있겠지."

"당신 마음에 들 때까지 해 봐요. 하지만 이 소식을 오늘 밤에 가족들에게 전하고 싶습니다. 그러니까 그때까진 적어도 어깨 위에 머리를 붙여 놔요. 할 수 있겠죠?"

도이벨이 요란하게 하품을 했다.

"좋아, 경위. 그 연기는 합격이야. 침대가 필요한 피곤한 남자 역은 이제 자네 걸세. 자네가 그 역을 따내기 위해 얼마나 열심히 일했는지는 신만이 알겠지. 베커와 코르슈가 오면 퇴근하도록. 이따 아침에 라인업[34]을 준비해 놓게. 보관소 직원들이 우리의 수데텐 친구를 알아보는지 볼 수 있도록 말이야."

"알겠습니다, 경감님." 퇴근이 임박하자 그가 갑자기 **빠릿빠릿**해졌다.

"당직 경사의 이름이 뭔가? 익명의 전화를 받은 친구 말이야."

"골너입니다."

"고물 탱크 골너를 말하는 건 아니겠지."

"맞습니다, 경감님. 그를 경찰 관사에서 찾을 수 있으실 겁니다. 골너는 전에 크리포를 기다리다가 허송세월한 적이 있어서 우리가 나타날 때까지 밤새도록 기다리기는 싫다면서 거기서 기다리겠다고 했습니다."

"그 고물 탱크로군." 내가 미소 지었다. "좋아, 그를 기다리게 하지 않도록 최선을 다해 보지."

"코르슈와 베커가 오면 뭐라고 할까요?" 도이벨이 물었다.

"이곳에 있는 나머지 쓰레기들을 조사해 보라고 하게. 우리에게 온 또 다른 종류의 선물이 있을지도 모르니까."

일만이 목을 가다듬었다. "둘 중 한 친구가 검시를 도와줄 수 있다면 좋겠군."

"베커가 적임자입니다. 그 친구는 여체 곁에 있는 걸 좋아하는 것 같으니까요. 비명횡사에 관한 것이라면 뛰어난 자질이 있는 건 말할

---

34. 용의자를 포함하여 사람들을 나란히 세워 놓고 목격자나 피해자에게 용의자를 지목하게 하는 식별법.

것도 없고 말입니다. 시체와 단둘이 남겨 놓지만 않으면 됩니다, 교수님. 그 친구는 기분에 따라 저 소녀를 쏘거나 강간하기 쉬우니까."

경찰 관사가 있는 클라이네 알렉산더 가는 북서쪽으로는 호르스트 베셀 광장과 이어져 있었고, 가까이에 알렉스가 위치해 있었다. 관사는 큰 건물로, 결혼한 경찰과 상급 경찰을 위한 작은 아파트와 그 외에는 독신자들을 위한 방 하나짜리 아파트로 이루어져 있었다.

바흐마이스터 프린츠 '탱크' 골너는 더 이상 결혼 생활을 하고 있지 않음에도 장기간의 모범적 근속 기록을 인정받아 삼층 구석진 곳에 있는 작은 침실이 딸린 아파트에 살고 있었다.

잘 꾸며진 창가의 화단만이 가정적인 분위기를 연출하고 있었고, 골너의 훈장 수여식 사진 두 장을 빼면 벽은 휑했다. 그가 내게 일인용 안락의자에 앉으라는 손짓을 했고, 자신은 깨끗이 정돈된 침대 끝에 앉았다.

"자네가 돌아왔다고 들었지." 그가 차분한 목소리로 말했다. 그가 몸을 구부려 침대 밑에서 상자 하나를 꺼냈다. "맥주?"

"고맙습니다."

그가 맨손으로 병마개를 따며 반사적으로 고개를 끄덕였다.

"이제 경감이라고 들었네. 경위직을 그만두고. 경감으로 환생한 건가. 그 대단한 마술을 믿으라고? 내가 자네를 잘 몰랐다면 누군가의 주머니 안에 들어 있다고 생각했을 걸세."

"우리 모두 그렇지 않습니까? 정도의 차이는 있을지언정."

"난 아니야. 자네가 변한 게 아니라면 자네도 아니지." 그가 생각에 잠긴 얼굴로 맥주를 들이켰다.

탱크는 뇌가 있는 사람이 털 난 물고기보다 희귀하다는 엠슬란트 출신의 동쪽 프레지아인이었다. 그는 비트겐슈타인의 철학에 대해 알기는커녕 그 철학자의 이름을 제대로 쓸 수도 없을지는 몰라도 훌륭한 경찰이었다. 상냥하게 불량소년의 귀싸대기를 갈기며 법을 집행하는 강직하고 공정한 구식 오르포 경찰 중 한 명이었고, 사람들을 체포해 감방에 처넣기보다는 백과사전만 한 주먹으로 간단히 설교를 대신하는 효과적인 방법을 선호했다. 그 모든 게 그가 오르포에서 가장 거친 경찰이라고 말해 주었지만 거대한 벨트로 더 거대한 배를 받치고 있는 셔츠 차림의 그를 보고 있자니 그 사실을 믿기 힘들었다. 원시인처럼 튀어나온 턱은 그대로여서 시간이 기원전 1백만 년 전쯤에서 멈춰 있는 것 같았다. 검치호 가죽을 두르지 않더라도 탱크는 덜 진화된 것처럼 보였다.

나는 담배를 꺼내 그에게 한 개비를 건넸다. 그가 머리를 젓더니 파이프를 꺼냈다.

"생각하면," 내가 말했다. "우린 모두 히틀러의 바지 뒷주머니에 들어 있죠. 그리고 그는 그 엉덩이를 깔고 눈 덮인 산 밑으로 미끄러져 내려가고 있는 셈입니다."

탱커가 파이프를 빨아 보더니 빈 파이프에 담배를 채워 넣기 시작했다. 다 채운 뒤 그는 미소를 짓고 병을 들어 올렸다.

"그렇다면 빌어먹을 눈 밑의 돌멩이를 위해 건배."

그가 크게 트림을 하고 파이프에 불을 붙였다. 발트 해 연안의 안개처럼 나를 향해 밀려오는 매운 연기 구름이 브루노를 생각나게 했다.

그가 피울 때 나던 고약한 냄새마저 똑같았다.

"브루노 슈탈레커를 알지 않습니까, 탱크?"

그가 계속 파이프를 뻑뻑 빨면서 고개를 끄덕였다. 파이프를 깨문 잇새로 그가 말했다. "그 일에 대해 들었네. 브루노는 좋은 사람이었지." 그가 가죽같이 딱딱한 입에서 파이프를 빼고 연기가 잘 나는지 살폈다. "그 친구를 아주 잘 알았네. 우리 둘 다 보병이었어. 함께 싸우기도 했지. 물론 어리긴 했지만 싸우는 걸 두려워하는 것처럼 보이진 않았네. 용감한 친구였어."

"지난 목요일에 장례를 치렀습니다."

"시간이 있었다면 나도 갔을 걸세." 그는 잠시 생각했다. "하지만 첼렌도르프까지는 너무 멀어." 그가 맥주를 다 마시고 두 번째 병을 땄다. "그 친구를 죽인 놈을 잡았다니까 어쨌든 다행이로군."

"네, 확실히 그렇게 보입니다." 내가 말했다. "오늘 밤 온 전화에 대해서 말해 봐요. 몇 시에 왔습니까?"

"자정 바로 전에, 경감. 녀석이 당직 경사를 찾더군. 내가 당직 경사라고 했더니 잘 들으라고 하면서 실종된 소녀 이르마 한케를 동물원 역 수하물 보관소 안 푸른 가죽 트렁크 안에서 찾을 수 있을 거라더군. 누구냐고 했더니 끊었어."

"목소리가 어땠습니까?"

"교육받은 목소리였네, 경감. 명령을 내리는 데 익숙한 목소리더군. 장교처럼." 그가 거대한 머리를 저었다. "어쨌든 나이는 짐작할 수 없었네."

"악센트가 있던가요?"

"바이에른 지방의 억양이 있었지."

"확실합니까?"

"죽은 아내가 뉘른베르크 사람이었네, 경감. 확실해."

"말투가 어땠습니까? 불안해하거나 동요한 목소리던가요?"

"미친놈처럼 들리진 않더군. 자네가 말한 게 그런 거라면, 경감. 얼어붙은 에스키모처럼 차가운 말투였지. 말했듯이 장교처럼."

"그런 목소리로 당직 경사를 찾았습니까?"

"딱 그렇게 말했지."

"배경에서 들리는 소리는 없던가요? 차 소리나 음악 같은?"

"전혀."

"전화를 받은 다음 어떻게 했습니까?"

"프란쵀지셰 가에 있는 중앙전화국 전화 교환수에게 전화했지. 그녀가 번호를 추적한 결과 베스트 크로이츠 역 앞에 있는 공중전화더군. 5D 부서가 녀석의 지문을 조사하도록 경찰차를 보내 공중전화 부스를 봉쇄했네."

"잘했군요. 그런 다음 도이벨에게 전화했습니까?"

"그래, 경감."

나는 고개를 끄덕이고 두 번째 맥주를 마시기 시작했다.

"오르포도 이 사건에 대해 알고 있습니까?"

"지난주 초 폰 데어 슐렌베르크가 브리핑실로 전 경찰대위를 소집했지. 그들이 우리가 이미 의심하고 있던 일을 전해 주었네. 베를린 시내에 또 한 명의 고르만이 있다고 말이야. 그 친구들은 자네가 돌아온 이유가 그 때문이라고 생각하네. 우린 이제 광석을 제련하고 남은 찌꺼기 더미에서 석탄을 찾아내지도 못할 걸세. 하지만 자네가 해결한 고르만 사건은 훌륭한 솜씨였지."

"고맙군요, 탱크."

"그건 그렇고 자네가 잡아 온 수데텐 출신의 미친놈이 그 일을 저질렀을 것 같진 않은데. 안 그런가? 불쾌하게 여기지 않는다면 난 그렇게 생각하네."

"그자의 독방에 전화가 있지 않은 이상은요. 물론 아닙니다. 그래도 수하물 보관소 직원이 트렁크를 가지고 온 자와 그의 생김새가 같은지 조사해 볼 생각이죠. 외부에 공범이 있을지도 모를 일이니까요."

탱크가 끄덕였다. "충분히 그럴 수 있지. 수상 관저에서 히틀러가 똥을 싸는 동안에는 독일에서 어떤 일도 가능하지."

몇 시간 뒤 동물원 역으로 돌아와 보니 코르슈가 이미 수하물 보관소 직원들을 모아 놓고 트렁크 사진을 돌리고 있었다. 그들은 머리를 갸웃거리고 수염이 자란 턱을 긁으며 사진을 뚫어지게 바라봤지만 아무도 누가 푸른색 가죽 트렁크를 놓고 갔는지 기억하지 못했다.

이곳 책임자 같은, 가장 키가 크고, 가장 긴 카키색 제복을 입은 남자가 상판이 금속으로 된 카운터 밑에서 장부를 모아 나에게 가져왔다.

"수하물을 맡긴 사람의 이름과 주소를 기록했을 테죠." 나는 별다른 기대 없이 그에게 물었다. 피해자를 트렁크에 담아 수하물로 맡기는 범인이 자발적으로 실명과 실제 주소를 남길 리 없었다. 전차 케이블의 검은색 세라믹 절연제 같은 충치가 보이는 카키색 코트의 남자가 손톱으로 딱딱한 장부 표지를 또드락거리며 확신에 찬 표정으로 말없이 나를 보았다.

"형사님이 찾는 피 묻은 트렁크를 맡긴 사람이 여기에 적혀 있을 겁니다."

그가 장부를 열고 개도 싫어할 것 같은 엄지손가락을 핥더니 때 묻은 페이지를 넘기기 시작했다.

"사진 속 트렁크에는 물표가 붙어 있습니다. 그리고 물표에는 번호가 쓰여 있고, 같은 번호를 수하물에도 분필로 기록해 둡니다. 그리고 그 번호가 이 장부에 날짜, 이름, 주소와 함께 기록됩니다." 그가 몇 장을 더 넘기고 나온 페이지를 가운뎃손가락으로 훑어 내려갔다.

"여기 있군요. 저 트렁크는 8월 19일 금요일에 맡겨졌습니다."

"피해자가 실종되고 난 후 나흘째 날입니다." 코르슈가 속삭이듯 말했다.

남자가 옆 페이지로 이어진, 번호가 적힌 칸을 손가락으로 훑었다. "여기 R. 하이드리히 씨 소유라고 적혀 있군요. 빌헬름 가 102번지."

코르슈가 코웃음을 쳤다.

"고맙소." 내가 그 남자에게 말했다. "큰 도움이 됐소."

"왜 웃는지 모르겠군." 남자가 자리를 뜨면서 툴툴거렸다.

나는 코르슈를 보고 웃었다. "유머 감각이 있는 놈인가 보군."

"보고서에 이걸 적으실 생각이십니까, 경감님?" 그가 씩 웃었다.

"중요한 사실이라고 생각하지 않나?"

"장군님이 좋아하시지 않을 따름이겠죠."

"이성을 잃겠지. 하지만 이렇게 고약한 농담을 즐기는 자는 우리의 범인만이 아니야."

알렉스로 돌아온 나는 표면상 일만의 부서인 감식반, VD1의 반장이 건 전화를 받았다. 친위대 최고돌격지도자 샤테 박사의 말투는 예상대로 나긋나긋했다. 내가 하이드리히 장군의 영향력을 등에 업고 있다는 것을 확신하는 게 분명했다.

박사는 범인이 알렉스로 전화를 걸었다고 추정되는 베스트 크로이츠 공중전화 부스에서 다수의 지문을 채취했다고 알려 주었다. 지문은 기록 부서인 VC1으로 넘어가 있었다. 트렁크와 내용물의 지문에 관해서는 채취하는 대로 코르슈 형사조교에게 알려 놓겠다고 했다.

나는 그에게 전화해 줘서 고맙다고 인사하며 내 수사가 여타 사건에 우선한다고 말했다.

전화를 끊고 십오 분 후에 또 다른 전화를 받았다. 이번에는 게슈타포였다.

"4B1 부서의 돌격대지도자 로트다." 그가 말했다. "귄터 경감, 귀관은 가장 중요한 수사를 방해하고 있다."

"4B1이라고요? 그게 어떤 부서인지 모르겠습니다만. 알렉스 내에서 전화하시는 겁니까?"

"우리는 가톨릭 관련 범죄를 수사하는 마이네케 가에 본부를 두고 있다."

"죄송하지만 그게 어떤 부서인지 전혀 모르고, 알고 싶지도 않습니다. 여하간 제가 귀하의 부서에 어떤 방해가 된다는 건지 모르겠군요."

"귀관이 방해된다는 건 엄연한 사실이다. 귀관의 사건이 최우선이라고 최고돌격지도자 샤데 박사에게 말한 사람이 귀관 아닌가?"

"맞습니다, 제가 그랬습니다."

"그렇다면 귀관은 VD1을 이용하는 데 있어서 게슈타포가 크리포의 우위에 있다는 점을 알아야 한다."

"그런 건 몰랐군요. 살인 사건 수사보다 우위에 있는 귀하의 부서에서 조사중인 대단한 사건은 뭡니까? 빵이 그리스도의 살로 변했다고 사기 치는 신부를 기소하는 건입니까? 아니면 포도주가 그리스도의 피로 변했다는 사기?"

"함부로 입을 놀리는군, 경감. 우리 부서는 사제들 간의 동성애라는 극히 심각한 범죄를 수사하고 있다."

"그렇습니까? 그렇다면 오늘 밤 침대에서 발 뻗고 편히 잠들 수 있겠군요. 하지만 하이드리히 장군께서 직접 제가 하고 있는 수사를 최우선으로 처리하라고 하셨습니다."

"장군께서는 나라에 해가 되는 종교의 적을 적발하는 중요성을 알고 계신다. 귀관의 말은 믿기 어렵다."

"그렇다면 빌헬름 가에 전화해 보십시오. 장군께서 귀하에게 설명하실 겁니다."

"그러지. 장군께서도 역시 귀관이 독일의 파멸을 꾀하는 제3인터내셔널적 음모의 위험을 알아보지 못하는 것에 대해 우려하실 것이다. 가톨릭 교리 역시 볼셰비즘과 유대인 못지않게 제국의 안보를 위협하는 존재야."

창백한 범죄자
—

"외계인을 빠뜨리셨군요." 내가 말했다. "솔직히 말해서 귀하가 장군께 어떤 말을 하시든 관심 없습니다. VD1은 게슈타포가 아닌 크리포 직속 부서이고, 크리포 내의 모든 부서는 제가 하고 있는 수사에 관한 업무를 최우선시하고 있습니다. 저는 국가형사이사관이 친필로 작성한 각서를 갖고 있고, 샤테 박사도 알고 있죠. 그러니까 귀하가 맡았다는 그 중요한 사건은 똥구멍에라도 처박아 두십시오. 똥이 좀 더 늘었다고 해서 냄새가 더 심하지는 않을 겁니다."

나는 수화기를 부수듯 내려놓았다. 어쨌든 이 일에는 약간의 즐거운 면이 있었다. 게슈타포의 신발에 오줌을 갈길 기회가 주어질 때면 특히.

이날 아침에 있었던 라인업에서 수하물 보관소 직원들은 이르마 한케의 시체가 담긴 트렁크를 맡긴 남자로 고트프리트 바우츠를 지목하지 않았다. 언짢은 기색을 숨기지 않는 도이벨을 무시하고 나는 그의 석방 동의서에 사인했다.

거주자가 아닌 외부인이 베를린을 방문할 시 방문자가 묵는 호텔이나 집의 주인은 엿새 이내에 주소지를 경찰에 신고해야 한다. 그것이 법으로 정해져 있다. 이에 따라 알렉스 내 거주자 등록 부서에 오십 페니히를 내면 베를린 내 거주자와 체류자의 주소를 알 수 있다. 사람들은 이 법이 나치의 비상 통치권이려니 했지만 사실 오래전부터 존재해 왔던 법이다. 프로이센 경찰은 늘 효율적이었다.

내 방은 등록 부서가 있는 350호실에서 문 몇 개를 지나면 있었고,

그것은 복도가 늘 사람들로 시끌벅적하다는 것을 뜻했기 때문에 나는 부득이하게 문을 꼭 닫고 있어야 했다. 내가 이 방을 쓰게 된 이유 중 하나는 가능한 한 나를 살인반에서 멀리 떨어뜨려 두려는 목적임이 틀림없었다. 내 존재가 다른 크리포 직원들에게 방해가 될 것이라는 생각에서 나온 조치이리라. 내 태도가 경찰 수사 질서를 무너뜨릴 것이라는 우려에서. 혹은 애초에 내 반항 정신을 아예 눌러 버리려는 의도인지도 몰랐다. 오늘처럼 화창한 날에도 내 방은 음침한 구석이 있었다. 황록색 철제 책상의 모서리는 철조망보다 더 옷이 잘 걸렸고, 그나마 다 떨어진 리놀륨 바닥과 꼬질꼬질한 커튼과 어울린다는 게 미덕이었다. 벽은 담뱃진으로 노랗게 찌들어 있었다.

아파트에서 두어 시간 수면을 취하고 내 방으로 돌아오자 한스 일만이 부검 사진들과 보고서 일체를 지참하고 참을성 있게 나를 기다리고 있었다. 그가 눈에 들어온 순간 이곳이 더 쾌적할 것 같지는 않았다. 예정되어 있었던, 입맛 떨어지는 회의를 하기 전에 배를 채운 선견지명을 기뻐하며 나는 자리에 앉아 그를 마주했다.

"그래, 그들이 자네를 숨겨 놓은 곳이 여기군." 그가 말했다.

"임시로 만든 방일 겁니다. 나처럼요. 하지만 솔직히 말해 크리포 패거리들과 마주치지 않아서 좋습니다. 여기서 다시 계속 붙박이로 일할 가능성은 없습니다. 아마 그들도 그걸 좋아할 겁니다."

"이런 지하 감방 같은 데서 크리포 간부들을 도발할 가능성이 있을 거라고 누군들 생각했겠나." 그가 웃음을 터뜨리고 턱수염을 쓰다듬으며 덧붙였다. "자네와 게슈타포의 돌격대지도자 덕분에 가여운 샤데 박사가 여러 문제에 직면했네. 높은 사람들에게서 많은 전화를 받왔지. 네베, 뮐러, 하이드리히까지. 만족스럽겠구먼. 아니, 그렇게 겸손하게 으쓱거릴 거 없네. 자네를 존경하네, 베르니. 정말이야."

나는 책상 서랍을 열어 술병과 글라스 두 개를 꺼냈다.

"축배를 들죠." 내가 말했다.

"기꺼이. 일이 끝나면 술 생각이 간절하지." 그가 술이 가득 든 글라스를 들고 기꺼이 한 모금 마셨다. "게슈타포 내에 가톨릭을 박해하는 특별 부서가 있는 줄은 몰랐네."

"나도 몰랐습니다. 하지만 놀랄 일은 아니군요. 국가사회주의는 조직화된 믿음만 허용하니까요." 내가 일만의 무릎에 놓인 사진을 향해 고개를 끄덕였다. "그래서, 뭘 건졌습니까?"

"우리가 건진 건 그녀가 다섯 번째 피해자라는 거지." 그는 내게 사진을 건네고 담배를 말기 시작했다.

"사진이 잘 나왔군요." 사진들을 휙휙 넘기며 내가 말했다. "부하의 솜씨가 좋은데요."

"그래, 자네가 알아줄 거라고 생각했지. 목 부분이 특별히 흥미롭네. 경동맥이 정확히 수평으로 완벽하게 잘렸더군. 놈이 피해자를 벴을 때 그녀가 누워 있었다는 걸 뜻하지. 놈의 오른손이 닿은 목 부위에 난 상처가 더 큰 걸로 보아 분명 우리가 찾는 놈은 오른손잡이야."

"특별한 칼로 한 짓이겠군요." 상처의 깊이를 관찰하면서 내가 말했다.

"그래, 그게 후두를 거의 완벽하게 잘랐지." 그가 담배를 만 종이를 핥았다. "외과용 큐렛처럼 극히 날카로운 무언가라고 단언할 수 있네. 어쨌든 그와 동시에 후두개가 강하게 눌린 흔적이 있고, 후두개와

식도 오른쪽 부위 사이에 오렌지 씨만 한 혈종이 있더군."

"목이 졸린 겁니까?"

"훌륭해." 일만이 고개를 끄덕였다. "사실상, 반쯤은 교살이지. 부분적으로 팽창한 폐에서 소량의 혈액이 검출됐네."

"그러니까 놈이 조용히 시킬 목적으로 목을 조른 다음 목을 벴다는 말씀입니까?"

"피해자는 송아지를 도살할 때처럼 거꾸로 매달린 다음 과다 출혈로 사망했네. 다른 피해자들처럼. 성냥 갖고 있나?"

나는 책상 위로 성냥갑을 밀었다. "피해자의 중요 부위들은 어떤가요? 강간당했습니까?"

"피해자를 강간했네. 그러는 과정에서 그 부위가 약간 찢어졌고. 뭐, 자네도 예상했을 걸세. 피해자는 처녀였고, 난 어땠을지 상상이가. 점막에 놈의 손톱자국까지 나 있더군. 더 중요한 건 이질적인 음모가 발견됐다는 점이고, 그건 파리에서 수입된 거라는 뜻은 아니지."

"무슨 색입니까?"

"갈색. 정확한 색조는 묻지 말게. 난 그런 건 구분 못하니까."

"어쨌든 이르마 한케의 음모가 아닌 건 분명합니까?"

"확실해. 설탕 그릇에 든 똥만큼이나 아리아인 특유의 금발 음모 사이에서 눈에 확 띄더군." 그가 등을 기대고 머리 위로 담배 연기를 내뿜었다. "자네는 내가 그 미친 체코 놈의 가랑이 덤불에서 털을 하나 뽑아 비교해 보길 원하나?"

"아니요. 점심때 그를 석방했습니다. 녀석은 깨끗합니다. 게다가 공교롭게도 녀석의 머리털은 금발이었습니다." 나는 타이프로 작성된 검시 보고서를 대충 훑었다. "이게 다인가요?"

"전부 다는 아니야." 그는 담배를 빨고 나서 내 재떨이에 비벼 껐다. 그가 트위드 사냥 재킷에서 접힌 신문 한 장을 꺼내 책상 위에 펼쳤다. "자네도 이 기사를 봤겠지."

그것은 율리우스 슈트라이허가 발행하는 반유대주의 신문 《데어 슈튀르머》의 옛 1면 기사였다. 지면의 좌측 상단을 가로질러 '의식儀式 살인 특집호'라는 선전 문구가 쓰여 있었다. 기억을 더듬을 필요도 없었다. 펜화는 충분히 웅변적이었다. 목이 잘린 여덟 명의 벌거벗은 금발 머리 독일 소녀가 거꾸로 매달려 있고, 목에서 흐르는 피가 추악하게 묘사된 유대인이 든 성반聖盤에 쏟아지고 있었다.

"흥미롭지 않나?" 일만이 말했다.

"슈트라이허는 늘 이런 쓰레기를 발행하죠." 내가 말했다. "아무도 이걸 진지하게 받아들이지 않습니다."

일만은 고개를 젓더니 또 담배를 말기 시작했다. "정말로 믿으라는 뜻은 아닐세. 나는 아돌프 히틀러가 평화의 사자라는 것만큼이나 의식 살인도 믿지 않네."

"이 그림을 보라는 말씀이겠죠?" 그가 고개를 끄덕였다. "다섯 소녀가 살해된 방식과 놀랄 만큼 비슷하군요." 그가 다시 끄덕였다.

나는 삽화 하단부에 쓰인 글로 눈을 돌려 그것을 읽었다. '유대인들이 비유대인 아이들과 어른들을 유인하여 그들을 도살하고 피를 빼냈다는 혐의를 받고 있다. 그들은 누룩 없는 빵에 이 피를 섞어 미신적 의식을 행하는 데 사용한 혐의를 받고 있다. 그들은 희생자들을 고문한다. 특히 어린아이들을. 그리고 고문하는 동안 그들은 희생자들을 위협하고, 그들에게 저주를 퍼붓고, 비유대인들에게 마법의 주문을 건다는 혐의가 있다. 이 조직적 살인에는 특별한 이름이 있다. 이른바 의식 살인.'

"슈트라이허가 이 일련의 살인과 연관이 있다는 암시를 하고 싶으신 겁니까?"

"나는 내가 뭘 암시하고 싶은지 모르네, 베르니. 단지 이게 자네의 관심을 끌 거라고 생각했지." 그가 어깨를 으쓱했다. "하지만 있을 수도 있는 이야기 아닌가? 어쨌든 지역 권력자가 범죄를 저지른 예가 없었던 것도 아니니까. 예를 들면 쿠르마르크 시절의 쿠베처럼 말일세."

"슈트라이허에 대한 소문이 무성하다고 들었습니다." 내가 말했다.

"다른 나라에서라면 슈트라이허는 감방에 있을 걸세."

"이걸 제가 갖고 있어도 되겠습니까?"

"그래 주게. 커피 테이블 위에 펼쳐 둘 만한 건 아니니까." 그는 두 번째 담배를 비벼 끄고 자리에서 일어났다. "어떻게 할 생각인가?"

"슈트라이허 말인가요? 잘 모르겠군요." 나는 손목시계를 보았다. "공식적인 신원 확인이 끝나면 생각해 보죠. 슬슬 베커가 피해자의 부모를 데리고 이곳으로 올 때가 됐습니다. 우리가 영안실로 가는 게 낫겠군요."

시신이 분명 자신의 딸이라고 한케가 확인한 후 내가 직접 한케 부부를 집까지 태워다 준 데에는 베커에게 들은 말에 무언가가 있었기 때문이었다.

"가족들에게 비보를 전한 게 처음이 아닙니다." 그가 설명했었다. "그들은 지푸라기라도 잡는 심정으로 늘 놀라울 만큼 끝까지 가망 없는 희망을 바라죠. 그리고 사실을 전하는 그 순간 진짜 충격이 덮칩니다. 아시겠지만 어머니는 그대로 주저앉죠. 하지만 이 두 사람은 뭔가 달랐습니다. 뭐라고 설명하기 어렵지만, 경감님, 그들은 예상하고 있었다는 인상을 받았습니다."

"한 달 전부터 말인가? 이보게, 그들은 그냥 체념한 것뿐이야. 그게 다라고."

베커가 얼굴을 찌푸리고 단정치 않은 머리 꼭대기를 긁적였다.

"아닙니다." 그가 천천히 말을 이었다. "그보다는 뭔가 더 수상했습니다. 분명히 이미 알고 있었던 것처럼요. 죄송하지만 경감님, 더 자세히 설명을 못 하겠군요. 아무 말 말 걸 그랬습니다. 제 상상일지도 모르죠."

"자네는 감을 믿나?"

"그런 것 같습니다."

"좋아. 가끔은 형사가 믿어야 할 게 그것뿐일 때가 있네. 그리고 그 감을 믿을지 선택해야 하지. 가끔은 약간의 감을 믿는 형사가 기회를 잡는 법이야. 기회를 잡을 수 없다면 사건을 해결할 희망조차 없지. 좋아, 잘 얘기해 줬네."

나는 지금 슈테글리츠 방면 남서쪽으로 차를 모는 중이었다. 내 옆에는 제 가暦에 있는 공공 전기 회사에서 회계사로 일하는 한케 씨가 앉아 있었고, 그는 외동딸이 죽었다는 사실을 받아들이고 있는 것으로밖에 보이지 않았다. 그렇긴 해도 나는 베커가 해 준 말을 무시하지 않았다. 나는 내 나름대로의 의견이 확고해 질 때까지 마음을 열어 놓고 있었다.

"이르마는 똑똑한 애였습니다." 한케가 한숨을 쉬었다. 그의 말투에는 괴벨스와 똑같이 라인 지방 악센트가 있었다. "아비투어Abitur[35]를 치러도 될 만큼 똑똑했죠. 그 애도 치르길 바랐습니다. 그렇다고 책벌레는 아니었고요. 밝은 성격에 예쁘기까지 했습니다. 운동도 잘했고. 그 애는 제국 스포츠 배지와 수영 자격증을 막 받은 참이었습니다. 누구에게도 미움을 받은 애가 아니었는데." 그가 갈라지고 있는 목소리로 덧붙였다. "누가 그 애를 죽였을까요, 경감님? 누가 그런 짓을?"

"제가 찾아낼 겁니다." 내가 말했다. 하지만 뒷좌석에 앉아 있는 한케의 아내는 이미 그 대답을 알고 있는 것처럼 보였다.

"누가 그런 짓을 했는지 명백하지 않나요?" 그녀가 말했다. "우리 딸은 인종 이론 수업에서도 완벽한 아리아인의 본보기로 칭찬받는 훌륭한 독일 소녀 동맹 단원이었어요. 그 애는 호르스트 베셀가歌[36]도 다 알았고, 총통의 위대한 책 전체를 인용할 수도 있었어요. 유대인이 아니면 누가 그 애를 죽였겠어요? 그것도 처녀인 애를요? 유대인 말고 누가 그런 짓을 그 애에게 했겠느냐고요?"

한케가 뒷좌석을 돌아보고 아내의 손을 잡았다.

"우린 아직 몰라, 질케." 그가 말했다. "그렇죠, 경감님?"

---

35. 대학 입학 자격시험.
36. 초기 나치당원이었던 호르스트 베셀이 쓴 시 〈기를 높이 들어라〉에 멜로디를 붙인 노래. 나치스 집권 이후 당가로 채택되었다.

창백한 범죄자
－
191

"부인의 말씀대로일 가능성은 극히 낮습니다."

"들었지, 질케? 경감님은 그렇게 생각하지 않으시고, 우리도 그렇잖아."

"난 알아." 그녀가 쉿소리를 냈다. "당신과 경감님이 틀린 거야. 유대인의 큰 코만큼이나 분명해. 유대인이 아니면 누구겠어? 얼마나 뻔한 사실인지 모르는 거야?"

'의식 살인의 흔적이 있는 시체가 발견됐을 때 즉각 전 세계에서 비난이 크게 들끓었다. 그 비난은 오직 유대인을 향했다.' 한케 부인이 하는 말을 듣고 주머니 속에 접어 넣은 《데어 슈튀르머》의 기사가 생각났고, 그녀의 말이 옳을지도 모른다는 생각이 들었다. 하지만 그녀로서는 거의 상상할 수 없는 방식으로.

11

9월 22일 목요일

호루라기가 비명을 지르자 기차가 덜컥거리며 안할터 역을 빠져나가기 시작했고, 우리는 뉘른베르크를 향해 여섯 시간의 여행길에 나섰다. 나를 제외한 객실 내 유일한 승객인 코르슈는 이미 신문을 읽고 있었다.

"빌어먹을," 그가 말했다. "이걸 보십시오. 소련 외무부 장관 막심 리트비노프가 제네바에서 자기네 정부가 체코슬로바키아와 동맹조약을 맺기로 결정했다고 국제연맹 앞에서 선언했습니다. 그리고 프랑스와 함께 군대를 지원하겠다는군요. 맙소사, 양쪽 전선에서 공격이라니, 우린 정말 골치 아프게 됐군요."

내가 앓는 소리를 냈다. 프랑스가 진심으로 히틀러에게 반대할 가능성은 그들이 금주법을 공표할 가능성보다도 낮았다. 리트비노프는 말을 주의 깊게 골랐다. 아무도 전쟁을 원하지 않았다. 히틀러만 빼면. 매독에 걸린 히틀러만 빼면.

나는 지난 화요일 괴링 연구소에서 있었던 칼라우 폼 호페 여사와의 만남에 생각이 미쳤다.

"빌린 책을 가져왔습니다." 내가 말했다. "베르크 교수의 책이 특별히 흥미롭더군요."

"그렇게 생각하시니 기뻐요. 보들레르는 어떻던가요?"

"마찬가지로 흥미로웠습니다. 독일의 현재 상황과 딱 맞아떨어지긴 하지만. 특히 〈우울〉이라는 시가요."

"이제 니체를 읽어 보실 때가 됐군요." 그녀가 의자에 몸을 기대며 말했다.

쾌적하게 꾸며진 그녀의 사무실은 창밖으로 동물원이 내다보였다. 저 멀리서 원숭이가 내는 소리를 들을 수 있었다.

그녀의 미소가 이어졌다. 그녀는 내가 기억하고 있던 것보다 더 아름다워 보였다. 나는 그녀의 책상 위에 놓인 유일한 사진틀을 들고 사진 속에 있는 잘생긴 남자와 두 꼬마 사내애들을 바라보았다.

"가족인가요?"

"네."

"아주 행복하시겠군요." 나는 사진틀을 제자리에 돌려놓았다. "니체라." 나는 주제를 바꾸었다. "그를 잘 모릅니다. 아시겠지만 책을 많이 읽는 편은 아니라서요. 책 읽을 시간이 날 것 같지 않군요. 하지만 『나의 투쟁』에서 성병에 관한 내용들은 찾아봤습니다. 그러니까, 한동안 그 책이 욕실 창을 열어 두는 벽돌처럼 쓰였죠." 그녀가 웃음을 터뜨렸다. "어쨌든 나는 당신이 옳다고 생각합니다." 그녀가 입을 열려고 했지만 내가 손을 들었다. "알아요, 알아. 당신은 아무 말도 하지 않을 거라는 걸. 총통의 위대한 저서에 쓰인 걸 그대로 말할 참이었겠죠. 그의 글을 바탕으로 히틀러의 정신분석을 하지 않고서 말입니다."

"맞아요."

나는 자리에 앉아 책상 너머에 있는 그녀를 마주했다.

"하지만 그런 게 가능합니까?"

"네, 그럼요."

나는 그녀에게 《데어 슈튀르머》에 실린 문제의 기사를 펼쳐 보였다.

"이런 것도?"

그녀는 나를 차분히 바라보더니 담배 케이스를 꺼냈다. 나는 담배를 한 개비 꺼내고 그녀와 내 담배에 불을 붙였다.

"공식적인 질문인가요?" 그녀가 물었다.

"물론 아닙니다."

"그렇다면 대답 못 할 것도 없죠. 사실 《데어 슈튀르머》는 한 사람만이 아닌 심각한 정신병적 성향이 있는 사람들의 작업물이에요. 소위 편집자들과 이 삽화들을 그린 피노라는 사람. 이런 쓰레기가 사람들에게 어떤 영향을 미칠지는 신만이 알겠죠."

"약간이라도 짐작하실 수 있습니까? 그러니까, 그 영향 말입니다."

그녀가 아름다운 입술을 오므렸다. "짐작하기 어려워요." 그녀는 잠시 말을 끊었다가 이었다. "심성이 나약한 사람들은 이런 걸 정기적으로 보게 되면 분명히 타락할 수 있어요."

"사람을 살인자로 만들 만큼 타락할 수도 있습니까?"

"아니요. 그럴 것 같지는 않아요. 평범한 사람을 살인자로 만들진

창백한 범죄자
-
195

않을 거예요. 하지만 살인 욕구가 있는 사람에게는 이런 이야기와 그림이 엄청난 영향을 미칠 가능성이 클 거예요. 베르크의 저서를 읽어서 아시겠지만 퀴어텐 자신도 외설스러운 범죄 기사가 분명히 자신에게 영향을 미쳤다고 주장했어요."

그녀가 다리를 꼬자 스타킹이 맞닿는 소리에 나는 스타킹 위쪽, 가터벨트 위쪽 그리고 마침내 그곳에 존재하리라고 상상한 레이스 천국에까지 생각이 미쳤다. 내 손이 그녀의 스커트를 들춰 올리는 상상을 했다. 내 앞에서 벌거벗은 그녀가 여전히 침착하게 지적인 모습으로 내게 말을 건네고 있는 모습을 상상하자, 위가 조여 오는 것을 느꼈다. 정확히, 타락의 시작이 어디였더라?

"알겠습니다." 내가 말했다. "이 신문을 발간한 사람에 관한 당신의 전문가적인 의견이 뭡니까? 그러니까, 율리우스 슈트라이허 말입니다."

"이러한 증오는 엄청난 정서 불안에 따른 결과가 거의 확실해요." 그녀가 잠시 말을 멈췄다. "지금부터 하는 얘기를 비밀로 해 주시겠어요?"

"물론이죠."

"이 연구소 소장인 마티아스 괴링이 수상의 사촌이라는 사실은 아시죠?"

"네."

"슈트라이허는 유대인 음모에 관한 것처럼 의학에 대한 악의적이고 터무니없는 글을 많이 써 왔어요. 특히 정신요법에 대해서요. 한동안 이 나라 정신 건강에 대한 미래가 그 때문에 위기에 빠졌었죠. 따라서 괴링 박사는 슈트라이허를 이 분야에서 배제하길 바랐고, 수상의 명령에 따라 이미 그의 심리 평가를 준비중이에요. 슈트라이허에 관한 조사라면 이 연구소가 한몫하고 있다는 걸 저는 분명히 보장할 수 있어요."

나는 천천히 고개를 끄덕였다.

"슈트라이허를 조사중이신가요?"

"비밀로 해 주실 겁니까?"

"물론이죠."

"솔직히 말해서 아직 모릅니다. 지금 당장은 그에게 흥미가 있다는 것만 말해 두죠."

"괴링 박사에게 협조를 요청해 볼까요?"

나는 머리를 저었다. "아니 지금은 됐습니다. 하지만 제의에 감사 드립니다. 마음에 새겨 두죠." 나는 자리에서 일어나 문으로 향하며 물었다. "당신은 아마 이 연구소의 후원자인 수상을 높이 평가하겠죠, 맞습니까?"

"그가 우리에게 잘해 주는 건 사실이에요. 그의 후원이 없었다면 연구소가 존재하지 않았을지도 몰라요. 우리가 그런 점에서 그를 높이 평가하는 건 당연해요."

"부디 내가 당신을 비난한다고 생각하지 말아 주십시오. 그렇지 않습니다. 하지만 슈트라이허가 당신네 정원에 똥을 싸질렀던 것처럼 당신의 친절한 후원자가 누군가의 정원에 그럴지도 모른다는 생각은 안 해 보셨습니까? 한 번도? 우리가 사는 이곳은 오염됐습니다. 누군가가 거리의 모든 들개를 우리에 가두기 전까진 우리의 신발은 똥투성이일 거라는 생각이 드는군요." 나는 그녀에게 모자챙을 들어 보였다. "생각해 보십시오."

코르슈는 계속 신문을 읽으면서 무의식적으로 콧수염을 비틀고 있었다. 그가 콧수염을 기르는 이유는 어떤 인물처럼 보이기 위해서일 터였다. 같은 의도로 턱수염을 기르는 사람도 있을 것이다. 면도가 귀찮아서가 아니라—턱수염은 깨끗이 면도한 얼굴만큼이나 많은 손질이 요구된다—수염을 기르면 정말로 무언가 있어 보일 거라고 생각하기 때문이다. 하지만 코르슈의 콧수염은 눈썹 연필로 그린 한 획에 지나지 않아 보였고, 단순히 그의 구린 데가 있는 듯한 표정에 밑줄을 그은 느낌을 줄 뿐이었다. 채 이 주가 안 되는 만남에 나는 그를 믿을 만한 자로 생각하고 있었지만 그의 성격과 다르게 그 콧수염이 그를 포주처럼 보이게 만들었다.

내 시선을 눈치챈 그는 신문에서 눈을 떼고 폴란드 외무부 장관 요제프 베크가 체코슬로바키아 올사 지역에 있는 폴란드 소수 민족 문제의 해결을 요구했다고 알려 주었다.

"하는 짓이 꼭 갱단 같지 않습니까, 경감님? 모두가 자기 몫을 원하고 있습니다."

"코르슈, 자네는 직업을 잘못 골랐군. 자넨 라디오 뉴스 진행자가 됐어야 해."

"죄송합니다, 경감님." 그가 신문을 접으며 말했다. "전에 뉘른베르크에 가 보신 적 있습니까?"

"한 번. 종전 직후에. 어쨌든 바이에른 사람들을 좋아한다고 말하긴 어렵겠군. 자네는?"

"처음입니다. 하지만 바이에른 지방 사람들에 대한 경감님의 말씀이 뭔지 압니다. 몹시도 전통을 고집하죠. 바보스러울 만큼요. 아닙니까?" 그는 잠시 창밖으로 스쳐 지나가는 독일 시골 풍경을 내다보았다. 그가 다시 나를 바라보며 말했다. "정말 슈트라이허가 이 연쇄살인과 관련이 있다고 보십니까?"

"우린 이 사건의 단서를 정확히 잡아내지 못하고 있네, 안 그런가? 프랑코니아[37]의 관구장管區長[38]도 그리 평판이 좋은 것 같지 않고. 아르투르 네베는 율리우스 슈트라이허가 제국의 가장 큰 범죄자 중 하나라고까지 하더군. 이미 그에 대한 몇 건의 조사가 계류중일세. 국가형사이사관은 우리가 뉘른베르크 경찰청장에게 직접 말하길 바라네. 보아하니 그와 슈트라이허는 서로 증오하고 있는 것 같더군. 하지만 동시에 우린 극히 주의를 기울여야 해. 슈트라이허는 자신이 통치하는 지역을 중국 군벌처럼 다스린다고 하니까. 그가 총통과 친숙한 사이라는 건 말할 것도 없고."

기차가 라이프치히에 도착했을 때 돌격대의 젊은 해군 중대장이 우리의 객실에 합류하자 코르슈와 나는 식당 칸을 찾아 나섰다. 우리가 식사를 마쳤을 때쯤 기차는 체코 국경과 인접한 게라에 도착했다. 우리의 여행 동반자인 돌격대원은 그 역에서 내렸지만 소문에 따른

---

37. 바이에른 북부와 그 인접 지역.
38. 율리우스 슈트라이허는 뮌헨 폭동 때 히틀러와 함께 대열의 선두에 서서 쿠데타를 주도했다. 이를 계기로 히틀러의 전폭적인 신임을 얻었고, 반유대주의의 확장과 함께 《데어 슈튀르머》의 발행 부수도 증가하면서 그의 인지도가 높아져 1929년에 프랑코니아 주 관구장(Gauleiter)에 임명되었다.

병력 집결의 징후는 보이지 않았다. 해군 소속 돌격대원이 이곳에 왔다는 것은 육해공군 공동 습격 작전이 있다는 것을 의미한다고 코르슈는 추측했고, 우리는 국경 지대에 산이 많은 것을 감안하면 육해공 모두에 최적의 장소일 것이라는 데 의견을 같이했다.

기차가 중앙 뉘른베르크 하우프트 역에 도착한 때는 초저녁이었다. 역 밖으로 나와 우리는 말을 탄, 이름 모를 귀족 동상 옆에서 택시를 잡았다. 택시는 옛 시가지 벽을 끼고 프라우엔토르그라벤 가를 따라 동쪽으로 달렸다. 벽의 높이는 칠팔 미터쯤 되었고, 벽을 따라 중간중간 큼직한 사각형 모양의 탑이 세워져 있었다. 이 거대한 벽과 풀로 덮인 삼십 미터 넓이의 바짝 마른 해자가 무리 없이 잘 섞여 있는 옛 뉘른베르크와 신도시를 구분해 주었다.

우리는 도시에서 가장 오래되고 가장 좋은 도이처 호프라는 호텔에서 경사진 지붕들과 굴뚝들 그리고 도시를 둘러싼 벽 너머 훌륭한 전경이 보이는 방을 잡았다.

18세기 초엽 뉘른베르크는 독일과 베니스 그리고 동양을 잇는 무역 중심지였을 뿐 아니라 고대 프랑코니아 왕국에서 가장 큰 도시였다. 지금도 상업 중심지이자 독일 남부를 대표하는 공업 도시지만 이제 국가사회주의의 수도로서 새로운 중요성을 띠고 있었다. 매년 뉘른베르크에서는 히틀러의 건축 고문 슈페어가 연출한 대규모 당 집회가 개최되었다.

물론 나치의 깊은 배려로 이 성대한 행사를 보러 뉘른베르크까지 갈 필요는 없었다. 9월이 되면 극장에서 이 행사를 상영해 주었지만 사람들은 실제로 아무것도 볼 게 없는 당 집회 선전 뉴스 영화를 끝까지 않아서 볼 엄두가 나지 않아 극장으로의 발길을 끊었다.

사람들 말에 따르면 해에 따라서는 십만 명쯤 되는 사람들이 체펠린 당 대회장에 운집해 당기를 흔든다고도 했다. 내가 아는 바이에른 지방의 어떤 도시와 마찬가지로 뉘른베르크에서는 진짜 오락거리라고 할 만한 것을 찾아볼 수 없었다.

뉘른베르크 경찰청장 마르틴과의 약속이 내일 오전 열시였기 때문에 코르슈와 나는 부득이하게 뭐든 저녁 시간을 보낼 오락거리를 찾아야 했다. 더구나 그 비용은 크리포에서 대는 것이다. 코르슈에게는 특히 그 점이 이 출장에서의 매력적인 부분 같았다.

"그건 참 마음에 드는데요." 그가 열정적으로 말했다. "알렉스가 멋진 호텔에서 묵는 비용뿐 아니라 초과 근무 수당까지 주다니요."

"이 기회를 최대한 활용하라고. 자네와 나 같은 사람에게 당의 거물이나 누릴 수 있는 대접을 받을 기회는 자주 오는 게 아니니까. 만약 히틀러가 전쟁을 일으키면 우린 한동안 이 작은 추억에 기대 살아야 할지도 모르네."

뉘른베르크에 있는 많은 술집들은 소상공업자 조합 본부처럼 보였다. 술집들은 보통 화기, 군복, 기장 같은 군수품과 그 밖의 많은 과거의 유물들로 장식되어 있었다. 벽에는 옛 사진들과 주인의 나이를 알 수 있는 독특한 수집품들이 걸려 있었는데, 우리에게는 대수표對數表 이상의 흥미를 일으키지 못했다. 하지만 적어도 맥주 맛은 좋았다. 바이에른 지방의 맥주 맛은 알아줄 만했고, 홀 광장의 블라우에 팔셰라는 음식점에서 먹게 된 저녁은 더 좋았다.

도이처 호프로 돌아와 호텔의 카페 레스토랑에서 브랜디 한 병을 시킨 우리는 놀라운 광경을 목격했다. 머리가 비어 보이는 금발 머리 여자 두 명을 포함한 세 사람이 구석 테이블에 앉아서 큰 소리로 떠들며 술을 마시고 있었는데, 그중 한 명이 바로 국가사회주의 독일 노동당 정치 지도자 제복인 연갈색 옷을 입은 프랑코니아 관구장 율리우스 슈트라이허였다.

술을 가져온 웨이터에게 카페 구석 자리에 앉은 사람이 정말 율리우스 슈트라이허인지 묻자 그가 신경질적인 미소를 지었다. 그는 그렇다고 대답했고, 슈트라이허가 샴페인 한 병을 더 갖고 오라고 소리치기 시작하자 황급히 자리를 떴다.

슈트라이허를 두려워하는 이유를 알긴 어렵지 않았다. 막강한 권력을 휘두를 수 있는 위치를 제쳐 두고라도 그는 길거리 싸움꾼처럼 기골이 장대했다. 목은 거의 없다시피 했고, 머리털은 전혀 없었으며, 귀는 작았고, 턱은 단단해 보이는 데다, 눈썹이 거의 없는 슈트라이허는 하얀 피부의 베니토 무솔리니 같았다. 그의 앞 테이블 위에 검은 뱀처럼 놓인 거대한 코뿔소 가죽 채찍에 때문에 그는 더욱 호전적으로 보였다.

그가 주먹으로 테이블을 치자 글라스, 포크, 나이프가 큰 소리를 내며 덜거덕거렸다.

"여기서 염병할 서비스를 받으려면 어떻게 해야 되는 건가?" 그가 웨이터에게 소리쳤다. "목 말라 죽겠단 말이다." 그가 또 다른 웨이터를 가리켰다. "너, 우리에게서 눈을 떼지 말라고 했을 텐데. 이 쥐새끼 같은 자식아, 빈 병을 봤으면 술을 가져와야지. 멍청한 거야 뭐야?" 다시 한 번 그가 주먹으로 테이블을 내리치자 동석한 두 사람이 소리를 지르며 즐거워했고, 슈트라이허는 화를 내는 자신을 즐겼다.

"저놈을 보니 누가 생각나지 않습니까?" 코르슈가 물었다.

"알 카포네." 반사적으로 튀어나온 그 이름에 덧붙여 내가 말했다. "정말 저들 모두 알 카포네 같군." 코르슈가 웃음을 터뜨렸다.

우리는 브랜디를 마셨고, 이제 막 온 이곳에서 예상보다 빨리 슈트라이허의 쇼를 볼 수 있었다. 관구장의 끊임없는 욕설에 놀란 사람들이 모두 떠났고, 자정쯤에는 이 카페에 우리와 슈트라이허 일행만 남았다. 우리 테이블을 치우러 온 웨이터가 재떨이를 비웠다.

"항상 저런 식인가?" 내가 그에게 물었다.

웨이터가 쓴웃음을 지었다. "저런 식이오? 저건 아무것도 아닙니다. 당 집회가 드디어 끝났던 열흘 전의 모습을 보셨어야 합니다. 슈트라이허가 이곳을 엉망으로 만들어 놨죠."

"그럼 왜 이 카페에 들이는 거지?" 코르슈가 물었다.

웨이터가 그를 측은하게 바라보았다. "농담하십니까? 손님이 한번 못 오게 해 보십시오. 도이처는 그가 제일 좋아하는 술집입니다. 우리가 그를 쫓아내면 당장 가게 문을 닫게 할 구실을 찾아낼 겁니다. 더 나쁜 일이 생길지 누가 알겠습니까? 사람들 말로는 그가 종종 푸르터 가에 있는 재판소에 가서 감방에 있는 어린 녀석들에게 채찍질을 한다더군요."

"이 도시에서 유대인으로 산다면 끔찍하겠군." 코르슈가 말했다.

"지당하신 말씀입니다." 웨이터가 말했다. "지난달에는 군중들을 설득해서 유대교 회당을 불태우게 했죠."

슈트라이허는 이제, 사려 깊게도 테이블보를 걷어 낸 테이블을 나이프와 포크로 두드려 가며 노래를 부르기 시작했다. 동석한 두 사람의 가성과 미친 듯한 웃음소리는 말할 것도 없고 테이블을 두드리는 소리, 고성, 주정이라는 조합과, 전혀 맞지 않는 음정 때문에 코르슈와 나는 그가 무슨 노래를 부르는지 전혀 알 수 없었다. 쿠르트 바일[39]이 작곡한 게 아닌 것은 분명했고, 우리로 하여금 자리에서 일어나 침대에 들게 하는 효과는 있었다.

다음 날 아침, 우리는 옛 튜턴 기사단의 명령에 따라 숲 속에 지어진 소나무 교회 건너편에 있는 야코프 광장을 향해 북쪽으로 짧게 걸었다. 남동쪽으로 돔형 건물인 엘리자베트 교회가 있고, 남서쪽 슐로트페거 로 모퉁이에는 현재 경찰 본부로 쓰이는 옛 병영이 있었다. 내가 아는 한 가톨릭 교회의 시설을 겸비한 경찰 본부는 전 독일을 통틀어 이곳뿐이었다.

"이곳 경찰들은 어떻게 해서든 고백을 짜내겠군요." 코르슈가 농담을 던졌다.

전임자 중에 하인리히 힘러도 포함되어 있다는 뉘른베르크 경찰청장은 친위대 대장인 베노 마르틴으로, 그는 건물 꼭대기 층에 있는 호화로운 집무실에서 우리를 맞았다. 집무실 분위기를 본 순간 나는 반쯤 그가 사브르라도 들고 있으리라 기대했는데, 정말로 그가 한쪽으로 몸을 돌렸을 때 볼에 결투하다 난 것 같은 흉터가 있다는 것을 눈치챘다.

---

39. 독일 출신 미국 작곡가.

"베를린은 어떤가?" 그가 담배 케이스에서 담배를 꺼내 우리에게 건네면서 차분한 음성으로 물었다. 그는 담배를 파이프처럼 생긴 자단목 물부리에 끼우고, 얼굴 오른편을 향한 물부리가 얼굴과 직각이 되도록 물고 피웠다.

"조용합니다." 내가 말했다. "모두 숨을 죽이고 있기 때문이죠."

"과연 그렇군." 그가 그렇게 말하며 책상 위에 놓인 신문을 가리켰다. "체임벌린이 총통과 교섭하기 위해 바트고데스베르크까지 날아갔다는군."

코르슈가 신문을 당겨 헤드라인을 힐끗 보았다. 그는 다시 신문을 제자리에 돌려놓았다.

"내 생각엔 교섭이 너무 많아." 마르틴이 말했다.

나는 애매하게 대답하는 시늉을 했다.

마르틴이 씩 웃더니 각진 턱에 손을 갖다 댔다. "아르투르 네베 말로는 자네가 베를린 거리를 배회하며 독일의 꽃인 처녀들을 강간하고 목을 베는 미친놈을 수사중이라던데. 그리고 독일에서 가장 악명 높은 미친놈을 주시하고 있고, 그 둘이 같은 자인지 알아볼 생각이라는 말도 하더군. 나는 당연히 돼지 똥구멍 같은 슈트라이허를 말하는 걸세. 그런가?"

나는 마음을 꿰뚫어 보는 차가운 그의 눈을 주시했다. 장군 역시 순진한 사람은 아니라는 데 돈을 걸 수도 있었다. 네베는 베노 마르틴이 지극히 유능한 관리라고 말했다. 나치 독일의 경찰청장이라면 어떤 인물이라도 될 수 있었다. 토르케마다[40]를 포함하여.

"맞습니다, 청장님." 나는 그렇게 대답하며 그에게 《데어 슈튀르머》

1면을 보여 주었다. "이 삽화는 정확히 다섯 소녀가 어떻게 살해되었는지 보여 주고 있습니다. 물론 접시에 피를 받고 있는 유대인은 빼고 말입니다."

"물론이지." 마르틴이 말했다. "하지만 유대인일 가능성도 배제해서는 안 되겠지."

"그렇습니다. 하지만……,"

"하지만 살해 방법이 일치하는 데다 매우 과장스럽다는 점에서 유대인이 저질렀다는 게 의심스럽다는 것이겠군. 내 말이 맞나?"

"그것도 그렇지만 희생자 중에는 유대인이 없다는 사실이 그렇습니다."

"범인은 더 매력적인 소녀들을 선호하나 보지." 마르틴이 빙긋 웃었다. "아마 놈은 타락한 잡종 유대인보다 금발 머리와 푸른 눈을 선호한 거야. 아니면 단지 우연이었거나." 그가 내 치켜뜬 눈을 보았다. "하지만 자네는 그다지 우연을 믿는 사람이 아니군, 경감. 그렇지 않나?"

"살인과 관계있는 한 그렇습니다, 청장님. 그런 건 믿지 않습니다. 저는 사람들이 우연이라고 보는 것에서 패턴을 봅니다. 적어도 그러려고 하죠." 나는 의자에 몸을 기대고 다리를 꼬았다. "그 주제에 관해서 칼 융의 연구를 아시지 않습니까, 청장님?"

그가 조소가 담긴 코웃음을 쳤다. "맙소사, 베를린에서는 크리포가

---

40. 토마스 데 토르케마다(1420~1498). 도미니크회 수도사로 스페인의 초대 종교 재판소장을 지냈으며 10,220명을 화형하고 유대인을 박해했다.

그런 수준까지 이르렀나?"

"칼 융이라면 꽤 좋은 경찰이 되었을 겁니다." 내가 붙임성 있게 미소를 지으며 말했다. "실례되는 말씀입니다만."

"심리학 강의는 피해 주게, 경감." 마르틴이 한숨을 쉬었다. "우리의 친애하는 관구장이 연루됐을지 모른다는 자네의 특별한 패턴에 대해서만 말해 보게."

"음, 청장님. 즉 이런 겁니다. 누군가가 선정적 보도에 유대인을 엮어 넣으려고 하는 것일지도 모른다는 생각이 문득 들었습니다."

이제 장군이 눈썹을 치켜떴다.

"자넨 정말 유대인의 신상을 걱정하는 건가?"

"청장님, 저는 밤늦게 학교에서 돌아오는 열다섯 살짜리 소녀들의 신상을 걱정하는 겁니다." 나는 장군에게 타이핑된 종이 한 장을 건넸다. "다섯 소녀가 사라진 날짜입니다. 저는 이 사건들이 발생했을 때 슈트라이허나 그의 동료들 중 누구라도 베를린에 있었던 자가 있는지 청장님이 아실지도 모르겠다고 생각했습니다."

마르틴은 종이를 훑어보았다. "확인해 볼 수 있을 것 같군." 그가 말했다. "어쨌든 지금은 그가 사실상 '환영받지 못하는 자'라는 것만은 말할 수 있네. 히틀러가 귀찮은 일을 피하려고 그자를 이곳에 박아 두고 있는 바람에 그자가 말썽을 일으킬 수 있는 상대라고는 별로 중요하지 않은 나 같은 사람뿐일세. 물론 슈트라이허가 이따금 몰래 베를린에 가지 않는다고 말하려는 건 아니야. 가긴 가네. 총통은 슈트라이허와의 만찬 후 대화를 즐기지. 왜인지는 알 수 없지만. 하긴 총통은 나와의 대화도 즐기는 것 같으니 알 수 없는 일이지."

그는 책상 옆에 놓인 전화 받침대로 몸을 돌려 수화기를 들고 부관을 호출한 뒤 내가 준 쪽지의 날짜를 전달하고 슈트라이허의 당시 소재를 확인하라고 지시했다.

"청장님께서는 슈트라이허의 범죄 행위에 관해서도 확실한 정보를 갖고 계시리라 생각합니다." 내가 말했다.

마르틴이 자리에서 일어나 서류 캐비닛으로 갔다. 그가 조용히 웃음을 지으며 구두 상자만큼이나 두꺼운 파일을 꺼내 책상으로 가져왔다.

"난 사실 그 개자식에 대해 모르는 게 없네." 그가 으르렁대듯 말했다. "그자의 친위대 경비가 내 부하지. 그자의 전화에는 도청 장치가 설치되어 있고, 난 그자의 집에서 하는 모든 대화를 듣네. 가끔 그자가 창녀를 부르는 방이 있는데, 그 방 건너편 가게에서 항상 잠복하는 사진사까지 있지."

코르슈가 감탄과 경악이 섞인 한숨을 쉬었다.

"자, 어디서부터 시작하면 좋겠나? 녀석이 이 도시에서 자행한 것들은 한 부서에서 감당하기 어려울 정도일세. 강간죄, 친자 확인 소송, 갖고 다니는 채찍으로 소년들을 폭행하는가 하면, 공무원 뇌물 수수, 정당 자금 횡령, 사기, 절도, 위조, 방화, 강탈—우린 지금 갱단을 말하고 있는 거나 마찬가지네, 제군들. 뭘 하든 돈을 치르는 법이 없는 데다 주민들의 개인 사업을 파산으로 몰아갈 뿐 아니라 용기 있게 자신을 거스른 고결한 사람들의 경력을 망치는 등, 주민들을 공포에 떨게 하는 괴물이라고 할 수 있지."

"저희도 우연히 그를 볼 기회가 있었습니다." 내가 말했다. "어젯밤 도이처 호텔에서요. 두 숙녀와 술을 진탕 마시고 있었죠."

장군이 매서운 표정을 지었다. "두 숙녀라. 당연히 농담이겠지. 여자들은 분명 그저 그런 매춘부에 지나지 않을 걸세. 그자는 사람들에게 두 여자를 배우라고 소개하지만 실은 매춘부야. 이 도시 대부분의 매음굴 뒤에는 슈트라이허가 있지." 그가 파일을 펼쳐 고소장을 훑기 시작했다.

"성추행, 기물 파손, 수백 건의 부패 혐의. 슈트라이허는 어떤 처벌도 받지 않고 자신의 개인적인 왕국처럼 이 도시에 군림하네."

"강간죄는 흥미롭게 들리는군요." 내가 말했다. "무슨 일이 있었습니까?"

"증거를 구할 수 없었지. 피해자들은 모두 협박을 받았거나 매수됐네. 알겠지만 슈트라이허는 아주 부자일세. 관구장이라는 지위를 이용해 얻은 재산을 제쳐 두고라도 그자는 저 쓰레기 같은 신문으로 거액을 벌었으니까. 발행 부수 오십만에 한 부당 삼십 페니히니까 주당 십오만 라이히스마르크를 벌어들이지." 코르슈가 휘파람을 불었다. "광고로 번 돈은 넣지도 않은 걸세. 그래, 슈트라이허는 마음에 드는 건 뭐든지 살 수 있는 사람이지."

"강간죄 이상의 심각한 범죄는 어떻습니까?"

"살인을 말하는 건가?"

"네."

"뭐, 여기저기서 유대인에게 린치를 가한 거야 이루 셀 수도 없지. 그자는 가끔 자신의 기분 전환을 위해 멋진 집단 학살을 꾀하길 좋아하네. 다른 건 제쳐 두고라도 그게 그자에게 잔돈푼을 챙길 기회를 주

창백한_범죄자
—
209

지. 그리고 우린 그자의 집에서 무허가 낙태 의사 손에 죽은 여자는 포함하지도 않을 걸세. 슈트라이허가 불법 낙태를 알선한 당의 첫 간부도 아니니까. 그자가 연루된 걸로 보이는 해결하지 못한 두 건의 살인이 있네.

하나는, 슈트라이허가 참석한 파티에서 한 웨이터가 자살한 사건이지. 정원 연못에서 그 웨이터가 익사체로 발견되기 전 이십 분이 채 못 되는 시간에 그가 슈트라이허와 정원을 걷고 있는 것을 본 목격자가 있네. 또 하나는 슈트라이허와 친분이 있던 젊은 여배우가 루이트폴트하인 공원에서 실오라기 하나 걸치지 않은 채 시체로 발견된 사건이지. 죽을 때까지 가죽 채찍질을 당했더군. 난 그 시체를 봤네. 시체에는 피부가 일 센티미터도 남아 있지 않았어.”

그는 자신의 말에 코르슈와 내가 보인 반응을 만족스러워하며 다시 자리에 앉았다. 게다가 외설스러운 사항을 떠올린 그는 그 말을 덧붙일 유혹에 저항하지 못한 것처럼 말을 이었다.

“그리고 슈트라이허는 자신이 수집한 포르노그래피가 뉘른베르크에서 제일이라고 자랑하네. 과시가 그의 특기야. 낳은 사생아가 몇 명이라든가, 한 주에 몽정을 몇 번 했다든가, 하루에 몇 명의 아이들을 채찍질했다든가 같은 거 말일세. 연설 내용에까지 그런 자랑을 포함할 정도야.”

나는 내 한숨 소리를 들으며 머리를 저었다. 어떻게 하면 이렇게 최악이 될 수 있는가? 슈트라이허 같은 가학적 괴물이 어떻게 절대 권력의 위치에 있을 수 있는가? 그리고 그자와 같은 사람이 이 밖에도 얼마나 많이 존재할 것인가? 하지만 아마 가장 놀라운 것은 독일에서 일어나고 있는 일에는 여전히 놀랄 게 남아 있다는 점이었다.

"슈트라이허의 패거리들은 어떻습니까?" 내가 물었다. "《데어 슈튀르머》의 편집위원들이나 그의 전속 부관 같은 자들 말입니다. 만약 슈트라이허가 유대인들을 목매달려고 한다면 그 더러운 일을 대신할 누군가가 있을 겁니다."

마르틴 장군이 눈살을 찌푸렸다. "맞는 말이야. 하지만 왜 굳이 베를린인가? 왜 여기는 안 되지?"

"그럴듯한 이유가 두 가지 있습니다. 베를린에 있는 사람 중에 슈트라이허에게 눈엣가시 같은 사람이 누구겠습니까?"

"히틀러와 아마 괴벨스는 아니겠지. 자네가 골라 보지그러나." 그가 어깨를 으쓱했다. "최고의 눈엣가시는 괴링이겠지. 그다음 힘러 그리고 하이드리히이지 않을까."

"제 생각도 그렇습니다. 그게 첫 번째 이유죠. 베를린에서 일어난 다섯 건의 미해결 살인은 그가 가장 눈엣가시로 여기는, 적어도 두 사람에게 최악의 곤란한 상황을 안겼습니다."

그가 끄덕였다. "두 번째 이유는?"

"뉘른베르크에는 유대인 박해의 역사가 있습니다. 집단 학살이 여기서는 흔한 일이었죠. 하지만 베를린은 아직도 유대인의 처우에 관대한 편입니다. 따라서 만약 슈트라이허가 이 연쇄살인을 베를린에 있는 유대인들에게 뒤집어씌운다면 유대인들은 지금보다 더 힘들어질 겁니다. 아마 독일 전체의 유대인들이 그런 상황에 처하게 되겠죠."

"사건들 이면에 뭔가가 있을지도 모르겠군." 마르틴 장군은 내 말에 수긍하면서 담배 한 개비를 더 꺼내 작고 특이한 물부리에 비틀어 넣었다. "이런 수사는 시간이 걸릴 테지. 하지만 하이드리히가 게슈타포의 전면적인 협조를 보장할 걸세. 그들의 엄중한 감시가 뒤따르지 않겠나, 경감?"

"제 보고서에 그 요청을 올릴 거라는 건 확실합니다, 청장님."

전화가 울렸다. 전화를 받은 마르틴이 이내 나에게 수화기를 건넸다.

"베를린에서, 자네에게 온 전화군."

도이벨이었다.

"소녀가 또 실종됐습니다."

"언제?"

"어젯밤 아홉시쯤에요. 금발에 푸른 눈에 다른 피해자와 같은 나이입니다."

"목격자는?"

"전혀 없습니다."

"오후 기차로 돌아가겠다." 나는 마르틴에게 수화기를 건넸다.

"우리의 범인이 지난밤에 또 바빴나 봅니다." 내가 설명했다. "코르슈와 제가 도이처 호프의 카페에 앉아서 슈트라이허의 알리바이를 확인해 주고 있던 시간에 또 한 소녀가 실종됐습니다."

마르틴이 머리를 저었다. "자네가 말한 날짜들에 슈트라이허가 뉘른베르크를 떠났길 바라는 건 너무 큰 희망 사항일지도 모르네." 그가 말했다. "하지만 포기하긴 일러. 슈트라이허와 그의 패거리들에게 일어난 운을 밝혀낼 수 있을지도 모르니까 말일세. 굳이 욜이라는 친구까진 아니더라도 자네와 내가 만족할 만큼은."

12

9월 24일 토요일

슈테글리츠는 베를린 남서쪽에 있는 교외로 부유한 중산층이 거주하고 있다. 동쪽에는 붉은 벽돌로 된 관공서가 위치해 있고, 서쪽으로는 식물원이 있다. 그 서쪽 끝에 있는 식물 박물관과 플란첸 생리학 연구소 가까이에 힐데가르트 슈타이닝거 부인이 두 아이, 열네 살 에멜리네와 열 살 파울과 살고 있었다.

교통사고로 사망한 슈타이닝거 씨는 프리바트 코메르츠 은행의 중역이었고, 머리털 보험을 들 만큼 신중한 타입이었던 그는 젊은 과부가 된 아내에게 레프지우스 가에 있는 방 여섯 개짜리 고급 아파트를 남겨 놓았다.

널찍한 연철 발코니, 갈색 페인트칠이 된 프랑스 창, 거실 천장에 채광창이 세 개나 있는 그 아파트는 사 층 건물 꼭대기 층에 있었다. 고상한 가구로 훌륭하게 꾸며진 널찍한 아파트는 바람이 잘 통했고, 그녀가 막 끓인 커피 향이 진동했다.

"또 귀찮게 해 드려서 죄송합니다." 내가 그녀에게 말했다. "저희가 놓친 게 없는지 확실히 해 두고 싶을 뿐입니다."

한숨을 쉬고 주방 테이블에 앉은 그녀는 악어가죽 핸드백을 열고 핸드백과 어울리는 담배 케이스를 찾았다. 나는 그녀의 담배에 불을 붙여 주고, 약간 긴장된 그녀의 아름다운 얼굴을 바라보았다. 그녀는 맡은 역을 잘 해내기 위해 지나치게 많이 연습한 연극 대사를 읊듯 말을 꺼냈다.

"목요일 저녁이면 에멜리네는 포츠담에 있는 비헤르트 씨의 댄스 교습에 가요. 주소를 알고 싶으시겠죠. 그로세 바인마이스터 가예요. 교습이 여덟시부터 시작이라 그 애는 항상 집에서 일곱시에 나가서 슈테글리츠 역에서 일곱시 반 기차를 타죠. 그리고 반제에서 갈아탈 거예요. 그런데 정확히 여덟시 십분에 비헤르트 씨에게서 전화가 왔어요. 에멜리네가 오지 않았는데 어디 아프냐고 묻더군요."

그녀 맞은편에 앉기 전에 나는 잔에 커피를 따른 다음 두 잔을 테이블 위에 놓았다.

"에멜리네는 단 한 번도 늦은 적이 없어서 나는 비헤르트 씨에게 그 애가 오는 대로 다시 전화해 달라고 했어요. 그가 여덟시 반, 아홉시에 전화했는데 여전히 오지 않았다는 거예요. 그래서 아홉시 반까지 기다렸다가 경찰에 전화했어요."

커피 잔을 쥔 그녀의 손은 떨고 있지 않았지만 그녀가 흥분하고 있다는 것을 알아차리기는 어렵지 않았다. 푸른 눈이 물기로 축축했고, 푸른 크레이프 드레스 소매 속에 든 레이스 손수건이 젖어 있는 게 보였다.

"따님에 대해 말씀해 주십시오. 밝은 성격이었습니까?"

"아빠를 최근에 잃은 아이 정도의 밝음이랄까요." 그녀는 얼굴에 늘어진 금발 머리를 쓸어 올렸는데, 그 자리에 있는 동안 그 동작을 쉰 번쯤은 한 것 같았다. 그러더니 커피 잔을 공허하게 바라보았다.

"바보 같은 질문이었군요. 죄송합니다." 내가 말했다. 담배를 꺼낸 나는 성냥을 켜는 소리와 어색한 숨으로 내뿜은 담배 연기로 침묵이 흐르는 주방을 채웠다. "따님은 파울젠 고등학교를 다녔죠? 학교에서는 아무 문제 없었습니까? 성적이라든가 그 비슷한 문제가? 따돌림 같은 거라든가?"

"학급에서 제일 똑똑한 애는 아니었을 거예요." 슈타이닝거 부인이 말했다. "하지만 인기가 많았죠. 에멜리네는 친구가 많았어요."

"BdM 단원이었고요?"

"B 뭐라고요?"

"독일 소녀 동맹이오."

"오, 그거요. 거기서도 아무런 문제 없었어요." 그녀가 어깨를 으쓱한 다음 머리를 거세게 흔들었다. "그 애는 평범한 애였어요, 경감님. 에멜리네는 가출 같은 걸 할 애가 아니에요. 경감님이 뜻하는 게 그거라면요."

"다시 말씀드리지만 이런 질문을 드려서 죄송합니다, 슈타이닝거 부인. 하지만 해야 할 질문이고, 이해하실 거라 생각합니다. 저희는 모든 걸 알아야 합니다." 나는 커피를 마신 다음 잔 바닥에 가라앉은 앙금을 응시했다. 가리비 같은 모양이 뭘 뜻하더라? 궁금했다. 내가 말을 이었다. "남자친구가 있었습니까?"

그녀가 눈살을 찌푸렸다. "맙소사, 그 애는 열네 살이라고요." 그녀가 화를 내며 담배를 비벼 껐다.

"여자애들은 남자애들보다 일찍 성숙해지죠. 우리가 생각하는 것 이상으로요. 아마도." 맙소사, 내가 뭘 안다는 거지? 빌어먹을 아이도 없는 주제에.

"그 애는 아직 남자애들에게 관심이 없어요."

나는 어깨를 으쓱했다. "질문에 대답하시는 게 피곤하시면 말씀만 하십시오. 그럼 그만하겠습니다. 따님을 찾도록 저를 돕는 것보다 하셔야 할 더 중요한 일이 많으신 것 같군요."

그녀가 잠시 나를 굳은 표정으로 응시하더니 사과했다.

"에멜리네의 방을 봐도 되겠습니까?"

열네 살 소녀다운 방이었다. 적어도 돈이 드는 사립학교에 다니는 아이의 방치고는 평범한. 침대 위 벽에는 육중한 액자에 든 파리 오페라 공연 〈백조의 호수〉 포스터가 걸려 있었고, 핑크색 이불 위에는 사랑스러운 테디 베어 인형이 앉아 있었다. 나는 베개를 들어 올렸다. 베개 밑에는 어느 골목 모퉁이에서나 살 수 있는 십 페니히짜리 로맨스 소설이 놓여 있었다. 분명 『에밀과 탐정들』 같은 책은 아니었다.

나는 슈타이닝거 부인에게 그 책을 건넸다.

"말씀드린 것처럼 여자애들은 빨리 조숙해집니다."

"감식반 녀석들과 말해 봤나?" 사무실에 들어서는데 베커가 이제 막 사무실에서 나가는 참이었다. "트렁크에 대해 뭐라도 알아냈나? 아니면 커튼 천에 관해서라도?"

베커가 발을 돌려 나를 따라 책상으로 쫓아왔다.

"트렁크는 트루너 운트 글란츠 가방점 제품입니다, 경감님." 그가 수첩을 뒤적이며 덧붙였다. "프리드리히 가 193a번지에 있는 회사죠."

"고급스러운 가게처럼 들리는군. 그들이 판매 내역을 갖고 있던가?"

"유감스럽게도 갖고 있지 않았습니다. 보아하니 그 트렁크는 꽤 잘 팔리는 제품 같습니다. 미국으로 떠나는 유대인들에게 특히요. 글란츠 씨 말로는 일주일에 서너 개씩은 팔린다더군요."

"운 좋은 사람이군."

"커튼 천은 싸구려 제품입니다. 어디서나 살 수 있는 거죠." 그가 내 서류함을 뒤지기 시작했다.

"계속하게. 듣고 있으니까."

"아직 제 보고서를 읽지 않으셨습니까?"

"읽은 것처럼 보이나?"

"어제 오후 저는 에멜리네 슈타이너의 학교―파울젠 고등학교―로 탐문을 나갔습니다." 자신이 쓴 보고서를 찾아낸 그가 내 얼굴 앞에 그것을 흔들었다.

"아주 좋았겠군. 전부 여자들뿐이었을 테니."

"이걸 지금 읽어 보시는 게 좋을 것 같습니다, 경감님."

"읽는 수고를 덜어 주게."

베커가 얼굴을 찌푸리더니 손목시계를 들여다보았다.

"저 실은, 경감님, 저는 지금 막 나가려던 참이었습니다. 아이들을 루나 공원 유원지에 데려가기로 해서요."

"자네는 도이벨만큼이나 점점 형편없이 구는군. 궁금해서 그러는데 그는 어딨지? 정원 일이라도 하고 있나? 아내와 쇼핑?"

"실종된 여자애의 어머니를 만나고 있지 않을까 생각합니다, 경감님."

"내가 막 그 여자를 만나 보고 오는 길이다. 됐네. 자네가 알아낸 걸 보고하면 가도 좋아."

그는 내 책상 모서리에 앉아서 팔짱을 꼈다.

"죄송합니다, 경감님. 먼저 보고 드렸어야 하는 게 있었는데 잊고 있었습니다."

"그래? 요즘 알렉스 형사들은 많은 걸 잊어버리는 것 같군. 자네의 기억을 일깨워 주자면 이건 살인 사건 수사다. 자, 이제 내 책상에서 엉덩짝을 치우고 수사가 어떻게 되어 가고 있는지 보고하도록."

그가 스프링처럼 책상에서 튕겨져 나와 부동자세를 취했다.

"고트프리트 바우츠가 죽었습니다, 경감님. 살해⋯⋯된 것 같습니다. 집주인 여자가 오늘 아침 일찍 그의 아파트에서 시체를 발견했습니다. 코르슈가 현장검증을 하러 갔습니다."

나는 말없이 고개를 끄덕였다. "알았다." 나는 욕을 퍼붓고 베커를 다시 힐끗 보았다. 내 책상 앞에서 군인처럼 차려 자세로 서 있는 그가 매우 우스꽝스럽게 보였다. "맙소사, 베커, 사후경직이 시작되기 전에 자리에 앉아서 보고하게."

"감사합니다, 경감님." 그가 끌어온 의자를 거꾸로 돌리고 등받이에 양팔을 올려놓고 앉았다.

"두 가집니다. 우선 에멜리네 슈타이닝거 동급생 대부분이 그 애가 예전부터 가출하겠다는 말을 했다고 증언했습니다. 보아하니 그 애와 계모는 사이가 그리 좋지……,"

"계모? 그녀는 그런 말을 안 하던데."

"그 애의 생모는 십이 년 전에 죽었습니다. 그리고 아버지는 최근에 죽었고요."

"나머지 하나는?"

베커가 눈살을 찌푸렸다.

"보고할 게 두 가지라고 말했잖나."

"네, 경감님. 동급생 중에 유대인 여자애가 있었는데, 그 애가 두 달 전에 있었던 일을 말해 줬습니다. 학교 정문 근처에 차를 세워 놓고 있던, 제복을 입은 어떤 남자가 자기를 불러 세웠다더군요. 그가 묻는 말에 대답하면 집까지 태워 주겠다고 했답니다. 그래서 차 옆으로 다가갔더니 이름을 묻더랍니다. 그래서 자라 히르슈라고 알려 줬답니다. 그러더니 유대인이냐고 물어서 그렇다고 했더니 아무 말도 없이 차를 몰고 가 버리더랍니다."

"그 남자의 인상착의를 얘기했나?"

그가 얼굴을 찡그리고 고개를 저었다. "무서운지 제대로 말을 못하더군요. 그때 두 오르포 형사와 같이 있었는데 아무래도 그 두 형사가 무서웠나 봅니다."

"그 애를 탓할 수 있겠나? 아마 그 애는 자네가 성매매 혐의나 뭔가로 자신을 체포할까 봐 두려웠겠지. 어쨌든 그 학교에 다니고 있다면 똑똑한 애인 게 분명해. 아마 부모와 함께 있었거나 두 멍청이가 없었다면 말을 했겠지. 어떻게 생각하나?"

"분명히 그랬을 겁니다, 경감님."

"내가 직접 물어보지. 어떤가, 내가 삼촌 타입으로 보이지 않나, 베커? 됐네, 자네한테는 대답을 안 듣는 게 낫겠군."

그가 사근사근하게 웃었다.

"좋아, 됐다. 즐거운 시간을 보내도록."

"감사합니다, 경감님." 그가 자리에서 일어나 문으로 향했다.

"그리고 베커?"

"네?"

"수고했다."

그가 나가고 난 다음 나는 한참 동안 허공을 쳐다보고 토요일 오후에 아이들을 데리고 루나 공원에 가려고 귀가하는 사람이 나라면 좋겠다는 생각을 하며 앉아 있었다. 쉬어 본 지가 오래되었지만 세상에 혼자 남은 듯한 사람에게는 휴식 같은 건 그리 문제 될 게 없는 것처럼 보인다. 자기 연민이라는 웅덩이 가장자리에서 위태롭게 중심을 잡고 있을 때 문을 노크하는 소리가 들리더니 코르슈가 들어왔다.

"고트프리트 바우츠가 살해됐습니다, 경감님." 그가 단도직입적으로 말했다.

"그래, 들었다. 자네가 조사하러 갔다고 베커가 말하더군. 어떻게 된 건가?"

코르슈가 조금 전까지 베커가 앉아 있던 의자에 앉았다. 그는 전에 없이 들떠 보였고, 그를 흥분시킨 무언가가 있는 게 틀림없었다.

"누군가 그의 뇌에 산소가 부족하다고 생각했나 봅니다. 그래서 그의 머리에 특별한 공기구멍을 뚫어 놨더군요. 아주 깔끔하게요. 정확히 미간에 말입니다. 감식반은 아주 작은 총이었을 거라고 하더군요. 아마 육 밀리미터 구경일 거라고요." 그가 의자에서 자세를 고쳤다. "하지만 흥미로운 점은 이겁니다, 경감님. 그자를 쏜 누군가는 우선 그를 녹아웃시켰습니다. 턱이 깨끗하게 두 동강 났습니다. 그리고 입 안에는 반쯤 남은 담배가 들어 있었습니다. 마치 자신이 깨문 것처럼 요." 그는 잠시 말을 멈추고 내가 그 말을 이해하길 기다렸다. "나머지 반은 바닥에 있었고요."

"담배 펀치?"

"그렇게 보입니다, 경감님."

"자네도 나와 같은 생각을 하고 있나?"

코르슈가 천천히 끄덕였다. "유감이지만 그렇습니다. 그리고 또 다른 게 있습니다. 도이벨은 재킷 주머니에 육 밀리미터 리틀 톰을 갖고 다닙니다. 발터를 잃어버렸을 경우에 대비한 거라고 하더군요. 리틀 톰은 저 체코인을 죽인 것과 같은 구경입니다."

"정말인가?" 나는 눈썹을 추켜세웠다. "도이벨은 바우츠가 우리의 사건과 아무 관련이 없는 것으로 밝혀진다고 하더라도 계속 감방에 처넣어 둬야 한다고 강력하게 주장했지."

"도이벨은 성범죄과의 예전 동료들과 얘기해 보라고 베커를 설득했습니다. 그는 베커가 어떤 구실로든 바우츠에게 빨간 딱지를 붙여 강제수용소로 보내길 바랐습니다. 하지만 베커는 어떤 것도 응하지 않았습니다. 베커는 그자가 매춘부를 베려고 한 증거조차 없다며 성범죄과가 그렇게 못할 거라고 말했죠."

"그 말을 들으니 기쁘군. 왜 이런 이야기를 나한테 하지 않았지?" 코르슈가 으쓱했다. "바우츠의 죽음을 조사하는 수사반에게 이 이야기를 했나? 도이벨이 말한 담배 펀치와 총에 대한 이야기를?"

"아직 안 했습니다, 경감님."

"그렇다면 우리끼리 처리하지."

"어떻게 하실 생각이십니까?"

"그가 그 총을 갖고 있는지 없는지에 달렸다. 자네가 바우츠를 죽였다면 총을 어떻게 하겠나?"

"가장 가까운 용광로를 찾아내야죠."

"바로 그거야. 만약 녀석이 총을 제시하지 못한다면 이 수사에서 빼겠다. 법정에 세우기에는 충분하지 않을지 몰라도 그걸로 만족이야. 내 수사반에 살인자를 둘 순 없지."

생각에 빠져 있던 코르슈가 코를 후빌 것 같더니 간신히 그 유혹을 물리치고 코를 긁었다.

"도이벨 경위가 어디 있는지 모르시죠?"

"누가 날 찾았나?" 도이벨이 문을 열고 한가로이 걸어 들어왔다. 그에게서 풍기는 맥주 냄새는 그가 어디에 있었는지 충분히 설명해 주었다. 일그러진 입 한쪽에 불을 붙이지 않은 담배를 문 그는 호전적인 눈빛으로 코르슈를 응시한 다음 못마땅한 눈빛으로 나를 응시했다. 그는 취해 있었다.

"케르카우 카페에 있었는데." 그의 입이 기대한 대로 움직이지 않는다는 듯이 혀 꼬부라진 소리를 냈다. "괜찮아. 자네도 알잖아. 괜찮아. 아직 근무 시간 전이라고. 어쨌든 적어도 한 시간은 더 남았으니까. 그때가 되면 괜찮아질 거야. 걱정 마. 내가 알아서 할 수 있어."

"자네가 알아서 했어야 할 다른 건 없었나?"

그가 불안정한 다리로 꼭두각시 인형처럼 똑바로 섰다.

"슈타이닝거가 사라진 역에서 탐문 수사를 하고 왔습니다."

"내가 말한 건 그게 아니다."

"아니라고? 아니라고요? 말씀하신 게 뭔데요, 경감님?"

"누군가가 고트프리트 바우츠를 살해했다."

"아니, 그 체코 개자식 말입니까?" 그가 소리 내어 웃자 트림과 함께 침이 튀었다.

"턱이 부서졌지. 입안에는 담배가 있었다."

"그래서요? 그게 저와 무슨 상관입니까?"

"그게 자네의 작은 특기 중 하나 아니었던가? 담배 펀치? 자네 입으로 그렇게 말하는 걸 들었다."

"그런 거에 염병할 특허 따위 없어, 귄터." 그가 불이 붙지 않은 담배를 길게 빨아들이고 게슴츠레한 눈을 가늘게 떴다. "내가 죽였다는 거야?"

"자네 총을 보여 줄 수 있나, 도이벨 경위?"

도이벨은 어깨에 멘 총집에 손을 대기 전 몇 초 동안 나를 비웃으며 서 있었다. 도이벨이 발터 PPK를 꺼내 내 책상 위에 올려놓을 때까지 그의 뒤에서 코르슈가 천천히 자신의 총으로 손을 가져가 개머리를 잡고 있었다. 나는 그 총을 들어 바우츠가 더 작은 구경의 총으로 살해된 사실을 그가 알고 있다는 징후를 찾아 그의 얼굴을 살피며 총열에 코를 갖다 댔다.

"총에 맞았나, 녀석은?" 그가 미소 지었다.

"처형됐다고 하는 편에 가깝다." 내가 말했다. "그가 실신해 있는 동안 누군가 그의 미간에 총알을 먹였지."

"목이 메는군." 도이벨이 천천히 고개를 저었다.

"네놈의 목이 멜 것 같진 않은데."

"담벼락에 오줌을 갈기더니 오줌 몇 방울이 내 염병할 바지에 튀겼길 바라는군, 귄터. 물론, 나는 그 쥐새끼 같은 체코 놈이 싫었어. 아이를 건드리고 여자를 때리는 변태들이 전부 싫은 것처럼. 그렇다고 해서 그게 내가 그놈의 죽음과 관련이 있다는 뜻은 아니야."

"내 의혹을 불식시킬 간단한 방법이 있지."

"오, 그게 뭔데?'

"네놈이 양말에 꽂고 다니는 총을 꺼내 봐. 리틀 톰 말이야."

도이벨이 천진난만하게 손을 들어 올렸다.

"양말에 꽂고 다니는 총이라니? 그런 총은 없어. 내가 갖고 다니는 총이라면 저 테이블에 있는 것뿐이야."

"너와 일한 사람은 모두 그 총을 알고 있다. 네놈은 틈만 나면 그 총에 대해 떠벌리고 다녔지. 총만 보여 주면 네놈은 깨끗해지는 거야. 하지만 그게 없다면 나는 네놈이 그걸 없애야 할 이유가 있었다고 생각하게 되겠지."

"무슨 소릴 하는 거야? 말했듯이 나는 그런 걸 갖고 있지⋯⋯,"

코르슈가 자리에서 일어났다. 그가 말했다. "왜 이래, 엡. 이틀 전에 그 총을 나한테 보여 줬잖아. 자네는 그 총을 안 갖고 다닌 적이 없다는 말까지 했어."

"이 아무짝에도 쓸모없는 자식. 저치의 편을 들겠다는 건가? 모르젰어? 저자는 우리 일원이 아니야. 하이드리히의 염병할 스파이 중하나라고. 하이드리히는 크리포를 조금도 신경 쓰지 않아."

"내 생각은 달라." 코르슈가 차분한 음성으로 말했다. "그래서 어쩔 생각이지? 총을 보여 줄 건가, 말 건가?"

도이벨이 머리를 젓고 미소를 지으며 나에게 손가락을 흔들어 보였다.

"아무것도 증명하지 못할걸. 아무것도. 당신도 그렇다는 걸 알고 있겠지?"

나는 의자를 뒤로 밀쳤다. 하고자 하는 말을 하기 위해 일어날 필요가 있었다.

"그럴지도 모르지. 너는 이 사건에서 빠진다. 난 네놈이 어떤 짓을 했든 관심이 없다, 도이벨. 네놈이 어떤 똥 같은 구석에 처박혀 있었는지 몰라도 그곳으로 돌아가도 좋다. 난 같이 일해야 할 사람을 고르는 데 까다로운 편이지. 살인자는 좋아하지 않아."

도이벨이 누런 이를 활짝 드러냈다. 그의 미소는 조율이 전혀 되어 있지 않은 낡은 피아노의 건반 같았다. 그가 반들거리는 플란넬 바지를 추켜올리더니 어깨를 펴고 내 쪽을 향해 배를 내밀었다. 그 배에 주먹을 먹이고 싶은 충동이 일었지만 그건 그가 바라는 싸움이 될 터였다.

"눈을 똑바로 뜨고 있는 게 좋을 거다, 귄터. 지하 감방과 취조실을 돌아보면 거기서 무슨 일이 일어나는지 알겠지. 같이 일하는 사람을 고르는 데 까다롭다고? 한심한 새끼. 여기, 이 건물에서는 사람들이 맞아 죽어. 아마 지금 이렇게 떠드는 순간에도 그럴걸. 하찮은 변태에게 무슨 일이 일어났는지 관심을 가져 줄 사람이 있다고 생각하나? 시체 보관소에는 그런 놈들 천지야."

나는 내가 대답하는 소리를 들었다. 나에게조차 희망 없는 순진한 소리처럼 들렸다. "누군가 관심을 갖지 않는다면 우리는 범죄자와 다를 게 없겠지. 남이야 더러운 구두를 신든 말든 말릴 수 없지만 나는 내 구두를 닦아 신으니까. 처음부터 너는 그게 내가 원하는 방식이라는 걸 알았다. 하지만 네놈은 네놈 방식대로 해야 했지. 여자를 물에 처넣어서 물에 뜨면 마녀고, 가라앉으면 무죄라는 게슈타포 방식대로 말이야. 자, 이제 내 눈앞에 꺼져. 네놈의 엉덩이를 걷어차서 크리포에서 쫓아낼 수 있는 하이드리히의 영향력을 시험해 보고 싶은 마음이 들기 전에."

도이벨이 킬킬거렸다. "네놈은 임시직이야." 그는 그 말을 내뱉고 코르슈를 노려보았다. 코르슈는 그의 술 냄새에 어쩔 수 없이 고개를 돌렸다. 이내 도이벨이 비틀거리며 방에서 나갔다.

코르슈가 머리를 저었다. "저 개자식이 마음에 안 들었습니다." 그가 말했다. "하지만 예전엔 그도⋯⋯," 그가 다시 머리를 저었다.

지친 나는 자리에 앉아 술병을 넣어 둔 서랍으로 손을 뻗쳤다.

"불행히도 그가 옳아." 내가 두 글라스에 술을 채우며 말했다. 놀란 코르슈의 얼굴에 쓴웃음이 어렸다. "살인죄로 베를린 형사를 체포하는 건⋯⋯." 내가 웃음을 터뜨렸다. "젠장, 뮌헨 맥주 축제에서 주정뱅이를 체포하는 것과 다를 게 없지."

13

9월 25일 일요일

"히르슈 씨 댁입니까?"

문 앞에 꼿꼿이 선 남자가 고개를 끄덕였다. "내가 히르슈이오만." 그가 말했다.

"자라 히르슈의 아버지 되십니까?"

"그렇소. 누구시오?"

적어도 일흔은 되어 보이는 그는 옷깃을 덮은 흰 뒷머리를 제외하면 대머리였고, 키는 매우 작은 편이었는데, 구부정한 자세 탓에 더 작아 보였다. 이 남자가 열다섯 살 먹은 딸을 둔 아버지라는 게 믿기지 않았다. 나는 그에게 배지를 보여 주었다.

"경찰입니다. 놀라지 마십시오. 선생님께 문제를 일으키려고 온 게 아닙니다. 따님에게 질문을 하고 싶은 것뿐입니다. 따님이 어떤 남자, 그러니까 범죄자의 인상착의를 말해 줄 수 있을지 모릅니다."

내 신분증을 보고 약간은 안도한 히르슈 씨가 한쪽으로 비켜서더니 말없이 중국 도자기, 청동 조각상, 푸른 무늬 접시, 유리 상자에 든, 복잡하게 얽힌 발사 나무 조각 들로 가득 찬 홀 안으로 나를 들었다.

그가 현관문을 닫고 잠그는 동안 내가 그것들을 바라보며 감탄하자 그는 자신이 젊은 시절 독일 해군에 있었고, 극동 지방을 두루 다녔다고 했다. 집 안 전체에 풍기는 달콤한 냄새를 눈치챈 나는 가족들의 식사를 방해하지 않았길 바란다며 사과의 말을 했다.

"모여서 식사를 하려면 아직 멀었소." 나이 든 남자가 말했다. "아내와 딸애는 아직 부엌에서 식사를 준비중이오." 정중한 경찰에 익숙지 않은 게 분명한 그가 초조하게 미소를 지으며 나를 거실로 안내했다.

"자, 그건 그렇고, 제 딸 자라와 이야기를 나누고 싶으시다고요. 그 애가 범죄자의 인상을 알려 줄지도 모른단 말씀이시군요."

"그렇습니다. 따님이 다니는 학교에서 학생 한 명이 실종됐습니다. 유괴됐을 가능성이 높습니다. 따님 반으로 탐문 나갔던 형사 한 명이 몇 주 전 수상한 남자가 자라에게 접근한 사실을 알게 되었습니다. 따님이 그 남자에 대해 뭐라도 기억하고 있는지 알고 싶습니다. 선생님께서 허락해 주신다면요."

"물론 괜찮습니다. 가서 아이를 데려오죠." 그가 그렇게 말하고 자리를 떴다.

이 집안은 음악 집안인 게 분명했다. 번쩍거리는 베흐슈타인 그랜드 피아노 외에도 악기 케이스가 몇 개 있었고, 보면대가 잔뜩 있었다. 넓은 정원이 내려다보이는 창가에는 하프가 있었고, 작은 탁자 위에는 가족들 사진이 있었는데, 그중에는 어린 소녀가 바이올린을 연주하는 사진이 있었다. 벽난로 위에는 음악—아마 피아노 독주—과 관련된 유화까지 있었다. 내가 그 유화를 바라보며 선율을 상상하고 서 있을 때 히르슈 씨가 아내와 딸을 데리고 돌아왔다.

창백한 범죄자

남편보다 더 크고 젊은 히르슈 부인은 쉰 이상은 되지 않은 듯 보였고, 진주 목걸이가 잘 어울리는 날씬하고 우아한 여성이었다. 그녀는 자신의 민족에게 명백히 적대적인 나라의 간섭 가능성에 직면하여 딸에 대한 친권이 자신에게 있다는 것을 강조하려는 듯 앞치마에 손을 닦은 다음 딸의 어깨를 움켜쥐었다.

"남편 말로 자라네 학교에 실종된 아이가 있다면서요." 그녀가 차분한 목소리로 말했다. "누구죠?"

"에멜리네 슈타이닝거라고 합니다." 내가 말했다.

히르슈 부인이 딸 쪽으로 살짝 몸을 기울였다.

"자라," 그녀가 꾸짖듯 말했다. "왜 실종된 친구가 있다는 말을 안 했니?"

과체중이지만 건강해 보이는 자라는 매력적인 소녀로, 그녀는 슈트라이허가 주장하는 인종차별주의 고정관념적 외모에서 좀 벗어난 푸른 눈에 금발이었다. 그녀는 고집스러운 망아지처럼 고개를 쳐들고 있었다.

"그 애는 가출했어요. 그게 다예요. 걔는 늘 가출할 거라고 했어요. 걔한테 어떤 일이 일어났는지 별로 관심 없어요. 그리고 에멜리네 슈타이닝거는 제 친구가 아니에요. 걔는 늘 유대인에 대해 나쁜 말을 하고 다녔어요. 저는 걔가 싫어요. 걔네 아버지가 죽었든 말든 관심도 없고요."

"그만하면 됐다." 아버지가 죽었다는 이야기가 불편하다는 듯 히르슈 씨가 나무라듯 말했다. "그 애가 무슨 말을 했는지는 상관없다. 경감님께서 그 아이를 찾는 데 도움이 되는 게 있다면 말씀드려야 해.

알겠니?"

자라가 얼굴을 찡그렸다. "네, 아빠." 그녀는 하품을 하더니 안락의
자에 주저앉았다.

"자라, 너 정말," 그녀의 어머니가 말했다. 그녀가 나를 보고 초조한
표정으로 미소를 지었다. "보통은 이런 애가 아니에요, 경감님. 죄송
합니다."

"괜찮습니다." 나는 미소를 지으며 자라가 앉은 의자 앞에 놓인 발
받침대 위에 앉았다.

"금요일에 어떤 경찰 아저씨와 얘기를 나눈 걸로 알고 있다, 자라.
너는 그 아저씨에게 두어 달쯤 전에 학교 주변을 서성이던 남자를 본
얘길 했고. 맞니?" 아이가 끄덕였다. "그렇다면 그 사람에 대해 기억나
는 걸 전부 얘기해 주면 좋겠구나."

아이는 잠시 손톱을 물어뜯고 나서 주의 깊게 그 손톱을 살폈다.
"음, 그건 아주 오래전 일이에요." 아이가 말했다.

"뭐라도 떠올리면 도움이 많이 될 거야. 예를 들면, 그날 몇 시쯤이
었지?" 나는 수첩을 꺼내 허벅지에 펼쳐 놓았다.

"하교 시간이었어요. 여느 날처럼 혼자 집에 가는 중이었어요." 아
이는 그때의 기억이 기분 나쁘다는 듯 코를 벌름거렸다. "어쨌든, 그
차가 학교 근처에 있었어요."

"어떤 차였니?"

아이가 어깨를 으쓱했다. "어느 회사 차인지 같은 건 몰라요. 검고
큰 차인데 앞에 운전수가 타고 있었어요."

"그 사람이 네게 말을 걸었니?"

"아니요, 뒷좌석에 앉은 다른 남자가요. 저는 그 사람들이 경찰인 줄 알았어요. 학교 문을 나섰는데 뒷좌석에 앉은 남자가 창문을 내리고 저를 불렀어요. 저는 혼자였어요. 애들은 벌써 거의 다 갔어요. 그 아저씨가 불러서 갔더니……," 아이가 얼굴을 붉히고 말을 끊었다.

"계속하려무나."

"……제가 너무 예쁘다면서 엄마 아빠가 저 같은 딸을 둬서 아주 자랑스럽겠다고 했어요." 아이가 어색한 표정으로 부모님을 힐끗 보았다. "지어서 말하는 거 아니에요." 아이가 재미있다는 듯이 말했다. "그 아저씨가 정말 그렇게 말했어요."

"믿는다, 자라. 그리고 또 무슨 말을 했지?"

"그 아저씨가 운전수한테 제가 독일 처녀의 훌륭한 본보기 같지 않으냐고 했어요. 뭐 그 비슷한 멍청한 말을요." 아이가 웃었다. "정말 웃겼어요." 아이가 내 뒤에 있는 아빠의 눈치를 보더니 다시 정색했다. "뭐, 그런 비슷한 말이었어요. 정확히는 기억 안 나요."

"그러니까 운전수가 그 아저씨한테 무슨 말이든 대꾸를 했니?"

"운전수 아저씨가 그 아저씨한테 저를 집까지 태워다 주는 게 어떻겠느냐고 했어요. 그러니까 뒤에 앉은 아저씨가 타겠느냐고 물었어요. 저는 이렇게 큰 차에는 한 번도 타 본 적이 없어서 좋다고……,"

자라의 아버지가 크게 한숨을 쉬었다. "내가 몇 번이나 얘기했니, 자라. 그러면 안 된……,"

"괜찮으시다면, 선생님," 내가 단호한 목소리로 말했다. "그런 말씀은 이야기가 끝나고 해 주십시오." 나는 다시 자라에게 눈을 돌렸다. "그래서 어떻게 됐지?"

"그 아저씨가 묻는 말에 정확히 대답해 준다면 차에 태워 주겠다고 했어요. 영화 스타가 된 것처럼요. 맨 처음 이름을 물어서 대답해 줬더니 깜짝 놀란 것처럼 저를 쳐다보기만 했어요. 제가 유대인이라는 걸 몰랐기 때문에 당연히 그랬을 거예요. 그러더니 정말 유대인이냐고 물었어요. 저는 거의 아니라고 할 뻔했어요. 그냥 농담이었다고요. 근데 그 아저씨가 거짓말한 걸 알아챌까 봐 겁이 나서 그렇다고 했어요. 그러니까 그 아저씨가 의자에 기대더니 운전수한테 가자고 하더라고요. 저한테는 한마디도 없어요. 아주 이상했어요. 제가 안 보이기라도 하다는 듯이."

"잘 얘기해 줬구나, 자라. 자, 이제 내가 물어보마. 너는 그 사람들이 경찰인 줄 알았다고 했지? 그 사람들이 제복을 입고 있었니?"

아이가 머뭇거리다 고개를 끄덕였다.

"제복이 어떤 색깔이었는지 말해 볼까?"

"녹색 계통이었던 것 같아요. 아시잖아요. 경찰 아저씨들이 입는 거요. 약간 어두운색."

"모자는 어땠지? 경찰 모자 같았니?"

"아니요, 챙이 있는 모자였어요. 장교들이 쓰는 것 같은 모자요. 우리 아빠는 해군 장교였어요."

"다른 건? 배지라든가 훈장이라든가 계급장은? 그런 건 없었니?" 아이가 고개를 저었다. "좋아. 너한테 말을 건 남자 말이다. 어떻게 생겼지?"

자라는 입술을 삐죽 내밀고 머리카락 끝을 잡아당겼다. 아이가 아버지를 힐끗 보았다. "운전수보다는 나이가 많았어요." 아이가 말했다. "쉰다섯에서 예순 살 정도요. 아주 뚱뚱하고 머리가 별로 없었어요. 아주 바짝 깎았거나요. 그리고 작은 콧수염을 길렀어요."

"운전수는?"

아이가 어깨를 으쓱했다. "그 아저씨보다는 젊었어요. 약간 창백했고요. 금발 머리에. 그 아저씨는 잘 기억이 안 나요."

"목소리는 어땠니? 뒷좌석에 앉은 사람 말이다."

"억양을 말씀하시는 거예요?"

"그래, 알면 말해 보렴."

"정확히는 몰라요." 아이가 말했다. "말씨가 아주 특이한 지역이라면 모를까. 말투가 독특하면 알지도 모르지만. 저는 그런 말씨들이 어느 지역에서 쓰이는 말씨인지는 모르겠어요." 아이가 한숨을 쉬더니 생각해 내려고 애쓰며 미간을 찌푸렸다. "오스트리아 사람일지도 몰라요. 하지만 바이에른 사람일 수도 있고요. 좀 옛날 사람이 쓰는 말투 같잖아요."

"오스트리아나 바이에른이라." 나는 중얼거리면서 그것을 수첩에 적었다. 나는 '바이에른'이라는 단어에 밑줄을 칠까 하다가 그만두었다. 바이에른 사람 쪽이 내 마음에는 더 들었지만 아이가 한 말 이상으로 그 말을 강조할 이유는 없었다. 대신 나는 말을 끊고 아이가 질문이 끝났을 거라고 생각할 때까지 마지막 질문을 아끼고 있었다.

"이제 잘 떠올려 보거라, 자라. 너는 차 옆에 서 있어. 창문이 내려가고 넌 차 안을 들여다보고 있어. 콧수염을 기른 남자가 보여. 또 뭐가 보이지?"

아이는 눈을 꽉 감고 아랫입술을 깨물며 세부 사항을 기억해 내려는 듯 머리를 숙였다.

"담배요." 잠시 후 아이가 말했다. "아빠가 피우시는 것 같은 건 아니었어요." 아이가 눈을 뜨고 나를 쳐다보았다. "이상한 냄새가 났어요. 달콤하고 아주 진한 향요. 월계수 잎이나 허브 향 같은 거요."

나는 수첩을 훑은 다음 아이가 더 이상 덧붙일 게 없다고 확신했을 때 몸을 일으켰다.

"고맙구나, 자라. 네가 큰 도움을 줬어."

"제가요?" 아이가 신이 나서 말했다. "정말요?"

"정말이고말고." 우리는 모두 미소를 지었고, 잠시 우리 넷은 자신의 신분과 처지를 잊었다.

히르슈의 집에서 차를 몰고 돌아오는 길에 히르슈가의 누구라도 이번만큼은 자라의 인종이 유리하게 작용했다는 것을 알았을지 궁금했다. 유대인이라는 점이 아이의 목숨을 살렸던 것이다.

나는 탐문의 성과에 만족했다. 아이의 증언은 이 사건에서 첫 정보다운 정보였다. 억양에 관한 아이의 묘사는 익명 전화를 받았던 당직 경사 탱크의 말과 일치했다. 하지만 더욱 중요한 것은 슈트라이허가 베를린에 왔던 날짜를 어쨌든 뉘른베르크에 있는 마르틴 장군에게 확인해야 한다는 것이었다.

14

9월 26일 월요일

내 아파트 창밖의 인접한 건물들 뒤쪽으로 몇몇 집의 거실이 보였고, 각 가정에서는 이미 기대에 찬 가족이 라디오 주위에 둘러앉아 있었다. 아파트 전면 창밖으로는 적막한 파자넨 가가 눈에 들어왔다. 나는 거실로 가서 술을 한 잔 따랐다. 아래층에서 튼 라디오에서 흘러나오는 클래식 음악 소리가 들렸다. 당 간부가 하는 라디오 연설의 시작과 끝에는 베토벤의 음악이 쓰였다. 입버릇처럼 하는 말이지만 별 볼일 없는 그림일수록 더 화려한 액자를 쓰기 마련이다.

평상시 나는 당 방송 청취자가 아니다. 차라리 내 방귀 소리를 듣는 편이 나으리라. 하지만 오늘 밤은 평상시 당 방송이 아니었다. 총통이 포츠다머 가에 있는 운동장에서 연설중이었고, 그가 체코슬로바키아와 수데텐란트 지역에 관한 소신을 명확히 밝힐 거라는 소문이 무성했다.

개인적으로 나는 히틀러가 평화에 관한 연설로 만인을 기만하고 있다는 결론을 내린 지 오래였다. 바에서 검은 모자를 쓴 남자가 옆에서 있는 작은 사내에게 시비를 건다는 의미는 보안관과 싸우고 싶어 안달이 났기 때문이라는 것을 서부 영화를 충분히 봐서 알고 있었다.

이번 경우에는 프랑스가 보안관 역이었고, 그 보안관은 집무실에서만 머무르며 거리 저편에서 들리는 총소리가 단지 폭죽 몇 발이 터진 것뿐이라고 자신을 설득하는 것 말고는 아무것도 하지 않으려 했다.

내 생각이 틀렸길 바라며 나는 라디오를 켜고 7천5백만 독일 동포와 마찬가지로 우리의 미래가 어떻게 될 것인지 알 수 있길 기다렸다.

많은 여자가 괴벨스는 단지 감언이설로 사람을 꾀는 반면 히틀러는 정말 매혹적이라고들 말한다. 나로서는 이 말을 판단하기가 쉽지 않다. 그럼에도 총통의 연설이 사람들에게 마법을 거는 것처럼 보이는 최면 효과가 있다는 것을 부인할 수 없다. 운동장에 모인 군중은 분명히 매료된 것처럼 보였다. 진짜 어떤 분위기인지 알기 위해서 그곳에 갔어야 했다는 생각이 들었다. 하수 처리장을 방문하는 것처럼.

집에서 듣는 우리로서는 당대의 떠버리가 떠드는 말에 어떤 희망도 느끼지 못했고, 매료되지도 않았다. 어제보다 전쟁에 좀 더 가까워졌다는 끔찍한 깨달음만 남았을 뿐이었다.

9월 27일 화요일

오후에 운터 덴 린덴 가에서 본 군대 행진은 이전 베를린 거리에서 봤던 어떤 행진보다도 전쟁에 대한 더욱 철저한 준비가 된 것처럼 느껴졌다. 완전한 장비를 갖춘 기계화보병 사단의 행진이었다. 하지만 놀랍게도 환호도 경례도 휘날리는 깃발도 보이지 않았다. 이 행진을 통해 히틀러가 일으킬 전쟁이 임박한 현실을 목도한 사람들은 몸을 돌려 가던 발길을 재촉했다.

이날 늦게 아르투르 네베의 요청으로 알렉스가 아닌 귄터&슈탈레커 탐정 사무소—문은 여전히 원래 탐정 사무소 이름으로 바꿀 간판 업자를 기다리는 중이었다—에서 그를 만났을 때 나는 내가 본 것을 말했다.

네베가 웃음을 터뜨렸다. "자네가 본 사단이 이 나라를 해방해 줄지도 모른다고 한다면 어떤가?"

"그 군대가 쿠데타를 준비중입니까?"

"많은 말을 할 순 없지만 군대 고위 장성들이 영국 수상과 접촉해 왔네. 영국이 신호를 보내는 순간 그 사단이 베를린을 점령하고 히틀러를 재판에 세울 걸세."

"그때가 언젭니까?"

"히틀러가 체코슬로바키아를 침공하면 영국이 즉각 선전포고를 할 거야. 그게 그때가 되겠지. 우리의 시대가 오는 거야, 베르니. 크리포에는 자네 같은 사람이 필요하다고 말하지 않았나?"

나는 천천히 고개를 끄덕였다. "하지만 체임벌린이 히틀러와 협상을 계속해 오지 않았습니까?"

"그게 영국 방식이야. 말로 외교적 재주를 부리는 것. 협상 시도조차 하지 않는다면 공명정대한 게 아니겠지."

"그렇긴 해도 그는 아마 어떤 조약에든 히틀러가 사인을 할 거라고 믿을 게 분명합니다. 더욱 중요한 건 체임벌린과 달라디에[41] 둘 다 어떤 조약에든 사인할 준비가 되어 있어야 한다는 점입니다."

"히틀러는 수데텐에서 손을 떼지 않을 걸세, 베르니. 그리고 영국은 자신들과 맺은 체코와의 조약을 어기려고 하지 않을 테지."

나는 술 선반으로 가 두 글라스에 술을 따랐다.

"영국과 프랑스가 자신들의 조약을 지키려고 한다면 어떤 대화도 되지 않을 겁니다." 내가 네베에게 잔을 건네며 말했다. "내 의견을 물으신다면, 그들은 자국을 위해 히틀러가 하려는 일을 묵인할 겁니다."

"젠장, 자넨 비관주의자구먼."

"맞습니다. 뭐 하나 여쭤 보죠. 싸우고 싶지 않은 상대와 옥신각신하신 적 있습니까? 더 덩치가 큰 상대와? 싸우게 되면 형편없이 얻어터질 거라고 생각하게 되죠. 단지 배짱이 없어서일 수도 있겠고요. 그렇다면 당연히 싸움을 피하려고 대화를 시도하게 됩니다. 말이 많은 사람은 싸울 생각이 전혀 없는 겁니다."

"하지만 우린 영국과 프랑스보다 크지 않네."

"하지만 그들은 배짱이 없습니다."

네베가 잔을 들었다. "그렇다면 영국의 배짱을 위하여."

"영국의 배짱을 위하여."

---

41. 프랑스의 정치가로 식민 장관, 육군 장관 등을 거쳐 세 차례 총리를 지냈다. 뮌헨회담에 참석하여 히틀러를 회유하려 하였으나 독일의 침략을 저지하지 못하고 독일에 선전포고를 하였다.

창백한 범죄자
—

9월 28일 수요일

"마르틴 장군이 슈트라이허에 관한 정보를 보내왔습니다, 경감님."
코르슈가 들고 있는 전보를 보며 말했다. "슈트라이허는 문제의 다섯
날 중 적어도 두 날은 베를린에 있었던 것처럼 보입니다. 소재를 알
수 없는 두 날에 관해서는 마르틴도 그가 어디 있었는지 모른다는군
요."

"그의 첩보망도 그 정도군."

"한 가지 주목할 만한 게 있습니다, 경감님. 베를린에 온 날 중 하루
는 뉘른베르크에 있는 푸르트 비행장에서 비행기를 타고 온 것 같습
니다."

"여기와 뉘른베르크 간의 비행시간이 어떻게 되지?"

"끽해야 두 시간 정돕니다. 템펠호프 공항에 체크해 볼까요?"

"더 좋은 생각이 있다. 무라티에 있는 선전성 녀석들을 접촉해 봐.
가서 잘 나온 슈트라이허 사진을 요청하게. 너무 관심을 끌면 안 될
테니까 모든 관구장의 사진을 요청하는 게 좋을 거야. 제국 고위직의
보안을 위해서라고 하면 언제나 그럴듯하게 들리지. 사진을 받는 대
로 히르슈를 만나서 확인해 보게. 차 안에 있던 남자가 슈트라이허였
는지 알 수 있겠지."

"그 아이가 맞는다고 하면요?"

"그렇다고 하면 자네와 나에게 새로운 친구가 많이 생기겠지. 어떤
저명인사 한 사람만 빼고."

"그게 제가 걱정했던 겁니다."

9월 29일 목요일

체임벌린이 뮌헨을 다시 방문했다. 그는 다시 협상하길 원했다. 보안관 역시 왔지만 그는 총소리가 들리기 시작하면 모르는 척할 것처럼 보일 뿐이었다. 광을 낸 벨트를 차고 머리에 기름을 바른 무솔리니는 자신의 정신적 동맹국에 지원을 아끼지 않았다.

이들 중요 인사가 오고 간 와중에 이러한 시류와 전혀 상관없는, 그다지 중요하지 않은 한 소녀가 가족이 시장에서 장을 보는 사이에 실종되었다.

모아비트 시장은 브레머 가와 아르미니우스 가가 만나는 모퉁이에 있었다. 창고 크기만 한 큰 빨간 벽돌 건물 내에 있는 모아비트 시장은 모아비트—이 거리에 거주하는 사람들을 일컫는 말—의 노동자 계급들이 치즈, 생선, 식육 가공품, 그 밖의 식량을 사는 곳이었다. 그곳에는 맥주와 소시지를 파는 선술집도 한두 군데 있었다. 그 건물은 언제나 붐볐고, 적어도 여섯 개의 출입구가 있었다. 한가롭게 거닐 만한 곳은 아니었다. 모두가 바쁜 사람들이라 가만히 서서 물건을 고를 여유가 없었다. 그리고 어쨌든 모아비트에는 그렇게 고를 만한 상품이 많지 않았다. 그래서 내 옷차림과 느긋한 태도가 사람들의 이목을 끌었다.

우리는 리차 간츠가 이곳에서 사라졌다는 것을 알게 되었다. 생선 장수가 주인 없는 쇼핑백을 발견했고, 후에 리차의 어머니가 그 쇼핑백이 딸의 것임을 확인해 주었다.

단서는 그것뿐으로 목격자는 전혀 없었다. 모아비트의 사람들은 우리가 실종된 소녀를 찾는 경찰이라는 사실 이외에 별다른 관심을 보이지 않았고, 그것도 단순한 호기심에 지나지 않았다.

9월 30일 금요일

오후에 나는 프린츠 알브레히트 가의 게슈타포 본부로 호출되었다. 정문을 통과할 때 트럭 타이어를 연상케 하는 소용돌이 같은 대좌에 앉아 자수를 하고 있는 여자 동상이 힐끗 보였다. 그녀의 머리 위에는 두 천사가 날고 있었는데, 한 천사는 머리를 긁적이고 있었고, 다른 천사는 어리둥절한 표정을 짓고 있었다. 게슈타포가 왜 자신들의 본부로 이 특별한 건물을 골랐는지 두 천사가 궁금해하고 있으리라는 것이 내 추측이었다. 표면적으로, 예전에 프린츠 알브레히트 가 8번지를 차지했던 예술 학교와 현재 이곳을 점거중인 게슈타포와의 사이에는 사물을 틀에 끼워 맞춘다는 분명한 농담 이상의 이렇다 할 공통점은 없어 보였다. 그러나 그보다도 내가 궁금한 점은 하이드리히가 왜 근처 빌헬름 가에 있는 프린츠 알브레히트 궁이 아닌 이곳으로 나를 호출했는가 하는 것이었다. 뭔가 이유가 있는 게 틀림없었다. 하이드리히가 하는 모든 일에는 이유가 있었고, 나는 내가 여태 들어왔던 다른 모든 것들만큼이나 이번 호출에 반감이 생길 거라는 확실한 느낌이 들었다.

정문을 지나 보안 검색을 받은 다음 다시 계속 걷자 수도교만큼이나 거대한 계단 발치가 나왔다. 계단 꼭대기에 이르자 기관차가 통과

할 만한 크기의 아치식 창문 세 개가 나 있는 아치형 천장의 대기 홀이 나타났다. 각 창문 밑에는 교회에서나 볼 수 있는 나무 의자가 놓여 있었고, 나는 지시라도 받은 것처럼 그 의자에 앉아서 기다렸다. 각 창문 사이에 놓인 대좌에는 히틀러와 괴링의 흉상이 놓여 있었다. 원래 게슈타포의 주인이었던 헤르만 괴링과 현재 주인인 힘러가 서로를 얼마나 싫어하는지 생각하면 힘러가 뚱뚱보 헤르만의 머리를 거기에 남겨 두었다는 점은 약간 의아했다. 아마 힘러는 조각상의 예술적인 면에 감탄했을 뿐이 아닐까. 그런 게 가능하다면 힘러의 아내는 랍비의 딸일지도 모른다.

거의 한 시간이 흐른 뒤 하이드리히가 드디어 내 앞에 있는 문에서 모습을 드러냈다. 그는 서류 가방을 들고 있었고, 나를 보자 손을 휘저어 자신의 친위대 부관을 물렸다.

"귄터 경감," 내 계급을 소리 내어 말한 그는 그 호칭을 약간 재미있어하는 것 같았다. 그가 나를 홀 앞쪽으로 안내했다. "난 우리가 전에 그랬던 것처럼 다시 한 번 정원을 걸을 수 있을 거라 생각했지. 빌헬름 가로 가는 길인데 같이 가는 게 어떻겠소?"

우리는 아치형 출입문을 지나 예전 조각가의 작업장이자 현재는 게슈타포의 감방으로 쓰이는, 악명 높은 남쪽 동으로 통하는 또 하나의 거대한 계단을 내려갔다. 나는 잠시 그곳에 구금된 적이 있었기 때문에 그곳을 잘 알고 있었다. 우리가 문 하나를 통과해 다시 바깥으로 나와 옥외에 섰을 때 나는 크게 안도했다. 하이드리히가 어떻게 나올지 누가 확신하겠는가.

그는 자신의 롤렉스 시계를 힐끗 쳐다보고 잠시 말없이 서 있었다.

창백한 범죄자
—
243

내가 입을 열려고 하자 그가 거의 음모라도 꾸미는 사람처럼 들어 올린 집게손가락을 얇은 입술에 갖다 댔다. 우리는 선 채로 기다렸지만 무엇을 기다리고 있는지 감도 잡을 수 없었다.

일이 분쯤 후 일제사격을 하는 소리가 정원에 울려 퍼졌다. 이내 다시 한 번. 그리고 다시 한 번. 하이드리히가 다시 손목시계를 들여다보더니 고개를 끄덕이고 미소를 지었다.

"갈까?" 그가 그렇게 말하고 자갈이 깔린 오솔길을 성큼성큼 걷기 시작했다.

"나에게 들려주려고 기다린 겁니까?" 나는 그렇다는 것을 아주 잘 알면서 그렇게 물었다.

"총살 소리?" 그가 싱긋 웃었다. "아니오, 아니야, 귄터 경감. 상상력이 지나치군. 게다가 난 권력의 실제 모습을 사람들에게 보여 줄 필요까지는 없다고 생각하지. 내가 시간에 엄격한 사람이기 때문이오. 왕들에게 시간 엄수는 미덕이라고 하지만 경찰에게 시간 엄수는 행정 능력의 단순한 특질이오. 그러니까 총통이 기차를 정시에 운행하게 할 수 있다면 최소한 나는 신부 몇 명을 총살하기로 한 시간을 지켜야겠지."

어쨌든 나는 그게 권력의 실제 모습이라고 생각했다. 4B1 부서의 돌격대지도자 로트와 나의 반목에 대해 알고 있다는 것을 나에게 알리는 하이드리히의 방식이었다.

"처형은 새벽에 처해지지 않습니까?"

"이웃에서 불평을 하더군."

"신부들이라고 하신 것 같습니다만."

"가톨릭 교회는 볼셰비즘이나 유대교만큼이나 국제적 음모와 같아, 귄터. 마르틴 루터가 종교 개혁을 이끌었듯이 총통이 또 다른 개혁을 이끌 것이오. 총통은 독일 가톨릭에 대한 로마 가톨릭의 권한을 없앨 생각이지. 신부들이 허락하든 말든. 하지만 그러기에는 또 다른 문제가 있고, 내가 할 수 있는 최선의 방법은 그런 일을 수행하는 데 정통한 사람들에게 맡기는 거요.

당신에게 하고 싶은 말은, 지금 당신이 맡고 있는 사건을 대중에게 공표하라는 괴벨스와 그의 선정성 패거리들에게 내가 아주 심한 압박을 받고 있다는 것이오. 난 더 이상 그들을 어떻게 막아야 할지 모르겠소."

"내가 이 사건을 처음 맡았을 때 말입니다, 장군." 내가 담배에 불을 붙이며 말했다. "보도를 막는 것에 반대했습니다. 지금은 범인이 언론의 관심을 받고 싶어 한다는 걸 확신하고 있습니다."

"그래, 슈트라이허와 그의 반유대주의자 패거리들이 수도의 유대인 공동체를 와해할 목적으로 어떤 음모를 획책하고 있을지도 모른다는 가정하에 당신이 수사하고 있다는 말을 네베에게 들었소."

"슈트라이허가 어떤 인물인지 모른다면 그 말이 어이없이 들릴 겁니다, 장군."

멈춰 선 그가 바지 주머니에 손을 깊숙이 찌르고 머리를 저었다.

"그 바이에른 돼지에 관해서라면 이제 내가 놀랄 게 없소." 그는 부츠 끝에 앉은 비둘기에게 발길질을 했지만 건드리진 못했다. "어쨌든 더 듣고 싶군."

"지난주 또 한 소녀가 실종돼서 그 소녀의 학교로 탐문 수사를 나갔습니다. 수사중에 학교 밖에서 어떤 소녀를 차에 태우려고 한 남자가 있었다는 사실을 알게 됐죠. 그 소녀는 그 남자가 슈트라이허일지도 모른다더군요. 게다가 그 아이는 그자의 말투가 바이에른 억양일지도 모른다고 했습니다. 또 다른 실종 소녀의 시체가 있는 곳을 제보한 익명의 전화를 받은 당직 경사 역시 전화를 건 사람의 말투가 바이에른 억양이었다고 하더군요.

게다가 동기도 있습니다. 지난달 뉘른베르크 사람들이 시내 유대교 회당을 불태웠답니다. 하지만 이곳 베를린에서는 창문 몇 장이 깨졌을 뿐이고, 심한 경우라면 폭행이 몇 건 있었죠. 슈트라이허는 뉘른베르크에서 자신들이 한 짓으로 베를린의 유대인들이 당하는 꼴을 보고 싶었을 겁니다.

더욱이 《데어 슈튀르머》에 실린 의식 살인에 대한 강박과 범인의 방식을 비교하지 않을 수 없더군요. 그 모든 것에 슈트라이허의 평판을 더하면 어떤 양상을 띠기 시작합니다."

하이드리히는 비엔나 승마 학교에서 배운 대로, 말을 타는 것처럼 양팔을 몸에 붙이고 앞으로 빠르게 나가다가 나를 향해 돌아섰다. 그의 얼굴에는 격정적인 미소가 드리워 있었다.

"나는 슈트라이허의 몰락을 보면 기뻐할 사람을 한 명 알고 있지. 그 개자식은 수상을 무기력하다고 비난하는 연설을 해 왔소. 괴링이 그것 때문에 극도로 화가 나 있지. 하지만 아직 충분한 증거를 확보하지 못했다고 들었는데?"

"그렇습니다. 일단 문제는 증인이 유대인이란 점입니다." 하이드리히가 신음 소리를 냈다. "그리고 물론 나머지 사항은 대개 추측일 뿐이죠."

"그럼에도 난 당신의 추측이 마음에 드는군, 귄터. 아주 마음에 들어."

"상기시켜 드리자면 교살범 고르만을 잡는 데 육 개월이 걸렸죠. 이 사건은 아직 한 달도 지나지 않았습니다."

"유감이지만 우리에게 육 개월이란 시간은 없소. 증거의 일부를 가져오시오. 그러면 내가 괴벨스의 입을 다물게 할 수 있소. 하지만 빠른 시간 내에 가져와야 할 것이오, 귄터. 한 달의 유예를 주지. 넉넉히 잡아도 육 주 이내에. 알겠소?"

"네, 장군."

"내가 도와줄 일이 있소?"

"게슈타포가 이십사 시간 율리우스 슈트라이허를 감시하게 해 주십시오. 그의 모든 사업 활동과 인맥에 관한 비밀 수사를 포함해서."

하이드리히가 팔짱을 끼고 긴 턱에 손을 갖다 댔다. "그것에 관해서는 힘러와 얘기를 해 봐야 할 거요. 하지만 별문제 없겠지. 국가지도자는 유대인을 혐오하는 만큼 부패도 싫어하니까."

"그렇다면 큰 힘이 될 겁니다, 장군."

우리는 프린츠 알브레히트 궁을 향해 걸었다.

"그건 그렇고," 자신의 본부에 가까워졌을 때 그가 입을 열었다. "나는 막 우리 모두에게 영향을 끼칠 중요한 뉴스를 들었소. 영국과 프랑스가 뮌헨회담에서 사인을 했다는군. 총통이 수데텐을 손에 넣은 셈이지." 그가 놀랐다는 듯이 머리를 저었다. "기적 아닌가?"

"기적이고말고요." 내가 중얼거리듯 말했다.

"음, 그게 무슨 뜻인지 이해하시오? 전쟁이 없을 거라는 뜻이지. 적어도 당분간은."

나는 어색한 미소를 지었다. "네, 정말 반가운 뉴스군요."

나는 완벽하게 이해하고 있었다. 전쟁이 일어날 일은 없었다. 영국으로부터 어떤 신호도 받지 못할 거라는 뜻이었다. 신호 없이는 쿠데타도 없을 거라는 뜻이었다.

2부

15

10월 17일 월요일

알렉스로 걸려 온 두 번째 익명 전화로 리차 간츠의 시체가 있는 곳을 알게 되었다. 간츠 가족은 비테나우 남부 비르켄 가의 간츠 부인이 간호사로 일하고 있는 로베르트 코흐 병원 바로 뒤편 작은 아파트에 살고 있었다. 간츠 씨는 집에서 가까운 모아비트 지방법원의 서기로 근무중이었다.

베커의 말에 따르면 그들은 삼십대 후반의 근면한 부부로, 두 사람 모두 장시간 일을 하곤 했기 때문에 리차 간츠는 혼자 남겨진 경우가 많았다고 했다. 하지만 알렉스의 해부대에 벌거벗은 채로 누워 있는 피해자를 본 순간 나는 그녀가 한 번도 혼자 남겨진 적이 없었던 것처럼 생각되었다. 처녀성 검사부터 위 속에 남겨진 내용물에 이르기까지 피해자에 대한 모든 것을 알아내기 위해 그녀의 각 부위가 절개된 후 다시 봉합되어 있었다. 하지만 내가 의심한 바를 확인해 준 것은 입속의 내용물이었다.

"어떻게 생각하나, 베르니?" 일만이 물었었다.

"누구나 당신처럼 담배를 잘 마는 건 아니죠. 보통은 담배 가루가 혀에 남을 겁니다. 입술 안쪽에나. 차 안의 남자를 봤다는 유대인 소녀는 그가 피우는 담배에서 월계수 잎이나 허브 냄새 같은 달콤한 향이 났다고 했죠. 그 아이는 해시시를 말한 겁니다. 그게 아마 소란을 떨지 않고 피해자들을 데리고 간 미끼였겠죠. 피해자들에게 담배를 주면서 어른 대우를 한 겁니다. 피해자들이 생각한 담배가 아니었을 뿐이죠."

일만이 명백히 놀란 표정으로 머리를 저었다.

"그걸 놓치다니. 늙은 게 틀림없어."

베커가 차 문을 탁 닫으며 보도 위에 서 있는 내게 다가왔다.

아파트 아래층에는 약국이 있었다. 나는 약이 필요해질 것 같은 느낌이 들었다.

우리는 계단을 올라 문을 두드렸다. 문을 연 남자는 어두운 안색에 성말라 보였다. 베커를 알아본 그가 한숨을 내쉬며 아내를 불렀다. 이내 그가 집 안쪽을 돌아보았고, 나는 그가 인상을 쓰고 고개를 끄덕이는 것을 보았다.

"나와 보는 게 좋겠소." 그가 말했다.

나는 그를 가까이에서 보았다. 얼굴에 붉은 기가 남아 있었다. 내가 그의 곁을 지나 집 안으로 들어갔을 때 그의 이마에 맺힌 작은 땀방울이 보였다. 집 안에서 느껴지는 온기와 비누 향으로 보아 그는 이제 막 목욕을 끝낸 듯했다.

문을 닫은 다음 우리를 앞지른 간츠 씨가 그의 아내가 말없이 서 있는 작은 거실로 우리를 안내했다. 키가 큰 그녀는 실내에서 지나치게 많은 시간을 보낸 것처럼 안색이 창백했고, 우리가 오기 전까지 울고 있었던 게 분명했다. 손에 쥔 손수건이 아직 젖어 있었다. 아내보다 작은 간츠 씨가 그녀의 넓은 어깨를 팔로 감쌌다.

"이분은 알렉스의 귄터 경감입니다." 베커가 말했다.

"간츠 씨, 간츠 부인," 내가 말했다. "나쁜 소식을 전해 드리게 돼서 죄송합니다. 오늘 아침 일찍 따님 리차의 시체를 발견했습니다. 유감입니다." 진지한 표정을 짓고 있는 베커가 고개를 끄덕였다.

"네." 간츠가 말했다. "그런 것 같았습니다."

"당연히 신원 확인을 해야 합니다." 내가 그에게 말했다. "하지만 당장 하실 필요는 없습니다. 두 분의 마음이 가라앉은 이후라도 괜찮습니다." 나는 간츠 부인이 울음을 터뜨릴 것이라고 예상했지만 잠시나마 그녀는 마음을 굳게 먹기로 한 것 같았다. 괴로움과 고통에 꽤 단련이 된 간호사이기 때문에 참을 수 있는 걸까? 자신의 고통조차도? "앉아도 되겠습니까?"

"네, 그러십시오." 간츠가 말했다.

나는 베커에게 네 사람분의 커피를 타 오라고 말했다. 그는 잠시나마 비탄에 빠진 분위기에서 벗어나길 갈망하듯 민첩한 동작으로 거실에서 나갔다.

"그 애를 어디서 찾으셨습니까?" 간츠가 말했다.

편하게 대답할 만한 질문은 아니었다. 부모에게 벌거벗은 딸의 시체를 카이저 빌헬름 가의 폐기된 차고 내 폐타이어를 쌓아 둔 곳에서 발견했다고 어떻게 말할 것인가? 나는 끔찍하게 들릴 내용은 피하고 차고의 위치 정도를 그에게 말해 주었다. 이 말에 두 부부가 의미 있는 시선을 주고받았다.

간츠가 아내의 무릎에 손을 얹었다. 말이 없는 그녀는 멍해 보이기조차 해서 베커가 타고 있는 커피는 오히려 내가 더 필요할 것 같았다.

"누가 그 애를 죽였는지 아시는 거라도 있습니까?" 그가 물었다.

"저희는 수많은 가능성을 염두에 두고 수사중입니다." 경찰에 있었을 때 하던 이 진부한 말을 생각해 내고 말했다. "저희가 할 수 있는 모든 수사를 하고 있습니다."

간츠의 미간 주름이 깊어졌다. 그가 화가 난다는 듯 머리를 흔들었다. "왜 신문에 기사가 나지 않았는지 도저히 이해할 수 없습니다."

"모방 범죄를 미연에 방지하는 게 중요합니다. 이런 사건은 모방자가 나오는 경우가 많죠."

"여자애들이 더 살해당하지 않도록 막는 것도 중요하지 않나요?" 간츠 부인이 말했다. 표정에 분노가 어려 있었다. "사실 그렇지 않나요? 많은 여자애가 살해당했어요. 사람들 말로는 그래요. 경찰이 기사가 나는 것을 막을 수 있을지는 몰라도 사람들이 떠드는 건 막을 수 없을 거예요."

"소녀들에게 주의를 촉구하는 선전성의 활동이 쭉 행해지고 있었습니다."

"드러나게 도움이 된 것 같진 않군요. 아닙니까?" 간츠가 말했다. "리차는 똑똑한 아이였습니다, 경감님. 어리석은 짓을 할 아이가 아니었어요. 그러니까 이 범인은 아주 영리한 게 틀림없습니다. 제 생각엔 여자애들이 적절하게 경계하게 하기 위해서는 끔찍한 내용의 유인물을 뿌리는 게 유일한 방법입니다. 겁을 먹도록."

"선생님 말씀이 옳을지도 모릅니다." 내가 씁쓸하다는 듯이 말했다. "하지만 그건 제가 결정할 일이 아닙니다. 저는 명령에 따를 뿐입니다." 그것은 요즘 일어나는 모든 일에 독일인이 쓰는 전형적인 핑계의 말이었고, 나는 그 말을 한 것에 부끄러움을 느꼈다.

베커가 주방 문에서 머리를 내밀었다.

"잠깐 저 좀 보시겠습니까, 경감님?"

이번엔 내가 거실에서 벗어날 수 있어서 기뻐할 차례였다.

"뭐가 문제지?" 내가 짜증스럽게 물었다. "주전자에 물을 끓이는 방법을 잊어버리기라도 했나?"

그가 내게 《푈키셔 베오바흐터》에서 오린 신문 조각을 건넸다. "이걸 보십시오, 경감님. 이 서랍 안에서 찾았습니다."

'사립탐정 롤프 포겔만. 실종자 수색 전문'이라는 광고를 오린 것으로 브루노 슈탈레커가 이러쿵저러쿵했던 것과 똑같은 광고였다.

베커가 오려진 종이 위에 쓰인 날짜를 가리켰다. "10월 3일입니다." 그가 말했다. "리차 간츠가 실종된 후 나흘째 날이죠."

"경찰의 수사 진척을 기다리다 지친 사람이 적지 않을 걸세." 내가 말했다. "내가 저 일로 생계를 꾸려 나갔었지."

베커가 컵과 컵 받침을 모아 커피포트와 함께 그것들을 쟁반 위에 올렸다. "저 부부가 그를 고용했을 것 같습니까?"

"물어서 해될 건 없겠지."

간츠는 탐정에게 일을 의뢰하는 것을 개의치 않는 사람이었다.

"제가 말씀드린 것처럼, 경감님, 신문에는 우리 딸에 대한 기사가 한 줄도 나와 있지 않은 데다 저희는 여기서 경찰을 두 번 만났을 뿐입니다. 시간이 지남에 따라 과연 딸을 찾을 수 있을지 의심스러웠습니다. 막막하다는 건 미칠 노릇이죠. 우린 포겔만 **씨**를 고용하면 어떨지 생각했습니다. 그렇다면 적어도 누군가는 그 애를 찾으려고 애쓰고 있다는 사실을 알 테니까요. 무례하게 굴 생각은 아니지만 경감님, 어쩔 수 없었습니다."

나는 커피를 한 모금 마시고 고개를 저었다.

"충분히 이해합니다. 저라도 같은 일을 했을 겁니다. 이 포겔만이라는 사람이 따님을 찾았더라면 좋았을 겁니다."

감탄할 만한 부부였다. 사립탐정을 고용할 형편이 아니었을 텐데도 부부는 포기하지 않았고, 탐정을 고용했다. 모아 둔 저금을 털었는지도 몰랐다.

커피를 다 마시고 자리에서 일어나며 나는 간츠 씨에게 내일 아침 일찍 경찰차를 보낼 테니 알렉스에 와서 시신을 확인해 달라고 부탁했다.

"친절에 감사드려요, 경감님." 간츠 부인이 미소를 지으려고 애쓰며 말했다. "저희에게 친절하게 대해 주셔서 감사해요."

그녀의 남편이 동의의 표시로 고개를 끄덕였다. 열린 문가에서 서성이는 그는 우리의 뒷모습을 보고 싶어 안달이 난 것 같았다.

"포겔만 씨는 우리에게서 돈을 받지 않았어요. 그리고 경감님은 남편을 위해 차를 보내 주신다고 하고요. 뭐라고 감사를 드려야 할지 모르겠군요."

나는 동정을 느끼며 그녀의 손을 꽉 쥐었다. 그리고 우리는 그곳을 떠났다.

나는 아래층 약국에서 가루약을 사 차 안에서 그 약을 꿀꺽 삼켰다. 베커가 나를 역겹다는 듯이 쳐다보았다.

"맙소사, 어떻게 물도 없이 삼키실 수 있는지 모르겠군요." 그가 진저리를 치면서 말했다.

"이러면 효과가 빠르지. 탐문이 끝난 바로 뒤에는 쓴맛도 느낄 수 없네. 난 나쁜 소식을 전하는 게 싫어." 나는 입가에 묻은 가루약을 핥았다. "그래서? 어떻게 생각하나? 전처럼 어떤 감이 오나?"

"네, 그는 아내에게 뭔가 의미 있는 표정을 짓고 있었습니다."

"자네도 그랬지. 다른 뜻에서 말이야." 기가 막힌 내가 머리를 저으며 말했다.

베커가 씩 웃었다. "나쁘지 않던데요?"

"침대에서의 그녀를 말하는 거겠지, 아닌가?"

"저보다는 경감님이 좋아하실 타입이라고 생각했는데요."

"그래? 왜 그렇게 생각하지?"

"아시잖습니까. 친절에 반응하는 타입."

두통에도 불구하고 나는 웃음을 터뜨렸다. "나쁜 소식에는 덜 반응하는 것 같던데. 음울한 얼굴의 경찰이 방문했는데도 그녀의 표정은 한창 생리중인 것으로밖에 보이지 않더군."

"그 여자는 간호사입니다. 그들은 나쁜 소식을 접하는 데 익숙하죠."

"그런 생각도 들었지만 나는 그녀가 이미 울 만큼 운 것 같다고 생각하네. 그것도 우리가 방문하기 조금 전에. 이르마 한케의 어머니는 어땠지? 그녀가 울었던가?"

"맙소사, 아니요. 유대인 은행장만큼이나 딱딱해 보였죠. 처음 만났을 때 코를 훌쩍이는 정도였던 것 같습니다. 하지만 그들도 간츠 부부와 같은 분위기를 풍기고 있었습니다."

나는 손목시계를 보았다. "한잔해야 할 것 같지 않나?"

우리는 알렉산더 가에 있는 케르카우 카페로 차를 몰았다. 육십 대의 당구대를 갖춘 그 카페는 수많은 알렉스 경찰들이 비번일 때 기분을 풀러 가는 곳이었다.

나는 맥주 두 병을 사서 베커가 연습 삼아 공을 치고 있는 당구대로 갔다.

"당구, 치십니까?" 그가 물었다.

"나를 상대로 몸을 풀어 보겠다고? 이곳은 내 거실이나 다름없었지." 나는 큐를 들고 베커가 친 큐볼을 눈으로 좇았다. 그 공이 빨간색 공을 맞힌 다음 벽을 맞고 나와 하얀색 공을 때렸다.

"돈을 좀 걸까요?"

"잘못 쳤군. 다음 공을 어떻게 줄 세워야 하는지 더 배워야겠어. 지금 만약 그 공을 놓쳤다면……,"

"운이 좋았을 뿐이죠." 베커가 인정했다. 그가 몸을 숙이고 공에서 오십 센티미터는 벗어날 것 같은 어설픈 포즈로 큐를 잡았다.

나는 혀를 찼다. "자네가 쥔 건 당구 큐지 맹인용 지팡이가 아니야. 돈을 잃고 싶은가? 이봐, 그래도 좋다면 한 게임당 오 마르크를 걸지."

그가 엷은 미소를 지으며 어깨를 풀었다.

"20점 내기로 할까요?"

나는 선공을 점했지만 첫 샷을 실패했다. 그 후 나는 애나 보고 있는 게 나았을 뻔했다. 베커는 어렸을 때 보이스카우트에나 들었던 게 아님이 분명했다. 네 게임의 승부 끝에 나는 당구대 위에 이십 마르크짜리 한 장을 던지고 나서 항복했다. 베커가 그 돈을 다시 내게 던졌다.

"됐습니다. 경감님이 자초하신 거죠."

"자네가 배워야 할 건 따로 있었군. 내기는 내기야. 돈을 딸 생각이 없었다면 돈을 걸지 말았어야지. 날 봐준 상대는 자기가 져도 나 또한 자신을 봐줄 거라는 기대를 하게 되지. 그건 사람을 불안하게 만들 뿐이야."

"좋은 충고처럼 들리는군요." 그가 주머니에 돈을 쑤셔 넣었다.

"비즈니스 같다고 할까." 내가 말을 이었다. "절대 공짜로 일하지 말게. 돈을 받지 않는 일이란 대단찮은 일이 될 수밖에 없어." 나는 큐를 큐 걸이에 다시 갖다 놓고 맥주를 비웠다. "무보수로 일하는 게 행복하다는 사람은 믿지 말게."

"탐정 생활을 하면서 배우신 겁니까?"

"아니, 훌륭한 비즈니스맨으로서 터득한 거야. 그리고 자네가 말을 꺼냈으니 하는 말인데, 실종된 여학생 찾는 일을 맡아 놓고 수수료를 포기하는 탐정은 왠지 마음에 들지 않아."

"롤프 포겔만 말씀이십니까? 하지만 그는 여학생을 찾지 못했습니다."

"뭐, 하나 말해 주지. 요즘 이 도시에서는 많은 사람들이 실종되고 있고, 거기에는 수많은 이유가 있네. 발견될 때도 있지만 꼭 발견되리라는 법은 없어. 만약 내가 실망시킨 의뢰인들에게 보낼 청구서를 모두 찢어 버렸다면 나는 지금쯤 접시나 닦고 있어야 할 거야. 탐정에게는 감상에 젖는 게 허락되지 않아. 돈을 받지 않으면 먹지도 못하지."

"포겔만이라는 사람은 경감님보다 넉넉한가 보죠."

나는 머리를 저었다. "넉넉한 사람이," 나는 접어 둔 포겔만의 광고 지면을 펼치고 다시 그 광고를 들여다보았다. "광고를 내겠나."

16

10월 18일 화요일

그녀였다. 좋아. 금발 머리와 조각 같은 다리를 보아 분명했다. 꾸러미와 쇼핑백을 잔뜩 든 그녀는 마치 생애 마지막 크리스마스 쇼핑을 한 듯 카베데 백화점 회전문을 간신히 빠져나왔다. 손을 들어 택시를 잡다가 쇼핑백을 떨어뜨린 그녀가 허리를 숙여 다시 집어 들었을 때 그녀는 택시 기사가 자신을 지나쳤다는 것을 알았다. 어떻게 그녀를 놓칠 수 있는지. 택시 기사는 짐을 잔뜩 든 힐데가르트 슈타이닝거를 알아챘어야 했다. 그녀는 미용실에서 사는 사람처럼 말끔해 보였다.

차 안에서 그녀가 욕설을 내뱉는 소리를 들은 나는 연석으로 천천히 다가가 조수석 창문을 내렸다.

"태워 드릴까요?"

그녀가 여전히 다른 택시를 찾으며 대답했다. "아니요, 괜찮아요." 그녀는 칵테일파티에서 말을 걸러 다가오는 남자의 어깨 너머로 더 흥미가 끌릴 만한 사람이 없는지 찾는 듯한 모습으로 말했다. 하지만 그런 사람이 없었기 때문에 그녀는 잠시 엷은 미소를 짓고 덧붙였다.

"폐가 될 텐데요."

나는 짐을 싣는 그녀를 돕기 위해 재빨리 차에서 내렸다. 모자, 구두, 향수, 프리드리히 가에 있는 고급 드레스 디자이너에게서 구입한 옷. 그녀는 걱정거리가 생기면 수표책을 최고의 만병통치약처럼 여기는 타입 같았다. 하지만 뭐, 그런 여자는 얼마든지 있다.

"전혀 그렇지 않습니다." 나는 차에 오르는 그녀의 다리를 눈으로 좇다 순간적으로 드러난 스타킹 가터벨트를 짧게나마 감상하며 대답했다. 꿈도 꾸지 마. 나 자신을 일깨웠다. 이 여자는 지나치게 돈이 많이 들 여자였다. 게다가 그녀는 머리가 복잡한 상황이었다. 구두가 핸드백과 어울릴지, 실종된 딸이 어떻게 됐는지 같은 상황으로.

"어디로 모셔다 드릴까요? 댁으로?"

그녀는 내가 프로벨 가에 있는 팔메 여인숙에라도 가자고 한 듯 한숨을 쉬더니 결연한 미소를 짓고 고개를 끄덕였다. 우리는 빌로프 가를 향해 동쪽으로 달렸다.

"수사에 진척이 없어 죄송하군요." 나는 조금 전에 본 그녀의 허벅지의 이미지보다 도로에 집중하려고 애쓰며 진지한 표정으로 말했다.

"기대하지 않았어요." 그녀가 열의 없이 말했다. "이제 거의 사 주쯤 되지 않았나요?"

"희망을 버리지 마십시오."

또 한 번의 한숨. 조금 더 짜증이 섞여 있었다. "그 애를 못 찾을 거예요. 그 애는 죽었어요. 아닌가요? 왜 누구도 인정하지 않죠?"

"시체를 발견한 게 아닌 한 따님은 살아 있습니다, 슈타이닝거 부인." 나는 포츠다머 가를 향해 남쪽으로 방향을 틀었고, 우리는 잠시 침묵을 지켰다. 이내 나는 그녀가 머리를 젓고 계단을 오르는 것처럼 숨을 몰아쉬고 있다는 것을 알아차렸다.

"절 어떻게 평가하실 생각인가요, 경감님?" 그녀가 말했다. "내 딸은 실종됐어요. 아마 죽었겠죠. 그리고 나는 세상 걱정 없다는 듯이 여기서 돈을 써 대고 있어요. 아마 날 비정한 여자라고 생각하시겠죠."

"그렇게 생각하지 않습니다." 나는 그렇게 대답하고 사람마다 이런 상황에 대처하는 방식이 다르며 약간의 쇼핑이 딸의 실종에 대한 걱정을 잊는 데 도움이 될 수 있고, 누구도 당신을 비난할 수 없다는 말들을 늘어놓았다. 내가 설득력 있는 예를 들었다고 생각했을 때쯤 슈테글리츠에 있는 그녀의 아파트에 도착했고, 힐데가르트 슈타이닝거는 눈물을 흘리고 있었다.

나는 차에서 내리는 그녀의 어깨를 잠깐 세게 쥔 다음 말했다. "제 손수건이 샌드위치를 싸는 용도가 아니라면 손수건을 드렸을 겁니다."

그녀는 눈물을 흘리는 와중에 미소를 지으려고 애썼다. "나도 있어요." 그녀는 그렇게 말하며 소매에서 네모난 레이스 수건을 꺼냈다. 그리고 내 손수건을 힐끗 보고 웃음을 터뜨렸다. "정말 샌드위치를 싼 것 같군요."

나는 그녀를 도와 짐을 계단 위로 나른 후 그녀가 잠시 열쇠를 찾는 동안 문 앞에 서 있었다. 문을 열고 그녀가 돌아서서 우아하게 미소를 지었다.

"도와 주셔서 고마워요, 경감님. 정말 친절하시군요."

"이건 아무것도 아니죠." 나는 아무것도 아닌 게 아니라고 생각하며 그렇게 말했다. 다시 차에 타며 생각했다. 커피도 한 잔 대접하지 않다니.

하지만 남자를 택시 운전수 정도로 생각하며 팁조차 주지 않는 여자들은 많았다.

여성용 바야디 향수의 강한 향이 나를 조롱하는 것 같았다. 향수에 전혀 영향을 받지 않는 남자들도 있지만 나에게 여성용 향수는 짧은 가죽 채찍으로 후려치는 것 같았다. 차를 몰고 이십 분에 걸쳐 알렉스로 돌아오는 동안 진공청소기처럼 내가 향수의 분자를 모조리 흡입한 게 아닐까 하는 생각이 들었다.

광고 에이전시 도를란트에서 일하는 친구에게 전화했다. 알렉스 지버스는 전쟁중 알게 된 친구였다.

"알렉스. 자네, 여전히 광고 지면을 사고 있나?"

"그 일이 머리 굴리기를 요구하지 않는 한은."

"일을 즐기는 사람과 대화를 나누는 건 언제나 멋진 일이지."

"다행히 난 돈벌이를 더 즐기네."

몇 분간 잡담을 나눈 뒤 나는 오늘 자 《푈키셔 베오바흐터》를 갖고 있는지 물었다. 그리고 포겔만의 광고가 실린 페이지를 알려 주었다.

"이게 뭐지?" 그가 말했다. "드디어 간신히 20세기로 접어든 이때, 아직도 자네 같은 직종의 사람들이 존재한다는 걸 믿을 수가 없네."

"그 광고는 꽤 오래전부터 적어도 일주일에 두 번은 실렸네." 내가 설명했다. "그런 광고는 비용이 얼마나 들지?"

"그 정도로 많이 실리게 되면 약간은 할인이 되네. 이봐, 그런 광고는 나한테 맡겨. 《푈키셔 베오바흐터》 직원 몇 명을 알지. 자네를 위한 자리를 마련할 수 있을 거야."

"고맙네, 알렉스."

"광고를 내고 싶은가?"

"미안하지만, 알렉스, 이번 사건과 관계가 있어서 물은 거야."

"알겠네. 경쟁자를 염탐하는 건가?"

"비슷한 거지."

나는 슈트라이허와 《데어 슈튀르머》 관계자들에 관한 게슈타포의 보고서를 읽으며 남은 오후를 보냈다. 관구장인 그는 아내 쿠니군데 모르게 아니 자이츠라는 여자 말고도 여러 여자와 관계를 맺고 있었고, 그의 아들 로타어는 명문가 출신의 미트포드라는 영국 여자와 불륜 관계를 맺고 있었다. 《데어 슈튀르머》의 편집장 에른스트 히머는 동성애자였으며, 만화가 필리프 루프레흐트는 전쟁 후 아르헨티나에서 위법행위를 한 적이 있었다. 그 밖에 《슈튀르머》의 기자 중 프리츠 브란트라는 사내는 요나스 볼크라는 이름의 유대인이었다.

이 보고서는 분명히 《데어 슈튀르머》의 추종자들에게 어필할 만큼 매혹적이고 외설적인 읽을거리였지만 슈트라이허와 살인을 결부할 만한 단서와는 거리가 멀었다.

지버스가 다섯시쯤 전화를 걸어와 포겔만이 광고비로 한 달에 삼사백 마르크를 지불하고 있다고 말해 주었다.

"그가 언제부터 그런 쓸데없는 돈을 써 온 거지?"

"7월 초부터. 그가 돈을 내는 건 아니야, 베르니."

"공짜로 광고를 내고 있다는 말은 말게."

"아니, 누군가 다른 사람이 지불하고 있네."

"그래? 누구지?"

"그게 재밌는 점이야, 베르니. 랑게 출판사가 왜 탐정 광고료를 지불하지 않으면 안 되는 걸까?"

"그 말 확실한가?"

"물론이지."

"아주 흥미 있는데, 알렉스. 신세를 졌군."

"만약 광고를 낼 생각이라면 나한테 첫 번째로 연락해야 해, 알겠지?"

"당연하지."

나는 수화기를 내려놓고 다이어리를 펼쳤다. 게르트루데 랑게 부인이 의뢰한 일의 보수 지급일이 적어도 일주일은 지나 있었다. 손목시계를 힐끗 보고 서쪽으로 향하는 차량의 행렬들이 이제 막 늘기 시작했을 거라는 생각이 들었다.

내가 방문했을 때 헤르베르트 가에 있는 그 집은 한창 페인트칠중이었고, 랑게 부인의 가마솥 같은 하녀는 하루 종일 집을 드나드는 사람들 때문에 자리를 뜰 수 없다며 몹시 불평을 해 댔다. 겉보기엔 그래 보이지 않았다. 그녀는 내 기억보다 더 뚱뚱해진 것 같았다.

"부인께서 시간이 되시는지 가서 보고 올 동안 이 홀에서 기다려

요." 그녀가 나에게 말했다. "다른 데는 페인트칠중이니까요. 아무것
도 만지지 말고요." 그녀는 집 안에서 울리는 쾅음에 움찔하더니 통행
에 방해가 되는 페인트투성이 작업복을 입은 남자들에게 욕을 중얼
대고 대리석 바닥에 뒤꿈치를 부딪고 있는 나를 남겨 둔 채 부인을 찾
으러 자리를 떴다.

　페인트칠을 하는 이유를 알 것 같았다. 봄맞이 대청소 대신 매년 페
인트칠을 하는 것이리라. 나는 거대한 라운드 테이블 한복판에 놓인
아르데코풍의 도약하는 연어 동상을 손끝으로 쓸어 보았다. 동상이
먼지로 덮여 있지만 않았더라도 부드러운 촉감을 즐겼을 터였다. 검
은 가마솥이 뒤뚱거리며 홀로 돌아왔을 때 나는 얼굴을 찌푸리고 돌
아보았다. 그녀가 찌푸린 얼굴을 돌려주며 내 앞에 섰다.

　"내가 깨끗하게 닦은 바닥에 당신이 부츠 자국을 낸 거 알아요?" 그
녀가 내 뒷굽이 남긴 검은 자국 몇 개를 가리키며 말했다.

　나는 빈정대는 투로 혀를 찼다.

　"당신이라면 부인을 설득해 바닥을 새로 교체하게도 할 수 있을 겁
니다." 나는 그녀가 따라오라고 말하기 전에 작게 욕설을 내뱉었다고
장담할 수 있었다. 페인트칠 덕에 덜 우중충해 보이는 홀 복도를 따라
거실 겸 사무실로 쓰이는 방의 이중 여닫이문으로 향했다. 이중 턱의
랗게 부인이 개와 함께 예의 긴 등받이 의자에 앉아 나를 기다리고 있
었다. 등받이 의자는 집중할 만한 티끌 같은 무늬가 있어야 눈이 편할
법한 새 천으로 바뀌어 있었다. 자산의 크기가 취향의 고급과 저급을
결정하는 것은 아니지만 자산의 빈곤은 취향을 확연하게 드러내는
법이다.

"어떻게 전화도 없이 오셨죠?" 부인의 목소리가 담배 연기의 막 속에서 무적처럼 우렁차게 울렸다. 그녀가 말을 이으며 활짝 웃었다. "전에 떼인 돈 받아 주는 일 같은 것도 했었나 봐요." 이내 자신이 한 말의 의미를 깨닫고 그녀는 늘어진 턱살을 움켜쥐었다. "맙소사, 내가 수수료를 다 치르지 않았죠?" 다시 활짝 웃으며 자리에서 일어났다. "정말 죄송해요."

"괜찮습니다." 책상으로 다가가 수표책을 꺼내는 그녀를 바라보며 내가 말했다.

"게다가 빠른 일 처리에 적절한 감사의 인사도 못 했군요. 친구들에게 당신이 얼마나 일을 잘 처리했는지 소문을 냈답니다." 그녀가 내게 수표를 건넸다. "약간의 보너스를 포함했어요. 당신이 그 끔찍한 인간을 처리해 줘서 내가 얼마나 안도했는지 몰라요. 편지로 그자가 스스로 목을 맨 것 같다고 하셨죠, 귄터 씨. 누군가가 그자의 목을 맬 수고를 스스로 덜어 준 셈 아니겠어요?" 그녀가 사람들의 눈에 들기 위해 지나치게 발랄하게 연기하는 아마추어 배우처럼 또다시 큰 소리를 내며 웃었다. 그녀의 치아 또한 가짜였다.

"그렇게 볼 수도 있죠." 내가 말했다. 크리포로의 내 빠른 복귀를 위해 하이드리히가 클라우스 헤링을 살해했을지도 모른다는 내 의심을 그녀에게 말해 봐야 소용없었다. 의뢰인들은 설명이 되지 않는 미진한 부분에 크게 관심이 없다. 내 자신이 우선 그들이 떠드는 것을 좋아하지 않는다.

그녀는 자신의 사건으로 말미암아 브루노 슈탈레커 또한 목숨을 잃었다는 사실을 이제야 기억한 것 같았다. 그녀는 웃음을 지우고 얼굴에 애도의 표정을 짓기 시작했다. 그 기억이 그녀에게 또다시 수표책을 꺼내게 했다. 순간 나는 직업상의 위험일 뿐이라며 뭔가 고결한 말을 하려고 생각했다가 브루노의 미망인을 떠올리고 그녀가 서명을 마치길 기다렸다.

"매우 관대하시군요." 내가 말했다. "그의 아내와 아들에게 도움이 될 겁니다."

"그러길 바라요. 그리고 그들을 위해 내가 뭐라도 할 수 있는 게 있다면 알려 주시겠어요?"

나는 알았다고 말했다.

"날 위해 당신이 뭔가 해 줄 게 있어요, 귄터 씨." 부인이 말했다. "내가 당신에게 준 편지가 몇 통 있었죠. 아들이 마지막으로 남은 몇 통을 돌려받고 싶어 해요."

"네, 물론 그래야죠. 잊고 있었습니다." 하지만 그녀는 어떤 편지를 말한 걸까? 내 사무실 서류철에 유일하게 남아 있는 편지들을 말한 걸까? 아니면 라인하르트 랑게가 이미 나머지는 다 회수했다는 뜻일까? 그렇다면 어떻게 손에 넣었을까? 분명히 나는 헤링의 아파트에서 다른 편지들을 한 통도 찾을 수 없었다. 헤링이 갖고 있던 편지들은 어디로 사라진 걸까?

"직접 갖다 드리죠." 내가 말했다. "아드님이 나머지 편지들을 회수했다니 다행이군요."

"네, 그래요." 그녀가 말했다.

역시 그랬다. 그는 편지를 모두 회수했다.

문을 향해 발걸음을 떼기 시작했다. "그럼, 저는 이만 가 보는 게 좋겠군요, 랑게 부인." 나는 수표 두 장을 허공에 흔들어 보이고 지갑에 넣었다. "배려에 감사드립니다."

"별말씀을요."

나는 갑자기 무슨 생각이 난 것처럼 얼굴을 찡그렸다.

"저를 혼란스럽게 하는 게 하나 있습니다." 내가 말했다. "한 가지 여쭤 보죠. 부인의 회사는 롤프 포겔만 탐정 사무소와 무슨 관계가 있습니까?"

"롤프 포겔만?" 그녀가 불편한 표정으로 그 이름을 되풀이했다.

"네, 랑게 출판사가 올 7월 이래 롤프 포겔만의 광고비를 대고 있다는 사실을 아주 우연히 알게 됐습니다. 그에게 의뢰할 이유가 더 많았을 텐데 왜 저에게 의뢰하셨는지 그냥 궁금해서 말입니다."

그녀가 연극적으로 눈을 깜빡이더니 고개를 흔들었다.

"무슨 말씀인지 전혀 모르겠군요."

나는 어깨를 으쓱하고 엷은 미소를 지었다. "뭐, 말씀드린 것처럼 궁금했을 뿐입니다. 중요한 건 아니죠. 회사 관련 수표에는 모두 부인이 서명하시겠죠? 그러니까, 저는 아드님이 부인께 말하지 않고 본인이 서명한 게 아닐까 궁금했을 따름입니다. 전에 말씀하셨듯이 아드님이 아무 말 없이 잡지사를 인수했던 것처럼요. 잡지 이름이 뭐였더라? 우라니아."

랑게 부인은 명백히 당황해 보였고, 얼굴이 빨개지고 있었다. 그녀는 침을 삼키고 입을 열었다.

"라인하르트는 회사 중역이라 자신의 경비용 은행 계좌에는 서명할 수 있어요. 어쨌든 그게 광고비와 어떤 관련이 있는지 설명할 수가 없군요, 귄터 씨."

"뭐, 아드님이 이제 점성술에 질렸나 보죠. 아마 탐정이 되기로 마음먹었나 봅니다. 사실 뭔가를 찾아낼 때 어떤 방법보다 점성술이 좋을 때가 있죠, 랑게 부인."

"그 애를 보게 되면 광고 건에 관해 꼭 물어봐야겠어요. 당신에게 이 정보를 빚졌군요. 그 얘기를 어디서 들었는지 물어봐도 될까요?"

"그 정보 말씀이십니까? 죄송하지만 비밀 엄수가 이 바닥의 원칙이라서요. 이해해 주실 거라 믿습니다."

그녀가 고개를 까딱하고 작별 인사를 했다.

현관홀로 나오자 가마솥이 여전히 내가 자국을 낸 바닥 앞에서 분노를 삭이고 있었다.

"지울 수 있는 방법을 하나 알려 드릴까요?" 내가 말했다.

"뭐죠?" 그녀가 뚱한 목소리로 물었다.

"랑게 부인의 아들이 운영하는 잡지사에 전화를 걸어 봐요. 그가 아마 이 자국을 지울 마법을 펼쳐 보일 수도 있을 겁니다."

17

10월 21일 금요일

내가 처음 힐데가르트 슈타이닝거에게 그 생각을 말했을 때 그녀의 반응은 시들했다.

"즉, 이런 거라는 거군요. 경감님이 내 남편인 척하시겠다고요?"

"그렇습니다."

"일단, 내 남편은 죽었어요. 그리고 경감님은 내 남편과 전혀 닮지 않았어요."

"우선 그 남자는 진짜 슈타이닝거 씨가 죽었다는 사실을 모를 거라고 확신합니다. 그리고 그는 남편분이 어떻게 생겼는지도 모를 게 틀림없습니다."

"그건 그렇고, 도대체 이 롤프 포겔만이라는 사람은 누구죠?"

"이런 수사는 공통 요소라는 패턴을 찾는 데 지나지 않습니다. 여기서 공통 요소는 저희가 밝혀낸 바에 의하면 포겔만이 다른 두 소녀의 부모에게도 고용됐었다는 겁니다."

"또 다른 두 명의 피해자를 말씀하시는 거군요." 그녀가 말했다. "다

베를린 누아르

272

른 소녀들이 실종됐다가 살해된 채 발견된 사실은 저도 알아요. 그런 사건은 신문에 한 줄도 실리지 않지만 알려지기 마련이죠."

"그렇습니다. 두 명의 또 다른 피해자죠." 내가 인정했다.

"하지만 분명 우연일 뿐이에요. 보세요, 저 역시 탐정에게 의뢰하려고 했어요. 돈을 낼 테니 내 딸을 찾아 달라고요. 결국 경찰은 그 애의 흔적조차 찾지 못했어요. 그렇죠?"

"사실입니다. 하지만 단순한 우연이 아닐 수도 있습니다. 그걸 밝혀내고 싶습니다."

"그가 연루됐다고 쳐요. 그렇게 해서 그가 얻는 게 뭐죠?"

"여기서 그의 합리성을 논할 필요까진 없습니다. 그에게 어떤 이득이 있는지까진 모릅니다."

"글쎄요, 저는 경감님 말이 믿기지 않는군요. 그러니까 그가 어떻게 두 가족에게 접촉했다는 거죠?"

"그가 직접 연락한 건 아닙니다. 두 가족은 그가 낸 신문광고를 보고 연락했습니다."

"그가 공통 요소라면 그가 스스로 계획했어야 하지 않나요?"

"아마 그가 그렇게 보이도록 계획했겠죠. 확실한 건 아닙니다. 어쨌든 알고 싶습니다. 그 결과 그가 깨끗하다는 게 증명된다 할지라도."

그녀는 다리를 꼬고 담배에 불을 붙였다.

"그렇게 하시겠습니까?"

"먼저 제 질문에 대답해 주세요, 경감님. 솔직한 대답을 원해요. 적당히 얼버무리시는 데 지쳤어요. 에멜리네가 아직 살아 있다고 생각하세요?"

나는 한숨을 쉬고 머리를 흔들었다. "죽었다고 생각합니다."

"고마워요." 잠시 침묵이 흘렀다. "경감님이 부탁하는 일은 위험하겠죠?"

"아니요. 그렇게 생각하지 않습니다."

"그럼 할게요."

지금 우리는 뉘른부르거 가에 있는 포겔만의 탐정 사무소에서 가정부 같은 비서가 지켜보는 가운데 대기실에 앉아 있었다. 힐데가르트 슈타이닝거는 내 손을 잡고 간간이 사랑하는 사람에게 지을 법한 미소를 내게 보내며 걱정이 가득한 아내의 역할을 완벽하게 해내고 있었다. 그녀는 자신의 결혼반지까지 끼고 있었다. 나 역시 마찬가지였다. 오랜만에 낀 반지는 꽉 끼었고 낯설게 느껴졌다. 빼려면 비누가 필요할 것 같았다.

벽을 통해 피아노 연주 소리가 들려왔다.

"옆 사무실이 음악 교습소예요." 포겔만의 비서가 설명했다. 그녀가 친절하게 미소를 지으며 덧붙였다. "포겔만 씨가 오래 기다리게 하시지 않을 거예요." 오 분 후 우리는 그의 사무실로 안내되었다.

내 경험상 탐정에게는 몇 가지 흔한 병이 있다. 평발, 정맥류, 요통, 알코올의존증, 의심증, 성병. 하지만 그것들 중 어떤 것도, 임질은 예외일지 모르지만, 일을 부탁하러 온 의뢰인에게 나쁜 인상을 줄 성싶지는 않다. 하지만 대단치 않은 병일지라도 의뢰인을 주저하게 할 병이 있는데, 바로 근시다. 만약 실종된 할머니를 찾는 일에 누군가에게 일당 오십 마르크를 낼 생각이라면 적어도 그 일을 할 사람이 자신의 커프스 단추 정도는 충분히 채울 정도는 될 거라는 확신을 갖고 싶으리라. 그런고로 롤프 포겔만이 쓰고 있는 것 같은, 유리병 바닥처럼 두꺼운 안경은 사업상 좋아 보이지 않았다.

한편으로는 추해 보이기까지 했다. 근시가 무언가 특별하고 심각한 신체적 결함까지는 아니고 직업적인 단점이 되는 것도 아니었지만, 전체적으로 불편하게 보이는 포겔만이라도 매일의 모이를 쫄을 정도의 시력은 될 터였다.

나는 '쫄다'라고 표현했고, 그것은 주의 깊게 선택한 말이다. 빗질이 통하지 않을 것 같은 새빨간 곱슬머리, 큼직한 부리 같은 코, 거대한 가슴팍의 포겔만은 그렇게 눈에 띄는 모습 탓에 멸종을 자초했던 선사시대 수탉을 닮았기 때문이었다.

포겔만이 나와 악수를 하기 위해 자리에서 일어나 바지를 가슴까지 추켜올리고 책상에서 성큼성큼 걸어 나왔다. 그는 막 자전거에서 내린 사람처럼 걸었다.

"롤프 포겔만입니다. 두 분을 뵙게 돼서 반갑습니다." 그가 강한 베를린 억양으로 꺽꺽거리듯 말했다.

"슈타이닝거입니다." 내가 말했다. "그리고 이쪽은 제 아내 힐데가르트입니다."

포겔만이 큼직한 테이블 앞에 놓인 안락의자 두 개를 가리켰고, 그가 우리 뒤를 따라 양탄자를 가로지르자 그의 구두에서 찍찍거리는 소리가 났다. 가구가 많은 방은 아니었다. 모자 걸이, 술병이 놓인 카트, 낡아 보이는 긴 소파와 그 뒤 벽과 맞닿은 테이블에 램프 두 개와 책 무더기가 몇 개 있었다.

"이렇게 빨리 만나 주셔서 감사드려요." 힐데가르트가 상냥하게 말했다.

포겔만이 우리 맞은편에 앉았다. 일 미터 폭의 테이블 너머에서조차 나는 그의 굳힌 요구르트 같은 숨결을 느낄 수 있었다.

"남편분께서 따님이 실종됐다고 말씀하셨을 때 당연히 시급한 일일 거라고 생각했습니다." 그는 손바닥으로 메모장을 훑더니 연필을 쥐었다. "정확히 언제 실종됐습니까?"

"9월 22일 목요일이오." 내가 말했다. "그 애는 포츠담에 있는 댄스 교습소에 가느라 저녁 일곱시 반에 집을 나섰습니다. 저희는 슈테글리츠에 삽니다. 수업이 여덟시에 시작하는데 그 애가 오지 않았다더군요." 힐데가르트의 손이 내 손을 잡았고, 나는 그 손을 쥐었다.

포겔만이 끄덕였다. "그럼 거의 한 달 전이군요." 그가 날짜를 계산하듯 말했다. "그렇다면 경찰에는……."

"경찰?" 내가 비통한 목소리로 말했다. "경찰은 아무 조치도 하지 않습니다. 우린 어떤 진행 상황도 듣지 못했죠. 신문에는 기사 한 줄 나지 않습니다. 게다가 에멜리네 또래의 또 다른 소녀들도 실종됐다는 소문을 들었습니다." 나는 잠시 말을 끊었다. "살해된 채로 발견됐죠."

"이것은 거의 명백한 사건입니다." 그가 싸구려 모직 타이의 매듭을 바로잡으며 말했다. "경찰이 실종과 살인에 관한 언론 보도를 금지한 이유는 시민들이 공포에 떨지 않도록 하기 위해서입니다. 모방 사건을 방지하기 위한 목적도 있죠. 하지만 진짜 이유는 단지 연이어 일어나는 사건에 범인을 잡지 못한 자신들의 무능을 감추기 위해서입니다."

나는 힐데가르트가 내 손을 더 세게 움켜쥐는 것을 느꼈다.

"포겔만 씨," 그녀가 말했다. "그 애가 어떻게 됐는지 알 수 없어서 정말 견디기 힘들어요. 살아 있는지 죽었는지만이라도 확실히 알 수 있다면……,"

"이해합니다, 슈타이닝거 부인." 그가 나를 보았다. "제가 따님을 찾길 바라신다면 조사를 시작해 볼까요?"

"그래 주시겠습니까, 포겔만 씨? 저희는 《푈키셔 베오바흐터》에서 당신의 광고를 봤고, 정말이지 당신이 마지막 희망입니다. 가만히 앉아서 기다리는 데 지쳤습니다. 그렇지 않소, 여보?"

"네, 그래요."

"따님 사진을 갖고 계십니까?"

힐데가르트가 핸드백을 열고 전에 도이벨에게 주었던 사진을 그에게 건넸다.

포겔만이 덤덤한 표정으로 사진을 보았다. "예쁘군요. 포츠담에는 뭘 타고 갔죠?"

"기차요."

"그리고 따님이 슈테글리츠의 집과 댄스 교습소 사이 어딘가에서 실종됐다고 생각하시는 거고요. 맞습니까?" 내가 끄덕였다. "집에 어떤 문제라도 있습니까?"

"전혀요." 힐데가르트가 힘주어 말했다.

"그렇다면 학교에서는요?"

우리는 머리를 저었고, 포겔만은 메모장에 무언가를 끄적였다.

창백한 범죄자
—
277

"남자친구가 있습니까?"

내가 힐데가르트를 쳐다보았다.

"없을 거예요." 그녀가 말했다. "그 애의 방을 살펴봤지만 남자친구가 있는 것 같은 기색은 없었어요."

포겔만이 무표정한 얼굴로 고개를 끄덕이더니 발작적으로 기침을 했다. 그가 손수건으로 입가를 누르며 사과했다. 얼굴이 머리털만큼이나 빨개졌다.

"이미 사 주가 흘렀으니 따님이 아는 사람들이나 학교 친구들에게 따님의 소재를 확인해 보셨으리라 생각됩니다." 그가 손수건으로 입가를 훔쳤다.

"물론이에요." 힐데가르트가 딱딱하게 말했다.

"저흰 안 물어본 데가 없습니다." 내가 말했다. "그 애를 찾으려고 집에서 교습소 가는 길을 구석구석 뒤졌지만 아무것도 찾지 못했습니다." 이것은 말 그대로 사실이었다.

"실종됐을 때 어떤 옷을 입고 있었습니까?"

힐데가르트가 그녀의 옷차림을 묘사했다.

"돈은 갖고 있었나요?"

"몇 마르크쯤요. 저금통의 돈은 그대로 남아 있었어요."

"좋습니다. 탐문을 해 보고 뭘 알아낼 수 있는지 보겠습니다. 주소를 가르쳐 주시면 좋겠군요."

나는 그에게 주소를 불러 주고 전화번호까지 알려 주었다. 받아 적기를 마치고 힘겹게 자리에서 일어난 그는 어색한 사춘기 소년처럼 주머니에 손을 찌르고 주위를 서성였다. 그때야 나는 그가 마흔을 넘지 않았으리라고 추측했다.

"집으로 가셔서 제 연락을 기다리십시오. 뭔가 찾게 되는 대로 내일이나 모레쯤 연락드리겠습니다."

우리는 나가려고 자리에서 일어섰다.

"아이가 무사히 발견될 가망성이 있다고 생각하세요?" 힐데가르트가 물었다.

포겔만이 음울한 표정으로 어깨를 으쓱했다. "큰 기대는 하지 마십시오. 어쨌든 최선을 다하겠습니다."

"어떤 일부터 시작하실 생각이십니까?" 궁금해서 내가 물었다.

그가 다시 넥타이 매듭을 체크하고 목젖을 깃 위로 끌어올렸다. 그가 나를 쳐다본 순간 나는 숨을 참았다.

"일단 따님 사진의 복사본을 만드는 일부터 시작할 생각입니다. 그리고 그것들을 뿌려야겠죠. 아시다시피 이 도시에는 가출 청소년이 많습니다. 히틀러 유겐트 같은 조직을 좋아하지 않는 아이들이 적지 않죠. 그 방향으로 시작할 생각입니다, 슈타이닝거 씨." 그가 내 어깨에 손을 올리고 우리를 문으로 안내했다.

"고마워요." 힐데가르트가 말했다. "매우 친절하시군요, 포겔만 씨."

나는 미소를 짓고 정중하게 머리를 끄덕였다. 나에 앞서 힐데가르트가 문밖으로 나갈 때 나는 그가 머리를 숙여 인사하며 그녀의 다리를 힐끗 보는 모습을 보았다. 그를 탓할 순 없었다. 물방울무늬 비단 블라우스 위에 베이지색 울 볼레로, 진홍색 스커트 차림의 그녀는 일년 치 전쟁 배상금 정도의 가치가 있어 보였다. 그녀의 남편인 척하는 것만으로도 기분이 좋았다.

포겔만과 악수를 하고 밖으로 나가는 힐데가르트를 따라 나가면서 내가 정말 그녀의 남편이라면 그녀를 차에 태워 집으로 데려간 뒤 옷을 벗기고 침대로 이끌었을 거라고 생각했다. 실크와 레이스라는 우아하고 관능적인 백일몽을 꾸면서 나는 포겔만의 사무실에서 거리로 나왔다. 힐데가르트의 성적 매력은 일반적으로 떠올릴 수 있는 풍만한 가슴과 엉덩이라기보다 확실한 유선형 몸매였다. 아무래도 내 보잘것없는 남편 판타지는 개연성이 부족했다. 아마 진짜 슈타이닝거 씨에게라면 젊고 아름다운 아내를 차에 태워 집으로 데려간 후 일터인 은행으로 돌아가기 전에 갓 내린 커피 한 잔의 자극 이상은 없었을 게 거의 분명했다. 그것은 혼자 잠을 깨는 남자는 여자를 생각하지만 아내와 잠을 깨는 남자는 아침을 생각한다는 극히 단순한 차이였다.

"그래서 그를 어떻게 생각하세요?" 차를 타고 슈테글리츠로 돌아가는 차 안에서 그녀가 물었다. "겉으로 보기엔 나쁜 사람 같진 않던데요. 사실 매우 호의적이었어요, 정말로요. 분명 경감님 부하들보단 낫더군요. 왜 우리가 연극까지 해야 했는지 모르겠어요."

나는 일이 분 동안 그녀가 마음대로 떠들도록 내버려 두었다.

"그가 보통 당연히 물었어야 했던 질문들을 하지 않았다는 걸 모르겠습니까?"

그녀가 한숨을 쉬었다. "이를테면요?"

"수수료에 대해서는 한마디도 하지 않더군요."

"우리가 돈을 지불할 형편이 안 될 것 같다고 생각했다면 아마 수수료에 대해 언급했을 거예요. 그건 그렇고, 경감님의 이 작은 실험에 들 경비를 저한테 기대하지 마세요."

나는 그녀에게 모든 비용을 크리포가 댈 것이라고 말했다.

검누른 색 담배 판매 차량이 눈에 띄어서 차를 세우고 밖으로 나왔다. 나는 담배 두 갑을 사서 한 갑을 글러브 박스 안에 던져 넣었다. 그녀에게 한 개비를 권하고 나 역시 한 개비를 뽑아 든 다음 그녀와 내 담배에 불을 붙였다.

"그뿐 아니라 그는 에멜리네가 몇 살인지, 어느 학교에 다니는지, 댄스 교습소 선생의 이름이 뭔지, 내가 어디서 일하는지 같은 것들을 묻지 않았습니다. 이상하지 않던가요?"

그녀는 화난 황소처럼 양쪽 콧구멍으로 담배 연기를 내뿜었다. "그다지요. 적어도 경감님이 그 말을 하기 전까지는 이상하다고 생각하지 않았어요." 그녀가 대시보드를 내리치고 욕설을 내뱉었다. "하지만 에멜리네가 어느 학교에 다니는지 물었다면요? 그가 학교를 찾아가 내 진짜 남편이 죽었다는 사실을 알게 된다면 어쩔 셈이죠? 저는 그게 더 궁금하군요."

"그는 가지 않을 겁니다."

"아주 확신하시는군요. 어떻게 알죠?"

"탐정의 생리를 알기 때문이죠. 탐정은 경찰 조사가 끝난 곳에 가서 같은 질문 따위 하지 않습니다. 보통, 경찰과는 다른 방면에서 시작하죠. 경찰들이 틈새를 보기 전에 발품을 팝니다."

"그러니까, 경감님은 롤프 포겔만이 수상쩍다고 생각하세요?"

"네, 그렇습니다. 그에게 감시를 한 명 붙여야 할 만큼."

그녀가 이번엔 조금 더 큰 목소리로 욕설을 내뱉었다.

"두 번째 욕설이군요." 내가 말했다. "왜 그러십니까?"

"왜 안 그러겠어요? 정말이지. 독신녀는 경찰이 수상쩍다고 생각하는 사람에게 주소와 전화번호를 줘도 괜찮으니까요. 덕분에 일상생활에 자극이 생겼군요. 딸은 실종된 데다, 아마 살해됐겠죠. 이제 저는 저 끔찍한 남자가 딸에 대한 잡담을 나누러 어느 날 밤 갑자기 들이닥칠지도 모른다는 걱정을 해야겠군요." 매우 화가 난 그녀는 필터까지 피울 기세로 담배를 빨았다. 하지만 그럼에도 불구하고 레프지우스 가에 있는 아파트에 도착했을 때, 그녀는 이번엔 나를 안으로 들였다.

소파에 앉아 있자니 그녀가 화장실에서 소변을 보는 소리가 들렸다. 전혀 남을 의식하지 않고 소리를 내어 소변을 보는 그녀가 그녀답지 않게 느껴져 이상했다. 내가 들든 말든 관심이 없는 것 같았다. 그녀가 신경 써서 화장실 문을 닫았는지조차 확신이 들지 않았다.

거실로 돌아온 힐데가르트는 맡겨 놓은 것처럼 내게 담배를 요구했다. 몸을 앞으로 내밀고 그녀에게 담배를 흔들자 그녀가 내 손가락에서 담배를 낚아챘다. 그녀는 테이블용 라이터로 직접 담배에 불을 붙이고 나서 참호 속 포병처럼 뻐끔거렸다. 부모님 같은 마음으로 내 앞에서 서성이는 그녀를 관심 있게 지켜보았다. 나는 담배 한 개비를 뽑은 다음 조끼 주머니에서 종이 성냥을 꺼냈다. 힐데가르트가 성냥불을 향해 머리를 숙이는 나를 사나운 눈빛으로 힐끗 보았다.

"형사들은 성냥을 엄지손톱에 그을 거라고 생각했는데요."

"손톱 손질에 오 마르크를 쓰지 않는 무심한 부류나 그렇게 하죠." 내가 하품을 하면서 말했다.

나는 그녀가 지금 어떤 상태에 이르러 있다고 추측했지만 가정용 직물 제품에 관한 히틀러의 취향이 어떤지 알 수 없는 것 이상으로 그게 어떤 상태인지 알 수 없었다. 충분히 시간을 들여 그녀를 다시 바라보았다.

그녀는 보통 남자보다 키가 컸고, 삼십대 초반인데도 그녀 나이의 반쯤밖에 되지 않는 소녀처럼 발가락이 안쪽으로 향하는 안짱다리였다. 가슴도 큰 편은 아니지만 엉덩이는 더 빈약했다. 코는 약간 넓적한 편이라고 할 수 있었고, 입술은 그림자가 질 정도로 두꺼웠으며, 연푸른색 두 눈은 약간 지나치게 모여 있었다. 연약함을 느끼게 하는 것이 있다면 그녀의 성격 정도였다. 하지만 분명히 늘씬한 팔다리에서 느껴지는 아름다움은 호펜가르텐에서 가장 빠른 암말에게서 느껴지는 아름다움과 상통했다. 고삐를 쥐는 어려움도 그 암말과 같으리라. 그럭저럭 안장 위로 오른다 해도 그뿐으로 결승점까지 달리리라는 것은 희망에 불과할 터였다.

"제가 겁에 질렸는지 아닌지 보면 모르시겠어요?" 그녀가 잘 닦인 나무 바닥을 구르며 말했다. "지금 혼자 있고 싶지 않다고요."

"아들 파울은 어디 있습니까?"

"기숙학교로 돌아갔어요. 어쨌든 그 애는 고작 열 살이에요. 그 애더러 나를 돌보러 오라고 부르라고요? 당신 같으면 그러겠어요?" 그녀가 내가 앉은 소파 옆자리에 몸을 던졌다.

"뭐, 저는 며칠 밤 아드님의 방에서 자도 상관없습니다." 내가 말했다. "당신이 정말 무섭다면요."

"그러시겠어요?" 그녀가 기쁘다는 듯이 말했다.

"물론입니다." 내가 속으로 쾌재를 부르며 말했다. "도움이 되어 드릴 수 있어서 기쁠 따름이죠."

"저는 경감님의 기쁨이 되고 싶진 않아요." 그녀가 입꼬리에 미소를 남기며 말했다. "경감님의 임무가 되고 싶죠."

잠시 나는 내가 크리포에서 근무하고 있다는 사실을 거의 잊고 있었다. 그녀 역시 잊고 있다고까지 생각했다. 그녀의 눈가에 눈물이 맺힌 것을 보고서야 그녀가 정말 겁에 질려 있다는 사실을 깨달았다.

18

10월 26일 수요일

"무슨 말씀이신지 모르겠습니다." 코르슈가 말했다. "슈트라이허와 그 패거리는요? 계속 그들을 수사해야 하는 겁니까, 아닙니까?"

"하는 거야." 내가 말했다. "하지만 게슈타포의 감시 결과 우리의 흥미를 끌 만한 게 나오지 않는 한 우리가 해야 할 일은 별로 없겠지."

"그럼 경감님이 그 과부를 돌보는 동안 우리가 뭘 하길 바라십니까?" 베커가 내 짜증을 유발할 듯한 미소를 지으며 말했다. "그러니까 게슈타포의 보고를 확인하는 일과 별도로 말입니다."

나는 힐데가르트와 관련해서 너무 민감하게 반응하지 않기로 마음먹었다. 그런 반응이 오히려 수상쩍게 느껴질 테니까.

"코르슈, 자네는 게슈타포가 하고 있는 수사에서 눈을 떼지 말도록. 그건 그렇고 포겔만에게 붙인 자네 부하에게서는 무슨 보고가 없었나?"

그가 머리를 저었다. "보고드릴 게 많지 않습니다, 경감님. 이 포겔만이라는 작자는 사무실에서 거의 나가지 않습니다. 전혀 탐정 같지 않군요."

"분명히 그렇게 보이지 않긴 하지." 내가 말했다. "베커, 자네는 한 소녀를 찾아오게." 그가 씩 웃으며 구두코를 내려다보았다. "자네에겐 쉬운 일이겠지."

"어떤 소녀 말입니까, 경감님?"

"열다섯에서 열여섯 정도의 나이에 금발, 푸른 눈, 독일 소녀 동맹에 소속돼 있고," 나는 그가 좋아할 말을 덧붙였다. "가급적이면 처녀로."

"마지막 조건이 좀 어려울지도 모르겠군요, 경감님."

"그리고 담력이 세야 할 걸세."

"그 아이를 미끼로 쓸 생각이십니까?"

"그게 호랑이를 사냥하는 최고의 방법이지."

"미끼로 쓰는 염소가 죽는 경우도 있습니다, 경감님."

"말한 것처럼 그 소녀는 배짱도 있어야 할 걸세. 가능한 한 그 애에게 상세하게 사정을 말해 두게. 목숨을 걸 생각이 있다면 자신이 왜 그 일을 하는지 이유를 알아야 하니까."

"그 일을 정확히 어디서 하실 생각이십니까, 경감님?"

"모르네. 우리가 그녀를 잘 지켜볼 수 있는 데를 찾아보게. 우리 모습을 보이지 않고 그녀를 지켜볼 수 있는 곳을." 코르슈가 눈살을 찌푸렸다. "문제 있나?"

그가 은근히 싫은 티를 내며 고개를 저었다. "그 방법이 마음에 안 듭니다, 경감님. 어린 여자를 미끼로 쓰다니요. 너무 잔혹하군요."

"그럼 자네가 제안하는 좋은 방법은 뭔가? 치즈 한 조각?"

"간선도로가 좋겠군요." 베커가 내키는 대로 말했다. "호헨촐레른로 같은 데 말입니다. 통행량이 많으니까 그놈이 그녀를 볼 가능성도 높습니다."

"솔직히 말해서, 경감님, 좀 위험하다고 생각하시지 않습니까?"

"물론 그래. 하지만 이 개자식에 대해 우리가 정말 아는 게 뭐지? 차를 몰고, 제복을 입고, 오스트리아나 바이에른 억양이 있다는 정도야. 그것도 추측에 지나지 않지. 시간이 없다는 사실을 자네들에게 일깨워야 하는 건 아니겠지. 하이드리히가 이 사건을 한 달 내로 해결하라고 했네. 시간은 거의 다 됐고, 우린 빨리 그 방법을 써야 해. 범인에게 다음 희생자를 물색해 주는 게 이 사건에서 주도권을 쥘 수 있는 유일한 방법이야."

"하지만 우린 그놈이 그 미끼를 물길 기다려야 할 겁니다." 코르슈가 말했다.

"나는 그게 쉬울 거라고 말하지 않았다. 호랑이를 사냥하려면 나무 위에서 자야 하지."

"여자애에게는 뭐라고 하죠?" 코르슈가 말을 이었다. "그 애에게 밤낮으로 그 일을 하게 하실 셈입니까?"

"오후에만 할 수 있을 거야." 베커가 말했다. "오후나 이른 아침에. 캄캄한 밤이 아니어야 우리가 그 애를 놓치지 않고 그놈을 볼 수 있을 테니까."

"잘 아는군."

"그런데 포겔만은 이 일과 어떻게 연결되는 겁니까?"

"모르네. 수상한 감이 들 뿐이야. 어쩌면 아무 관련이 없을지도 모르지만 그냥 확인하고 싶을 뿐이야."

베커가 미소 지었다. "형사라면 가끔은 약간의 감을 믿어야 하죠." 그가 말했다.

그 말이 전에 내가 한 진부한 대사라는 걸 깨달았다. "자네는 멋진 형사가 되겠군."

그녀는 철도 검표원만큼이나 대화를 자제하고 이제 곧 청각장애인이 될까 봐 걱정스럽다는 듯이 탐욕스럽게 축음기에서 흘러나오는 질리[42]의 노래를 들었다. 이제야 나는 힐데가르트 슈타이닝거가 만년필만큼이나 자급자족적인 사람이라는 것을 깨달았고, 그녀는 아마 빈 편지지 같은 남자를 선호하리라는 생각이 들었다. 그런 그녀임에도 불구하고 나는 계속해서 그녀의 매력을 발견했다. 내 취향으로 볼 때 그녀는 금실 같은 머리칼, 손톱의 길이, 칫솔질이 영원히 계속될 것 같은 치아에 지나치게 공을 많이 들였다. 그녀는 지나치게 허영심이 강하고 남보다 갑절이나 이기적이었다. 그녀에게 자신의 기쁨과 타인의 기쁨 중에서 하나를 고르라고 한다면 그녀는 자신이 만족하는 것에 모든 이가 행복한 기쁨을 바랄 사람이었다. 그녀가 타인이 자신을 위해 존재한다고 생각하는 것은 무릎반사만큼이나 그녀에게는 자연스러운 반응이었다.

내가 그녀의 아파트에서 머무른 지 엿새째 되던 날, 그녀가 평소처럼 거의 먹을 수 없을 것 같은 저녁 식사를 내왔다.

42. 이탈리아 테너 가수.

"억지로 드시지 않아도 돼요. 요리에는 그다지 소질이 없으니까."

"나도 저녁 손님으로 초대된 적이 그다지 없죠." 나는 그렇게 대답하고 차린 음식 대부분을 먹어 치웠다. 예의를 차리려고 그랬던 것은 아니었다. 배가 고팠기 때문이었고, 전쟁중 참호 속에서 음식에 대해 까다롭게 굴지 않았던 버릇이 몸에 뱄기 때문이었다.

이제 그녀는 축음기를 끄고 하품을 했다.

"자야겠어요."

나는 읽던 책을 한쪽으로 치우고 나도 자러 가겠다고 말했다.

파울의 침대에서 몇 분간 스페인 지도를 들여다본 다음 지도를 벽에 핀으로 고정한 뒤 불을 끄기 전에 콘도르 군단[43]의 행운에 대해 생각했다. 요즘 독일의 모든 남학생은 전투기 조종사가 되길 원하는 것처럼 보였다. 방문을 두드리는 소리가 들렸을 때 나는 막 누우려던 참이었다.

"들어가도 되나요?" 힐데가르트가 벌거벗은 채 문가에서 쭈뼛거리며 말했다. 마치 자신의 몸매를 평가하라는 듯 그녀는 잠시 경탄할 만큼 비율이 좋은 조각상처럼 복도에 비치는 빛의 프레임 안에 서 있었다. 흥부와 음낭을 긴장시키고 나는 그녀가 나를 향해 우아하게 걸어오는 모습을 지켜보았다.

머리와 엉덩이가 작은 반면 다리가 매우 긴 그녀는 어떤 천재 소묘화가가 창조한 사람처럼 보였다. 한 손으로 음부를 가린 이 작은 수줍음의 표현이 나를 매우 흥분시켰다. 나는 잠시 그녀의 작고 둥근 가슴

43. 스페인 내전에 참전한 독일군.

창백한 범죄자
–

을 올려다보았다. 가슴은 완벽한 복숭아 크기였고, 유두는 거의 보이지 않을 정도로 작았다.

나는 몸을 기울여 그녀의 수줍은 손을 치운 다음 부드러운 옆구리를 쥐고 음부를 덮고 있는 윤기 흐르는 음모에 입을 갖다 댔다. 키스를 하려고 몸을 일으키자 나를 향해 뻗는 그녀의 다급한 손이 느껴졌고, 그 손이 내 상의를 걷어 올렸을 때 나는 움찔했다. 점잖고 부드럽다고 하기에는 너무 거칠어서 나는 그에 대한 응답으로 우선 그녀의 얼굴을 침대에 밀어붙이고 그녀의 차가운 엉덩이를 내 앞으로 당겨 내가 좋아하는 자세를 만들었다. 내가 그녀의 몸 안으로 들어가자 그녀는 순간적으로 비명을 질렀고, 우리의 시끄러운 팬터마임이 활기 넘치는 대단원의 막을 내렸을 때 그녀의 입에서 떨리는 한숨이 흘러나왔다.

우리는 얇은 커튼을 통해 새벽빛이 천천히 스며들 때까지 잤다. 나보다 늦게 깬 그녀는 놀랍게도 잠에서 막 깬 차분한 얼굴로 내 성기를 찾더니 거기에 입을 갖다 댔다. 이윽고 자세를 바로 한 그녀가 베개를 베고 누운 다음 허벅지를 벌려 생명이 탄생하는 곳을 내 눈앞에 드러냈고, 나는 그곳을 탐하기 전에 그곳을 핥고 그곳에 키스했다. 그리고 머리와 어깨만 빼고 몸 전체가 그녀 안에 있다는 생각이 들 때까지 열정을 다해 그녀의 몸 안에 다시 내 자신을 밀어 넣었다.

마침내 우리 둘 다 기진맥진했을 때, 그녀가 내 몸을 감싸 안고 울기 시작했다. 그녀가 녹아서 없어져 버리는 게 아닌가 싶은 생각이 들 때까지.

19

10월 29일 토요일

"그 아이디어를 마음에 들어 하실 줄 알았습니다."

"마음에 드는지 잘 모르겠군. 좀 생각할 시간을 주게."

"저 애가 아무 일도 없이 어딘가를 어슬렁거리는 걸 원하지는 않으시겠죠. 놈은 즉시 낌새를 채고 저 애 곁에 얼씬도 하지 않을 겁니다. 자연스럽게 눈길이 가야 합니다."

나는 별다른 확신 없이 고개를 끄덕이고 베커가 찾아내 데리고 온 독일 소녀 동맹의 소녀에게 미소를 지으려고 애썼다. 그녀는 눈에 띄게 예쁜 소녀였고, 베커의 눈길을 끈 것이 그녀의 배짱인지 가슴인지는 알 수 없었다.

"생각해 보십시오, 경감님. 상황을 잘 아시잖습니까. 거리 모퉁이마다 있는 《데어 슈튀르머》 게시대 주위에는 늘 저런 여자애들이 모여듭니다. 그 애들은 유대인 의사들이 독일 처녀에게 최면을 걸어 못 된 짓을 한다는 기사를 보며 값싼 흥분을 즐기려 하죠. 이런 식으로 생각해 보십시오. 다른 어느 곳보다 이 신문 게시대 앞에서 서성거리는 게 저 애한테 덜 지루할 뿐 아니라 슈트라이허나 그의 패거리들 눈에 띄기 더 쉬울 겁니다. 그들이 연루되어 있다면 말이죠."

나는 필시 몇몇 충성 독자들이 만들었을 빨간색 페인트칠이 된 공들인 게시대를 불편한 눈으로 응시했다. 게시대에는 강렬한 구호들이 붙어 있었다. '독일 여성들이여, 유대인들이 당신을 파멸할 것이다.' 그리고 게시대 유리 안에는 펼쳐진 신문 세 페이지가 붙어 있었다. 한 소녀에게 미끼 역할을 요구하는 것만도 충분히 나쁜데, 이런 쓰레기 같은 기사 앞에 노출시키기까지 해야 한다니.

"자네 말이 옳은 것 같군, 베커."

"저를 아시잖습니까. 저 애를 보십시오. 벌써 기사를 읽고 있습니다. 저 애는 저런 기사를 좋아하는 게 분명하다니까요."

"저 애 이름이 뭐지?"

"울리케입니다."

나는 게시대 앞에서 조용히 흥얼거리며 서 있는 소녀에게 걸어갔다.

"네가 해야 할 일이 뭔지 아니, 울리케?" 나는 그녀 곁에서 그녀를 보지 않고 조용히 말을 건넸다. 추악한 유대인이 등장하는 쓰레기 같은 만화에 눈을 고정한 채. 어떤 유대인도 저렇게 생기진 않았다. 유대인의 코는 양의 주둥이만큼이나 컸다.

"네, 아저씨." 그녀가 밝은 목소리로 말했다.

"주위에 경찰이 잔뜩 있단다. 너는 볼 수 없겠지만 모두 너를 주시하고 있지. 알겠니?" 그녀가 고개를 끄덕이는 모습이 게시대 유리에 비쳤다. "아주 용감하구나."

그때 그녀가 아까보다 큰 소리로 다시 노래를 흥얼거리기 시작했고, 나는 그게 히틀러 유겐트 단가라는 걸 깨달았다.

'우리 앞에 휘날리는 우리의 깃발을 보라.
우리의 깃발이 뜻하는 것은 갈등 없는 세상.
우리의 깃발이 우리를 영생으로 이끄네.
우리의 깃발은 우리에게 목숨보다 더 큰 의미.'

나는 베커가 서 있는 곳으로 다시 돌아가 차에 올랐다.

"대단한 소녀 아닙니까, 경감님?"

"확실히 그렇군. 저 애한테 절대 손을 대선 안 돼, 알겠나?"

그의 얼굴은 천진난만했다. "무슨 말씀이십니까, 경감님. 제가 저 계집애를 건드릴 거라고 생각하시는 건 아니겠죠?" 그는 운전석에 올라 시동을 걸었다.

"내 의견을 듣고 싶다면, 자넨 마음만 먹으면 증조할머니라도 겁탈할 친구야." 나는 양쪽 어깨 너머를 힐끗거렸다. "자네 부하들은 어디 있지?"

"저 아파트 일층에 힝첸 경위가 있습니다. 그리고 거리에 두 명이 있죠. 한 명은 모퉁이 묘지에 있고, 한 명은 저 위에서 유리창을 닦고 있습니다. 만약 우리가 찾는 놈이 나타나면 부하들이 잡을 겁니다."

"저 애 부모가 이 일을 알고 있나?"

"네."

"저 애의 부모 중 더 애국심이 있는 쪽에게 허락을 구했겠지?"

창백한 범죄자
—
293

"솔직히 말해 두 사람 다 그런 애국심은 없었습니다. 울리케가 총통과 조국에 봉사하기 위해 이 일을 자원했다고 말했습니다. 저 애가 부모에게 자신을 말리는 건 비애국적인 행동이 될 거라고 했죠. 그래서 부모는 이 일에 관한 한 별다른 선택이 없었습니다. 의지가 강한 애입니다."

"상상이 가는군."

"사람들 말로는 수영도 아주 잘한다더군요. 저 애 선생님이 미래의 올림픽 금메달감이라던데요."

"곤경에서 헤엄쳐 나와야 할 경우에 대비해서 비라도 약간 내리길 바라지."

거실에서 벨 소리를 듣고 창가로 갔다. 창가 앞에서 나는 누가 벨을 누르고 있는지 보려고 몸을 내밀었다. 삼층에서조차 포겔만의 붉은 머리가 눈에 띄었다.

"내가 아주 자주 하는 행동이죠." 힐데가르트가 말했다. "어부의 아내처럼 창밖으로 몸을 내미는 거 말이에요."

"마침 내가 막 물고기 한 마리를 잡은 것 같군요. 포겔만입니다. 그리고 친구도 데려왔습니다."

"경감님이 가서 그들을 안으로 들이는 게 낫지 않겠어요?"

나는 층계참으로 나가 길에 면한 문을 여는 레버를 작동시킨 뒤 층계를 올라오는 두 남자를 지켜보았다. 두 사람 모두 말이 없었다. 포겔만은 그가 자신 있어 하는 장의사 같은 표정으로 힐데가르트의 아파트에 들어섰다. 심한 구취를 숨기는 데 적격인 엄숙한 얼굴을 하고 있었기 때문에 잠시나마 입을 닫고 있어서 다행이었다. 같이 온 사람은 포겔만보다 머리 하나는 작았고, 진지하다 못해 학구적인 분위기를 풍기는 삼십대 중반의 금발 머리, 파란 눈의 사내였다. 포겔만이 모두가 앉기를 기다린 후 오토 란 박사를 소개하고 같이 온 이유에 대해서는 차차 말하겠다고 했다. 그러더니 한숨을 쉬고 머리를 흔들었다.

"따님 에멜리네를 찾는 데 운이 따라 주지 않아 유감입니다. 알아볼 만한 사람 모두에게 알아봤고, 찾아볼 만한 데는 모두 찾아봤습니다. 하지만 소득이 없었습니다. 저희로서도 매우 실망스럽습니다." 그는 잠시 말을 끊었다가 덧붙였다. "당연히 두 분의 실망에 비하면 저희의 실망은 아무것도 아니라는 걸 알고 있습니다. 어쨌든 저희는 따님에 대해 최소한의 흔적이라도 찾을 수 있을 거라고 생각했습니다.

따님을 찾을 수 있는 약간의 실마리라도 있었다면 저는 응당 계속 조사해야 한다고 생각했을 겁니다. 하지만 두 분의 시간과 돈이 낭비되지 않을 거라는 확신을 가질 만한 단서가 전혀 없었습니다."

나는 체념의 표시로 천천히 고개를 끄덕였다. "솔직하게 말씀해 주셔서 감사합니다, 포겔만 씨."

"적어도 최선을 다했습니다, 슈타이닝거 씨." 포겔만이 말했다. "가능한 한 일반적인 범위 내에서 모든 방법을 동원했다고 말씀드렸습니다만 과장이 아닙니다." 그는 목을 가다듬기 위해 말을 멈추더니 이내 사과하고 손수건으로 입을 두드렸다.

"두 분께 이런 말씀을 드리기가 저어되는군요. 부디 저를 경박하다고 생각지 말아 주십시오. 하지만 일반적인 방법이 도움이 되지 않는다고 판명되었을 땐 색다른 방법에 의존하는 것도 나쁠 건 없습니다."

"저희가 당신을 찾아간 것도 일단 그런 이유에서였어요." 힐데가르트가 딱딱하게 말했다. "당신이 말한 일반적인 방법이 우리가 경찰에게서 기대한 것이었죠."

포겔만이 어색한 미소를 지었다. "표현이 서툴렀나 봅니다. 아마 보통의 방법과 특수한 방법이라고 말씀드렸어야 할 걸 그랬나 보군요."

옆에 있던 오토 란이 포겔만을 돕기 위해 나섰다.

"상황이 상황인 만큼 포겔만 씨가 좋은 취지에서 제안해 드리려고 하는 것은 따님을 찾는 데 도움이 될 영매의 힘을 빌려 보시는 걸 고려해 보십사 하는 겁니다." 그의 말투는 교양이 있었고, 다소 빠른 말씨는 프랑크푸르트 근방 어딘가의 출신 같았다.

"영매? 강신론을 말씀하시는 겁니까?" 내가 어깨를 으쓱했다. "저희는 그런 걸 믿지 않습니다." 나는 란이 우리에게 그 아이디어를 팔 목적으로 어떤 말을 할지 듣고 싶었다.

그가 참을성 있게 미소를 지었다. "오늘날 강신론에는 종교적인 색이 거의 없습니다. 지금은 거의 과학에 가깝죠. 강신론은 전쟁 이후 놀라운 속도로 발전해 왔습니다. 특히 최근 십 년 동안에요."

"하지만 불법 아닌가요?" 내가 온순한 말투로 물었다. "헬도르프 백작이 베를린에서 상업적으로 점을 보는 행위를 금지시켰다고 어디에선가 분명히 읽었습니다. 그러니까 1934년 이후로요."

란은 여전히 부드러운 태도였고, 내 말에 전혀 주눅이 들지 않았다.

"정보통이시군요, 슈타이닝거 씨. 그리고 경찰청장이 강신술을 금지시켰다는 말씀이 맞습니다. 어쨌든 그 후 상황이 만족스럽게 해결돼서, 인종적으로 건전한 심령학 전문가라는 직업은 독일 노동당에서 인정한 자영업 부문에 포함되었습니다. 심령학은 그동안 유대인과 집시 같은 혼혈 인종들 때문에 그 이름이 더럽혀져 왔습니다. 그러고 보니 최근에는 총통도 전문 점성술사를 고용했죠. 아시다시피 노스트라다무스 이래 많은 진전이 있었습니다."

포겔만이 고개를 끄덕이며 조용히 미소를 지었다.

라인하르트 랑게가 포겔만의 광고 캠페인에 후원을 한 것이 이런 이유였던 것이다. 와인과 함께 와인 잔까지 팔아먹기. 매우 좋은 작전처럼 보이기도 했다. 탐정이 실종자를 찾는 데 실패하면 오토 란이 나타나 더 강력한 장사 수단으로 옮겨 가게 한다. 그런 다음 이미 명백히 예상하고 있던 사실을 영매를 통해 알아낸 것처럼 하여 처음 지불하려고 한 금액의 몇 배의 돈을 내게 하는 것이었다. 사랑하는 따님은 천사들과 함께 뛰놀고 있습니다.

정말 훌륭한 각본 아닌가. 이 사람들을 감방에 처넣는 일은 즐거우리라. 용서가 되는 사업이 있는 반면 타인의 고통과 슬픔을 먹잇감으로 삼는 자들은 용서할 수 없다. 목발의 겨드랑이에 닿는 부분에 대는 쿠션을 훔치는 것과 같은 짓이다.

"페터," 힐데가르트가 말했다. "우리는 이제 더 잃을 게 없어요."

"나도 그렇게 생각하오."

"그렇게 생각하신다니 기쁘군요." 포겔만이 말했다. "이런 걸 권유해 드리면 의뢰인들께서는 보통 망설이시지만 이번 경우만큼은 거의 선택의 여지가 없습니다."

창백한 범죄자
-
297

"비용이 얼마나 듭니까?"

"에멜리네의 목숨이 달린 일이에요." 힐데가르트가 쏘아붙이듯이 말했다. "어떻게 돈 얘기를 꺼내죠?"

"비용은 아주 합리적입니다." 란이 말했다. "전적으로 만족하시리라 확신합니다. 하지만 비용 문제는 나중에 얘기하시죠. 가장 중요한 건 두 분을 도울 수 있는 사람을 만나는 겁니다.

엄청난 영매 능력이 있는 사람이 있습니다. 그가 도울 수 있을 겁니다. 독일인 현자의 마지막 자손인 그 사람은 조상에게서 물려받은 날카로운 통찰력의 소유자이자 우리 시대에 아주 독특한 존재죠."

"경이롭네요." 힐데가르트가 나직하게 말했다.

"바로 그런 사람이죠." 포겔만이 말했다.

"그러시다면 그를 만날 수 있도록 시간을 잡아 보겠습니다." 란이 말했다. "그가 돌아오는 목요일에 시간이 빈다는 걸 마침 알고 있습니다. 저녁때 괜찮으시겠습니까?"

"네, 괜찮아요."

란이 수첩을 꺼내 끄적이기 시작했다. 그가 쓰기를 마치고 쓴 종이를 찢어 나에게 건넸다.

"이게 주소입니다. 여덟시면 괜찮으시겠습니까? 혹시 시간이 바뀌면 연락드리죠." 내가 고개를 끄덕였다. "다행입니다."

란이 허리를 숙여 서류 가방에서 무언가를 찾는 동안 포겔만이 자리에서 일어섰다. 그가 힐데가르트에게 잡지 한 권을 건넸다.

"아마 이것도 흥미가 있으실 겁니다."

두 사람을 주시하다가 그녀에게 눈길을 돌리자 그녀가 그 잡지에 몰두해 있는 모습이 보였다. 표지를 볼 필요도 없이 그 잡지는 라인하르트 랑게가 발행하는 《우라니아》였다. 그리고 그녀에게 물을 필요도 없이 그녀는 오토 란을 믿고 있었다.

20

11월 3일 목요일

거주자 등록 사무실에서 확인한 결과 오토 란은 예전에 프랑크푸르트 근방 미헬슈타트에서 전입하여 지금은 서 베를린 35지구 티어가르텐 가 8a번지에서 살고 있었다.

범죄 기록과 VC1에 문의해 본 결과 전과는 없었다. VC2 부서의 지명수배자 명단에도 올라 있지 않았다. 기록을 확인하고 가려는 참에 부서장인 바움이라는 돌격대지도자가 나를 자신의 사무실로 불렀다.

"경감, 방금 오토 란이라는 자에 대해 문의했나?"

나는 오토 란이라는 자에 대해 얻을 수 있는 모든 정보가 필요하다고 말했다.

"자네는 어느 부서지?"

"살인과입니다. 어떤 수사에 그의 도움을 얻을 수 있을지도 몰라서 말입니다."

"그렇다면 그가 어떤 범죄를 저질렀다고 의심하는 게 아니군?"

돌격대지도자가 오토 란에 대해 무언가를 알고 있다는 것을 감지하고 속마음을 드러내지 않기로 마음먹었다.

"맙소사, 아니고말고요. 말씀드린 것처럼 중요한 증인이라 그와 연락을 하고 싶을 뿐입니다. 왜 그러십니까? 그런 이름을 들어 보셨습니까?"

"그래, 사실 알지." 그가 말했다. "그냥 아는 사이야. 친위대에 오토 란이라는 자가 있지."

구 프린츠 알브레히트 슈트라세 호텔은 특별할 게 없는 사 층 건물로 아치형 창들과 코린트 양식을 모방한 기둥이 있었고, 이층에는 거대하고 화려한 시계가 걸린 길고 널찍한 두 개의 발코니가 있었다. 고작 일흔 개의 객실은 구 프린츠 알브레히트 슈트라세 호텔이 브리스톨이나 아들론 같은 큰 호텔 수준에 못 미친다는 것을 뜻했고, 아마 그런 이유로 친위대가 그 호텔을 접수한 것일 터였다. 이제 친위대 하우스로 통하는 그 호텔 옆 8번지에는 게슈타포 본부가 있었고, 그 본부는 SS국가지도자 하인리히 힘러의 본부이기도 했다.

이층에 있는 개인 기록 부서에 들어서서 나는 신분증을 제시하고 방문 목적을 설명했다.

"보안 방첩부에서 하이드리히 장군의 개인 참모로 발탁 고려중인 친위대원에 대한 기밀 정보를 얻으려고 왔다."

당직 친위대 상병이 하이드리히의 이름을 듣자 긴장했다.

"무엇을 도와 드리면 되겠습니까?" 그가 열의를 다해 물었다.

"그 사람의 파일을 보고 싶다. 이름은 오토 란이다."

상병이 잠시 기다려 달라고 말한 뒤 그 서류가 들어 있을 법한 서류 캐비닛이 찾으러 옆방으로 들어갔다.

"여기 있습니다." 몇 분 후 그가 파일을 들고 돌아와 말했다. "죄송하지만 이곳에서 보셔야 합니다. 국가지도자의 승인서가 있어야만 이 사무실에서 파일을 가지고 나가실 수 있습니다."

"그건 나도 알아." 내가 차갑게 말했다. "훑어만 볼 거야. 형식적인 보안 확인일 뿐이니까." 나는 몇 걸음 옮겨 사무실 한쪽에 있는 독서대 앞에 서서 파일을 펼쳤다. 흥미 있는 내용이었다.

친위대 하급분대지도자 오토 란. 1904년 2월 18일 오덴발트 미헬슈타트에서 출생. 하이델베르크 대학에서 철학 전공, 1928년 졸업. 1936년 친위대 입대. 1936년 4월 친위대 하급분대지도자로 진급. 1937년 9월 바이에른 남부에 위치한 다하우 강제수용소 관리 부대인 친위대 해골 부대에 배치. 이듬해 1938년 12월 인종 및 식민국으로 이동. 『성배 타도』(1933), 『사탄의 종』(1937)의 저자 및 연설가.

이어 '약간의 기벽이 있지만 성실하다'는 란에 대한 친위대 여단지도자 테오도어 아이케의 평가를 포함하여 신체 및 성격 평가가 몇 페이지에 걸쳐 서술되어 있었다. 그 기벽이라는 평가는 태연하게 사람을 죽이는 것에서 그의 머리 길이에 이르기까지 그 어떤 것도 망라할 수 있는 말이었다.

나는 당직 상병에게 란의 파일을 돌려주고 건물 밖으로 나왔다. 오토 란.

그에 대해 많이 알게 되었고, 그가 단지 정교한 사기꾼이라고만은 믿기지 않았다. 돈뿐만이 아니라 뭔가 다른 목적이 있는 사내였다.

'광적'이라는 말이 부적절한 표현이라고만은 보이지 않는 사내였다. 슈테글리츠로 차를 몰고 돌아오면서 나는 티어가르텐 가에 있는 란의 집을 지나치며 그의 집 현관에 묵시록에 나오는 붉은 음녀淫女와 거대한 짐승이 날아든다고 해도 놀라지 않을 것 같았다.

우리가 쿠르퓌어슈텐담 바로 남쪽으로 차를 달려 카스파르 타이스 가를 지나 그뤼네발트 끝자락에 도착했을 즈음 날은 이미 어둑어둑했다. 이 일대는 대저택의 범주에 들어갈 만한 집들이 늘어서 있는 조용한 동네로 대개는 의사와 치과의가 살고 있었다. 파울스보르너 가 모퉁이를 차지하고 있는 33번지는 작은 병원과 인접해 있었고, 그 맞은편에는 병문안을 오는 사람들이 꽃을 살 수 있는 큰 꽃집이 있었다.

란이 우리를 초대한 곳은 『생강 빵 아이』에 나오는 괴상한 집처럼 보였다. 벽돌로 된 지하와 일층은 갈색으로 칠해져 있었고, 이층과 삼층은 크림색이었다. 집 동쪽에는 칠각형 탑이 있었다. 집 정중앙 목재 기둥 위에는 발코니가 있었고, 집 서쪽 편 이끼가 덮인 박공지붕에는 둥근 창이 돌출되어 있었다.

"마늘을 갖고 왔길 바랍니다." 주차를 하면서 힐데가르트에게 말했다. 그녀는 이 집의 외관에 별 관심이 없어 보이는 데다 고집스럽게 입을 다물고 여전히 모든 게 아무 이상 없다고 확신하고 있었다.

우리는 다양한 별자리 문양이 새겨진 연철 대문을 향해 올라갔고, 나는 정원을 지나며 산재한 전나무들 중 한 그루 아래 왜 두 명의 친위대 대원이 담배 연기 구름을 만들고 있는지 궁금했다. 이내 왜 보도에 그들과 나치당 간부의 전용차가 서 있는가 하는, 보다 본질적인 의

문이 들었다.

오토 란이 문을 열고 동정이 섞인 온기를 담아 우리를 맞았고, 곧장 대기실로 안내한 다음 우리의 코트를 받았다.

"안으로 들어가기 전에," 그가 말했다. "교령회를 같이할 사람들이 있다는 걸 말씀드려야겠군요. 천리안을 가진 바이스토 씨는 독일에서 가장 중요한 현자이십니다. 그리고 바이스토 씨가 하시는 일에 동조하는 당 간부 몇 분에 대해서는 전에 말씀드렸다고 생각합니다만. 그건 그렇고, 여기는 바이스토 씨의 집입니다. 그리고 포겔만 씨와 저를 제외하고, 오신 손님들 중 한 분은 아마 당신도 잘 아시는 분일 겁니다."

힐데가르트의 입이 떡 벌어졌다. "총통은 아니겠지요."

란이 미소 지었다. "아니요, 그분은 아닙니다. 하지만 그분과 아주 가까운 분이죠. 그분은 저녁 모임의 좋은 분위기를 망치고 싶지 않다며 다른 사람들과 똑같이 대우해 달라고 하셨습니다. 따라서 너무 놀라시지 않도록 지금 말씀드리는 겁니다. 제가 말씀드린 분은 하인리히 힘러 SS국가지도자십니다. 분명 밖에서 보안 요원을 보고 어찌 된 일인지 궁금하셨을 겁니다. 국가지도자는 우리가 하는 일에 큰 후원자이실뿐더러 많은 교령회에 참석하셨습니다."

대기실에서 나온 우리는 충전물을 단추로 고정한 녹색 가죽 패드 문을 통해 가구가 단출한 L 자형의 널찍한 방으로 들어갔다. 두꺼운 녹색 양탄자를 가로질러 방의 한쪽 끝에 원형 테이블이 놓여 있었고, 다른 쪽 끝에 있는 소파와 두 개의 안락의자 주위에 열 명쯤 되는 사람들이 무리 지어 서 있었다. 밝은색 참나무 패널 사이사이로 보이는 벽은 흰색으로 칠해져 있었고, 녹색 커튼들은 모두 쳐져 있었다. 이 방은 뭔가 고전적인 독일풍의 느낌이 났고, 스위스 군용 칼처럼 편하고 온기가 넘쳤다.

음료를 마시는 우리를 본 란이 힐데가르트와 나를 방에 있던 사람들에게 소개했다. 나는 먼저 포겔만의 붉은 머리를 보고 그에게 고개를 끄덕인 후 힘러를 찾았다. 사복을 입고 있는 모습을 본 적이 없어서 어두운 색 더블 슈트를 입은 그를 어렵게 찾아냈다. 생각보다 더 컸고, 더 젊었다. 아마 서른일고여덟 이상은 되지 않았을 터였다. 말을 할 때 보니 온화한 사람처럼 보였고, 엄청나게 큰 롤렉스 금시계를 빼면 전체적인 인상은 독일 비밀경찰의 수장이라기보다 오히려 사립학교의 교장 같다는 생각이 들었다. 권력자들이 스위스제 손목시계에 매혹되는 이유는 뭘까? 하지만 이 특별한 권력자를 매혹한 손목시계는 힐데가르트 슈타이닝거에게 미칠 바가 아닌 것 같았다. 두 사람은 이내 깊은 대화에 빠졌다.

"바이스토 씨가 곧 나오실 겁니다." 란이 설명했다. "영적인 세계와 접속하기 전에는 보통 조용한 명상이 필요하죠. 그 전에 라인하르트 랑게 씨를 소개해 드리겠습니다. 전에 부인께 드렸던 잡지의 소유주이십니다."

"아, 네. 《우라니아》 말이군요."

그는 이중 턱 한가운데가 움푹 패여 있었고, 한 대 후려치거나 키스라도 하고 싶을 만큼 아랫입술이 호전적으로 늘어진 작고 통통한 사내였다. 훤하게 벗어져 금발 머리가 양 귀 쪽에만 남아 있는 탓에 다소 아기 같은 인상이었다. 눈썹은 거의 없다시피 했고, 반쯤 감긴 눈은 단춧구멍처럼 째져 있었다. 이러한 눈매 때문에 그는 네로 황제처럼 나약하고 변덕스럽게 보였다. 그는 나약하지도 변덕스럽지도 않을지 모르지만 그에게서 풍기는 강한 오드콜로뉴 향, 자기만족적인 태도, 약간 연극 조인 말투는 내 첫인상을 바꾸지 못했다. 직업이 직업이니만큼 사람에 대한 내 판단은 빠르고 꽤 정확한 편이었고, 랑게와 나눈 오 분간의 대화로 나는 그에 대한 내 판단이 틀리지 않았다는 것을 충분히 확신했다. 그는 별 볼 일 없고 시답잖은 호모였다.

나는 양해를 구한 다음 대기실을 나설 때 보아 둔 화장실로 갔다. 애초에 교령회가 끝나고 집 밖으로 나오면 다시 바이스토의 집으로 돌아가 교령회가 있던 방보다 더 흥미로운 게 있을지도 모를 다른 방들을 살펴볼 마음을 먹고 있었다. 개를 키우고 있는 것 같지는 않았기 때문에 집 안으로 들어갈 방법만 준비해 두면 되었다. 나는 화장실 문을 잠그고 창문의 걸쇠를 벗기는 일에 착수했다. 빽빽한 걸쇠를 간신히 벗겼을 때 노크 소리가 들렸다. 란이었다.

"슈타이닝거 씨? 안에 계십니까?"

"곧 나가겠습니다."

"잠시 후에 시작할 겁니다."

"바로 가죠." 나는 그렇게 말하며 창문을 살짝 열어 놓은 뒤 변기 물을 내리고 손님들이 모여 있는 곳으로 돌아갔다.

한 사람이 방 안으로 들어왔고, 그가 바이스토일 거라 생각했다. 예순다섯쯤 되어 보이는 그는 조끼까지 갖춘 연갈색 플란넬 정장 차림에, 끼고 있는 반지와 어울리는 기묘한 상아 조각 손잡이가 달린 화려한 지팡이를 들고 있었다. 코밑에 무언가 묻은 자국 같은 작은 콧수염, 햄스터 같은 볼, 소화불량에 걸리게 할 것 같은 입과 없다시피 한 턱은 힘러가 늙으면 이런 생김새이지 않을까 싶었다. 그러나 바이스 토는 더 통통했고, 국가지도자가 근시가 있는 쥐를 연상시킨다면 바 이스토는 앞니 두 개가 벌어져 있는 탓에 비버를 연상케 했다.

"선생이 슈타이닝거 씨군요." 그가 내 손을 잡고 흔들며 말했다. "내 소개를 하겠소. 나는 카를 마리아 바이스토라고 하며 선생의 사랑스 러운 아내분을 만나는 즐거움을 이미 누린 덕분에 매우 기뻐하는 중 이오." 그가 빈Wien 억양이 섞인 말투로 매우 정중히 말했다. "저런 부 인을 두셨으니 적어도 선생은 행운아요. 오늘 밤이 가기 전에 내가 두 분께 도움이 되길 바라겠소. 실종된 따님을 경찰과 우리의 좋은 친구 포겔만이 찾지 못했다는 말을 오토에게 들었소. 아내분께도 말씀드 렸지만 나는 우리의 고대 독일 조상들이 우리를 저버리지 않으리라 고 확신하며, 그들이 전에도 우리에게 가르쳐 줬듯이 따님의 행방을 말해 줄 것 또한 확신하오."

그가 몸을 돌려 테이블을 향해 손짓했다. "앉으시겠소? 슈타이닝거 씨, 선생과 부인은 제 양옆에 앉으시오. 그리고 각자 옆 사람의 손을 잡을 거요, 슈타이닝거 씨. 그게 집중력을 높여 주지. 무얼 보든 듣든 자리에서 떠나지 마시오. 그렇게 되면 잡은 손이 끊기니까. 두 분 모 두 이해하셨소?"

우리는 고개를 끄덕이고 각자 자리에 앉았다. 나머지 사람들이 자 리에 앉았을 때 나는 힘러가 세심하게 주의를 기울여 용케 힐데가르 트 옆자리를 차지했다는 것을 알았다. 문득 오늘 밤의 체험을 각색하 여 하인리히 힘러의 손을 잡고 이날 밤을 보냈다고 하이드리히와 네베에게 말하면 그들이 재미있어할 거라는 생각이 들었다. 그런 생각을 하자 웃음이 터져 나올 것 같아 입가에 번지는 미소를 감추기 위해 바이스토에게서 몸을 돌린 순간, 막 용의 피로 목욕을 하고 온 듯 따스하고 감각적인 매너를 갖춘 지크프리트[44] 스타일의 훤칠하고 세련된 사람이 야회복 차림으로 눈앞에 나타났다.

"킨더만이라고 합니다." 그가 딱딱한 목소리로 말했다. "닥터 란츠 킨더만입니다. 잘 부탁드립니다, 슈타이닝거 씨." 그가 더러운 행주이기라도 하다는 듯 내 손을 힐끗 내려다보았다.

"저명하신 정신요법 의사 아니십니까?" 내가 말했다.

킨더만이 미소 지었다. "제가 저명한지는 의심스럽군요." 그는 그렇게 말했지만 내심 만족스러워하는 것 같았다. "어쨌든 칭찬해 주시니 감사하군요."

"선생님은 오스트리아분이신가요?"

"네, 그건 왜 물으시죠?"

"내가 손을 잡는 분인 이상 뭐라도 알고 싶어서 말입니다." 내가 손을 내밀자 그가 내 손을 단단히 움켜잡았다.

"주목해 주시오." 바이스토가 말했다. "이제 제가 우리의 친구 오토에게 불을 꺼 달라고 부탁하겠소. 하지만 우선 여러분께 눈을 감고 심호흡을 해 달라는 말씀을 드리고 싶소. 긴장을 풀기 위해서지요. 긴장을 풀어야만 영혼들이 우리와 접촉할 만큼 편안함을 느끼고, 그들이 보는 것을 우리에게 보여 줄 수 있소.

---

44. 서사시 〈니벨룽의 노래〉에 등장하는, 게르만 민족 영웅 전설의 주인공.

꽃이라든가 구름 같은 평화로운 심상을 떠올리시면 도움이 될 거요." 그가 말을 끊자 테이블 주위에 둘러앉은 사람들의 깊은 숨소리와 맨틀피스 위에 놓인 시계가 내는 째깍 소리만이 들릴 뿐이었다. 포겔만이 목을 가다듬자 바이스토가 다시 말을 이었다.

"옆 사람에게 기를 흘려보냄으로써 원의 기운을 느끼시오. 오토가 불을 끄면 나는 가수면 상태로 들어가 내 몸에 영혼이 들어올 수 있도록 하겠소. 영이 나를 통해 말을 하고 내 모든 움직임을 통제하여 나는 영혼의 조종을 받게 될 것이오. 갑작스러운 소음이나 방해가 되는 행위는 피해 주시오. 만약 영혼과의 대화를 원한다면 조용하고 부드러운 음성으로 말씀해 주시거나 오토에게 부탁하시오." 그가 다시 말을 끊었다. "오토? 불을 꺼 주게."

깊은 잠에서 깨어난 것처럼 자리에서 일어난 란이 양탄자를 살금살금 가로지르는 소리가 들렸다.

"이제부터 바이스토 씨는 영이 내릴 때까지 아무 말도 하지 않으실 겁니다." 오토 란이 말했다. "여러분은 가수면 상태에 있는 그에게 말을 건네는 제 목소리를 듣게 되실 겁니다." 불을 끈 그가 이내 자리로 돌아와 다시 원을 이루는 소리를 들었다. 빛이 사라진 어둠 속에서 나는 바이스토가 앉은 자리를 뚫어지게 응시했지만 아무리 애를 써도 망막에서 춤추는 기묘한 형체를 제외하면 아무것도 볼 수 없었다. 바이스토가 꽃이든 구름이든 뭐라고 말했든 간에 나에게 도움이 되는 생각은 어깨 총집에 든 마우저 자동 권총과 개머리 안 탄창에 들어 있는 구 밀리미터 총알의 멋진 배열이었다. 내가 알아챈 첫 번째 변화는 점진적으로 더 느려지고 더 깊어지는 그의 숨결이었다. 잠시 후 그 소리는 거의 감지할 수 없는 단계에 이르렀고, 다만 내 손을 잡고 있는 그의 손만을 느낄 수 있었는데 이내 그가 사라졌다고 해도 좋을 만큼 그의 손힘은 계속해서 약해졌다.

드디어 그가 입을 열자 소름이 끼치고 머리털이 곤두서는 목소리가 들렸다.

"고대에서 현신한 현왕賢王이 이 자리에 있소." 그의 손아귀 힘이 갑자기 세졌다. "세 개의 태양이 북쪽 하늘에서 빛나던 시절." 그가 길고 음침한 한숨을 내뱉었다. "그는 샤를마뉴와 기독교 군대에 패배한 전쟁으로 고통을 받았소."

"당신은 색슨인[45]입니까?" 란이 나직한 목소리로 물었다.

"그렇다. 색슨인이다. 프랑크족이 우리를 이교도라 칭하고 우리를 죽였다. 그것은 피와 고통의 죽음이었다." 그는 주저하는 듯 보였다. "이 말을 전하기가 쉽지 않소. 왕은 피의 대가를 치러야 한다고 말하고 있소. 독일 이교도는 다시 강해졌고, 옛 신들의 이름으로 프랑크족과 그들의 종교에 복수를 해야 한다고 하오." 이윽고 그는 다시 영혼에 조종된 것처럼 거의 으르렁거리는 것 같더니 이내 조용해졌다.

"놀라지 마십시오." 란이 웅얼거리듯 말했다. "가끔은 영혼이 매우 난폭해지기도 합니다."

몇 분 후 바이스토가 다시 말을 하기 시작했다.

"당신은 누구시오?" 바이스토가 부드러운 음성으로 물었다. "소녀? 우리에게 이름을 말해 주겠니? 싫다고? 자, 어서……,"

---

45. 독일 서북부에 살았던 민족으로 그들 중 일부가 5~6세기에 영국에 정착했다.

"두려워 마렴." 란이 말했다. "우리에게 나서 주려무나."

"그녀의 이름은 에멜리네요." 바이스토가 말했다.

힐데가르트가 숨을 내뱉는 소리가 들렸다.

"네 이름이 에멜리네 슈타이닝거니?" 란이 물었다. "네 엄마와 아빠가 너와 대화를 나누려고 여기에 오셨단다, 아가야."

"어린애 취급을 하지 말라고 하는군." 바이스토가 속삭였다. "그리고 이 두 사람 중 하나는 그 아이의 진짜 부모가 아니오."

몸이 굳었다. 결국 이게 진짜란 말인가? 바이스토에게 진짜 영매력이 있다고?

"저는 그 애의 계모예요." 힐데가르트가 떨리는 목소리로 말했고, 나는 우리 둘 다 에멜리네의 친부모가 아니라고 바이스토가 말했어야 했다는 걸 그녀가 알았는지 궁금했다.

"그녀는 댄스 연습이 그립다고 하오. 하지만 무엇보다 당신들 두 사람을 그리워하고 있소."

"우리도 네가 보고 싶단다, 애야."

"어디 있니, 에멜리네?" 내가 물었다. 긴 침묵이 흐른 뒤 다시 물었다.

"그들이 그녀를 죽였소." 바이스토가 더듬거리며 말했다. "그리고 그녀를 어딘가에 숨겼소."

"에멜리네, 네가 우리를 도와줘야 해." 란이 말했다. "그들이 너를 어디에 숨겼는지 말해 주겠니?"

"내가 사람들에게 전하마. 그녀는 창밖에 언덕이 보일 거라고 하오. 언덕 기슭에 예쁜 폭포가 있다고. 뭐라고? 십자가나 높은 탑 같은 게 언덕 꼭대기에 서 있다는군."

"크로이츠베르크 언덕?" 내가 말했다.

"그곳이 크로이츠베르크 언덕이니?" 란이 물었다.

"그녀는 지명을 모르오." 바이스토가 나직한 목소리로 말했다. "어디에 있는 곳이니? 오, 끔찍하군. 그녀가 자신이 상자 안에 들어 있다는군. 미안하지만 에멜리네, 내가 제대로 들은 건지 모르겠구나. 상자 안이 아니라고? 통 속? 그렇군, 통 속. 썩어 가는 낡은 통들이 가득한 옛 지하 저장고의 썩은 내를 풍기는 오래된 통 안에."

"양조장 같군요." 킨더만이 말했다.

"슐타이스 양조장이니?" 란이 말했다.

"그녀는 그런 것 같다고 생각하지만 사람들이 많이 드나드는 곳 같지는 않다고 하오. 오래된 통들이 많은 데다 구멍투성이라는군. 그 구멍을 통해 밖을 볼 수 있소. 아, 그렇군. 거기에는 맥주를 담아 둘 수 없겠구나. 나도 그렇게 생각한다."

힐데가르트가 무슨 말인가를 속삭였지만 나는 듣지 못했다.

"힘을 내십시오, 부인." 란이 말했다. "힘을." 그러더니 더 큰 목소리를 내어 말했다. "너를 죽인 자가 누구지, 에멜리네? 그리고 널 죽인 이유가 뭔지 말해 주겠니?"

바이스토가 낮게 으르렁거렸다. "그녀는 그들의 이름은 모르지만 피의 성찬 예식을 위해 살해됐다고 생각하오. 왜 그렇게 생각하지, 에멜리네? 죽으면 알게 되는 수천 가지 것들 중 하나란 말이군. 알았다. 그들이 그녀를 짐승 죽이듯 죽인 다음 그녀의 피를 포도주와 빵에 섞었소. 그녀는 그것이 종교의식 같았다고 하지만 한 번도 그런 의식을 본 적이 없었다고 하오."

"에멜리네," 힘러일 거라고 생각되는 목소리가 말했다. "너를 살해한 자들이 유대인이었니? 네 피를 사용한 자들이 유대인이었니?"

또 한 번의 긴 침묵.

"그녀는 모르오." 바이스토가 말했다. "에멜리네를 죽인 자들은 자신들에 대해 말하지 않았소. 지금까지 사진을 통해 보아 왔던 어떤 유대인들과도 닮지 않았소. 뭐라고, 얘야? 그녀는 그들이 자신에게 무슨 짓을 했든 누군가를 곤경에 빠뜨리고 싶지 않다고 말하고 있소. 자신을 죽인 자들이 유대인이었다면 그들만이 나쁜 유대인일 뿐이며 모든 유대인이 그런 예식에 찬성하는 것은 아니라고 말하고 있소. 그녀는 그와 관련해 더 이상 말하고 싶지 않아 하오. 누군가가 자신을 더러운 통 속에서 데리고 나가 주길 원할 뿐이라는군. 그래, 누군가가 분명 너를 꺼내 줄 것이다, 에멜리네. 걱정 마려무나."

"내가 책임지고 오늘 밤 중에 조치를 취하겠다고 말하시오." 힘러가 말했다. "내 말을 믿으라고."

"뭐라고? 알았다, 얘야. 에멜리네가 그 말씀에 감사를 전하고 있소. 그리고 엄마 아빠에게 많이 사랑한다고 전하며 이제 자기 걱정은 말라고 하는군. 누구도 자신을 되살릴 수는 없다고. 아픈 기억을 잊고 행복하게 사시라고. 에멜리네는 이제 가야 한다."

"잘 가, 에멜리네." 힐데가르트가 흐느꼈다.

"잘 가거라." 내가 말했다.

다시 한 번 내려앉은 정적은 내 귀에 피가 몰리는 소리가 들릴 정도였다. 깜깜했기 때문에 내 얼굴에 드러났을 게 뻔한 분노의 표정을 숨길 수 있는 데다 조용한 슬픔과 체념이 드러나는 표정으로 돌아가기 위해 숨을 고를 기회가 있어서 다행이었다. 바이스토의 연극이 끝나고 불이 켜지기 전 이삼 분의 여유가 없었더라면 나는 그들이 앉은 자리를 향해 총을 쏘았을지도 몰랐다. 바이스토, 란, 포겔만, 랑게. 빌어먹을. 나는 순수한 만족감으로 이 더러운 놈들 모두를 죽였으리라. 그들의 입에 총구를 박아 넣고 뒤통수에 구멍을 냈으리라. 힘러에게는 여분의 콧구멍을. 킨더만에게는 세 번째 눈구멍을.

불이 켜졌을 때도 나는 여전히 숨을 몰아쉬고 있었지만 슬픔을 못 이겨 그러는 것으로 오해할 법한 모습이었다. 눈물로 번들거리는 힐데가르트의 얼굴은 힘러로 하여금 그녀에게 팔을 두를 구실을 주었다. 내 시선을 눈치챈 힘러가 험악한 표정을 지으며 고개를 끄덕였다.

바이스토가 마지막으로 자리에서 일어섰다. 그가 쓰러질 것처럼 휘청거리자 란이 그의 팔꿈치를 잡아 주었다. 바이스토가 미소를 짓고 고마움의 표시로 란의 손을 토닥였다.

"부인의 얼굴의 보니 따님이 찾아왔었다는 걸 알겠군요."

그녀가 끄덕였다. "감사드리고 싶어요, 바이스토 씨. 저희를 도와주셔서 정말 감사드려요." 그녀가 크게 훌쩍거리며 손수건을 꺼냈다.

"카를, 오늘 밤 훌륭했소." 힘러가 말했다. "아주 놀랍더군." 나를 포함하여 테이블 주위의 사람들 입에서 동의한다는 의미의 웅성거림이 들렸다. 힘러는 경이롭다는 듯이 여전히 머리를 절레절레 흔들고 있었다. "아주, 아주 놀라워." 그가 재차 그렇게 말했다. "내가 직접 관계 당국과 접촉해서 불행하게 죽은 아이의 시체를 찾도록 즉시 슐타이스 양조장에 경찰을 보내겠소." 힘러는 이제 나를 응시했고, 나는 그에 대한 대답으로 말없이 고개를 끄덕였다.

"경찰이 아이를 거기서 찾을 거라는 걸 조금도 의심치 않소. 아이가 당신들 두 사람의 마음을 편하게 해 주기 위해 카를에게 말을 건넸다고 전적으로 확신하오. 이제 당신들이 할 일은 집으로 돌아가서 경찰의 연락을 기다리는 것뿐이오."

"네, 물론입니다." 나는 그렇게 말하고 테이블을 돌아 힐데가르트의 손을 잡고 그녀를 힘러의 품에서 끌어냈다. 이내 우리는 모인 사람들과 악수를 나누고 그들의 애도에 인사하며 란의 배웅을 받으면서 현관문으로 향했다.

"한말씀 드려도 되겠습니까?" 그가 매우 정중하게 물었다. "물론 에멜리네가 저세상으로 갔다는 사실은 매우 유감이지만 각하의 말씀처럼 두 분께서 이제 확실한 사실을 아시게 되셔서 다행이라고 생각합니다."

"그래요." 힐데가르트가 훌쩍였다. "정말 그렇게 생각해요."

눈을 가늘게 뜨고 내 팔목을 잡은 그는 살짝 짜증이 난 사람처럼 보였다.

"만약 경찰이 정말 따님의 시체를 찾았다고 알리러 오면 오늘 밤 모임에 대해서는 말씀하시지 않는 게 좋을 것 같습니다. 경찰이 그 말을 하기도 전에 이미 알고 계셨던 것처럼 보이면 귀찮은 일이 생길 수도 있습니다. 아시는 것처럼 경찰은 이런 일에 관해서는 그다지 이해하지 못하기 때문에 귀찮은 질문을 받게 되실지도 모릅니다." 그가 어깨를 으쓱했다. "사후 세계에 대해서는 우리도 모르는 게 많으니까요. 정말이지 모든 사람에게 그것은 수수께끼고, 우리도 현 단계에서는 아는 게 많지 않습니다."

"네, 저도 경찰이 어떤 식으로 불편하게 할지 압니다." 내가 말했다. "오늘 밤에 있었던 일에 대해서는 걱정 마십시오. 아내도 마찬가지고 요."

"슈타이닝거 씨, 당신이 이해해 주실 줄 알았습니다." 그가 현관문을 열었다. "따님과 접촉하고 싶으신 일이 있다면 주저 말고 저희에게 또 연락을 주십시오. 하지만 잠시 시간을 두는 편이 좋습니다. 영혼을 빈번하게 소환하는 것은 좋지 않으니까요."

우리는 마지막으로 인사를 나누고 차가 있는 곳으로 발걸음을 옮겼다.

"빨리 여기를 떠나요, 베르니." 내가 차 문을 열어 주자 힐데가르트가 낮은 목소리로 쏘아붙이듯 말했다. 내가 시동을 걸 때쯤 그녀는 다시 울음을 터뜨렸다. 이번에는 충격과 공포가 섞인 울음이었다.

"저렇게…… 저렇게 끔찍한 일을 하는 사람이 있다는 게 믿기지 않아요." 그녀가 흐느꼈다.

"미안하지만 거쳐야 할 일이었습니다." 내가 말했다. "정말 미안하군요. 당신이 이런 일을 겪지 않게 하려고 애썼지만 이게 유일한 방법이었습니다."

나는 막다른 길까지 가서 비스마르크 광장 쪽으로 향했다. 그곳은 교통량이 적은 교외의 도로 교차로로 도로 한가운데에 작은 잔디밭이 있었다. 이제야 헤르베르트 가에 있는 랑게 부인 저택이 엎어지면 코 닿을 데 있다는 것을 알아차렸다. 나는 코르슈의 차를 발견하고 그 뒤에 차를 세웠다.

"베르니? 경찰이 그곳에서 그 애를 찾을 거라고 생각해요?"

"네, 그들이 거기서 찾을 겁니다."

"하지만 그 사람이 그 애가 어디에 있는지 어떻게 알죠? 어떻게 그 애에 대해서 여러 가지 것들을 아느냐고요? 댄스를 좋아했다는 것 같은 걸?"

"그나 그의 패거리들 중 하나가 아이를 거기에 갖다 놨기 때문이죠. 아마 그자들이 에멜리네를 죽이기 전에 그 애에게 이런저런 것들을 물었을 겁니다. 진짜인 척하기 위해서."

그녀가 코를 풀고 고개를 들었다. "차는 왜 세웠어요?"

"다시 돌아가서 그 집을 둘러볼 생각입니다. 저자들의 추악한 사기의 정체를 밝혀낼 수 있을지 봅시다. 우리 앞에 있는 차는 내 부하의 차입니다. 이름은 코르슈이고, 그가 당신을 집까지 태워다 줄 겁니다."

그녀가 끄덕였다. "조심하세요, 베르니." 그녀가 가쁘게 숨을 쉬며 그렇게 말하더니 고개를 가슴 위로 떨어뜨렸다.

"괜찮습니까, 힐데가르트?"

그녀가 문손잡이를 찾아 더듬거렸다. "몸이 안 좋아요." 보도 위로 쓰러진 그녀가 한 손으로 땅을 짚은 채 배수로에 토하기 시작했다. 그녀를 돕기 위해 차에서 뛰어내려 조수석 쪽으로 달려갔더니 이미 내 앞에 코르슈가 있었고, 그녀가 다시 숨을 고를 때까지 그가 그녀의 어깨를 잡고 있었다.

"맙소사," 코르슈가 말했다. "저 집에서 무슨 일이 있었던 겁니까?"

나는 그녀 옆에 쭈그리고 앉아 힐데가르트의 얼굴에 맺힌 땀을 닦고 입을 닦아 주었다. 그녀가 내 손에서 손수건을 가져갔고, 코르슈가 그녀를 다시 자리에 앉혔다.

"말하자면 기네. 그리고 그 얘기를 들으려면 좀 기다려야 할 거야. 이분을 집에 모셔다 드리고 알렉스에서 날 기다리게. 베커도 부르도록. 우린 오늘 밤 바쁠 것 같은 예감이 드니까."

"죄송해요." 힐데가르트가 말했다. "이제 괜찮아졌어요." 그녀가 씩씩하게 미소 지었다. 코르슈와 내가 그녀를 차에서 내리게 한 다음 그녀의 허리를 감싸 안고 코르슈의 차로 데려갔다.

"조심하십시오, 경감님." 코르슈가 차에 올라 시동을 걸며 말했다. 나는 걱정 말라고 말해 주었다.

그들의 차가 떠난 뒤 차 안에 삼십 분쯤 앉아 있다가 카스파르 타이스 가를 향해 걸어 내려갔다. 점점 거세지는 바람이 어두운 거리에 늘어선 나무에 두어 번 휘몰아쳤고, 공상적인 기질이 농후한 나는 방금 바람이 나무에 휘몰아친 것이 바이스토의 집에서 있었던 일과 관계가 있을지도 모른다는 상상을 했다. 영혼을 깨운다거나 뭐, 그 비슷한 것과 관계있는. 구름이 내려앉은 하늘에 그 바람이 신음 소리를 내고 있었을 때 위기감이 느껴졌고, 정말로 다시 생강 빵 집이 보이자 그 위기감이 더욱 고조되었다.

집 앞 보도의 나치당 간부 전용차는 보이지 않았지만 그럼에도 어떤 이유로 두 명의 친위대 대원이 남아 있을 경우에 대비해서 조심스럽게 정원으로 다가갔다. 집을 지키는 사람이 아무도 없다는 사실에 안도하며 살금살금 집 뒤로 돌아가 창문이 열린 화장실로 갔다. 살금

살금 걸어서 다행이었다. 화장실 불이 켜 있었고, 한 사내가 변기에 앉아서 안간힘을 쓰고 있는, 오해의 여지가 없는 소리가 들렸기 때문에. 그림자가 진 벽에 몸을 납작 대고 사내가 일을 마치길 기다렸다. 마침내 십 분에서 십오 분쯤 후에 변기 물을 내리는 소리가 들렸고, 불이 꺼지는 것이 보였다.

안전하다는 판단이 설 때까지 몇 분을 더 보내고 창가로 다가가 창문을 밀어 올렸다. 하지만 콧구멍에 스며든 똥 냄새는 모든 항문과 의사의 속을 뒤집어 놓을 정도였기 때문에 안으로 기어든 순간 그곳이 어디든 다른 곳이었길 바랐고, 최소한 방독면이라도 쓰고 있었으면 했다. 이래서 때때로 형사가 더러운 직업이라고 하는 것이리라. 고딕 건축물만큼이나 거대한 양의 썩을 대로 썩은 똥을 막 배출한 화장실에 조용히 서 있는 기분이란.

끔찍한 냄새 탓에 안전보다도 빨리 대기실로 이동하길 택한 나는 바이스토에게 거의 들킬 뻔했다. 그는 진이 빠진 채 열린 대기실에서 나와 복도를 가로질러 대기실 반대편에 있는 방으로 터덜터덜 걸어가는 중이었다.

"오늘 밤은 바람이 세군요." 오토 란으로 추정되는 목소리가 말했다.

"그래." 바이스토가 킬킬거렸다. "바람이 더 그럴듯한 분위기를 더하지 않았나? 날씨가 변해서 힘러가 특히 좋아했을 걸세. 그는 그 바람과 여러 가지 초자연적인 관념을 결부 지었을 게 틀림없어."

"아주 훌륭한 연기였습니다, 카를." 란이 말했다. "국가지도자마저 칭찬하더군요."

"하지만 피곤해 보이십니다." 킨더만으로 추측되는 세 번째 목소리가 말했다. "제가 한번 상태를 봐 드려야겠군요."

나는 문으로 살금살금 다가가 대기실 문틈으로 내다보았다. 바이스토가 재킷을 벗어 의자 등받이에 걸쳐 놓는 중이었다. 의자에 털썩 앉은 그가 맥박을 재는 킨더만에게 팔을 맡겼다. 진짜 영혼과 교접이라도 한 것처럼 그는 창백하고 무기력해 보였다. 이때 그가 내 생각을 듣기라도 한 듯 입을 열었다.

"접신을 연기하는 건 진짜로 하는 것만큼이나 피곤해."

"주사를 한 대 놔 드리는 게 낫겠습니다." 킨더만이 말했다. "소량의 모르핀이 주무시는 데 효과가 있을 겁니다." 그는 바이스토의 대답도 기다리지 않고 진료 가방에서 주사기와 작은 병을 꺼낸 다음 주사기에 바늘을 꽂을 준비를 했다. "어쨌든 곧 있을 명예회의를 위해서라도 지치셔서는 안 되지 않겠습니까?"

"자네도 물론 참석하겠지, 란츠?" 바이스토가 소매를 걷어 올려 마치 문신처럼 보이는 멍 자국과 주삿바늘투성이 팔뚝을 드러내며 말했다. "코카인 없이는 이거 낼 수가 없군. 그게 놀랄 만큼 판단을 명확하게 해 준다는 걸 알지. 국가지도자가 전적으로 나를 믿도록 하기 위해서는 접신한 것처럼 고무된 상태가 되어 있을 필요가 있어."

"조금 전에는 정말로 계시를 받으신 줄 알았습니다." 란이 말했다. "유대인이 곤경에 빠지는 걸 원치 않는다는 식으로 여자애가 말했다는 연기에는 국가지도자뿐 아니라 나머지 사람들도 감쪽같이 속는 것 같더군요. 솔직히 말해 힘러는 지금 그 말을 거의 믿고 있습니다."

"타이밍을 잘 맞췄을 뿐이야, 친애하는 오토." 바이스토가 말했다.

"내가 베벨스부르크[46]에서 계시를 드러내는 순간 국가지도자가 받을 충격이 얼마나 클지 생각해 보게. 유대인을 범죄 공모자로 끌어들이는 게 영적 계시에 힘이 돼 줄뿐더러 사유재산을 존중하고 법을 수호해야 한다는 힘러의 헛소리를 끝냈을 수 있을 걸세. 유대인들은 이제 곧 닥칠 재앙을 받아들여야 할 테고 그걸 막을 경찰은 한 명도 없겠지." 그가 주사기를 향해 고개를 끄덕였다. 그는 킨더만이 자신의 팔에 바늘을 찔러 넣는 모습을 무표정하게 바라보았고, 주사액이 체내로 들어가자 만족감에 한숨을 내쉬었다.

"친절한 양반들, 이제 이 늙은이를 침대로 데려다주면 좋겠군."

두 사람이 그의 양팔을 잡고 삐걱거리는 계단으로 그를 부축해 올라가는 모습이 보였다.

킨더만이나 란이 떠날 생각이라면 코트를 가지러 오리라는 데 생각이 미친 나는 살금살금 대기실에서 나와 가짜 교령회의 무대가 되었던 L자형 방으로 들어가 둘 중 누구라도 방 안으로 들어올 경우에 대비해 두꺼운 커튼 뒤로 몸을 숨겼다. 그러나 다시 아래로 내려온 그들은 홀에 선 채 이야기를 나눌 뿐이었다. 그들이 하는 말의 반은 놓쳤지만 골자는 라인하르트 랑게가 더 이상 자신들에게 이용 가치가 없다는 내용 같았다. 킨더만이 어느 정도 자신의 애인을 위해 변호를 했지만 그 말에는 열의가 느껴지지 않았다. 화장실에서 났던 냄새도 참을 수 없을 만큼 역겨웠으나 다음에 일어난 일은 더욱 역겨웠다. 정확히 무슨 일이 일어나고 있는지 보이지 않았고, 말소리도 거의 들리

---

46. 힘러는 베벨스부르크 성을 나치의 종교적 성지로 만들 계획을 세웠다.

지 않았다. 두 남자가 동성애적 행위에 몰두해 있음은 오해의 여지가 없었고, 나는 심한 욕지기를 느꼈다. 마침내 그들이 듣고 싶지 않은 소리를 끝으로 추잡한 행위를 끝낸 다음 한 쌍의 타락한 사춘기 소년 들처럼 키득거리며 사라졌을 때 나는 신선한 공기를 마시기 위해 창문을 열어야 할 만큼 속이 좋지 않았다. 옆방인 서재로 가서 바이스토의 브랜디를 큰 잔에 따라 마셨다. 베를린 공기를 한껏 들이마신 것보다 훨씬 효과가 있었다. 그러고 나서 커튼을 친 다음 충분히 긴장을 푼 후 책상 위의 램프를 켜고 서랍과 캐비닛 들을 살펴보기 전에 시간을 들여 주의 깊게 방 안을 둘러보았다.

역시 둘러볼 만한 가치가 있었다. 방을 장식한 바이스토의 취향은 미친 왕 루트비히 못지않게 기이했다. 기묘한 달력들과 문장紋章들. 선돌, 멀린, 바위에 박힌 칼, 성배와 템플 기사단을 묘사한 그림. 성城들, 히틀러, 힘러의 사진. 제복을 입고 있는 바이스토 자신의 사진까지. 처음에는 오스트리아 보병 연대 소속 장교로 복무한 모양이었고, 이어지는 사진 속에서 그는 친위대 상급 장교의 제복을 입고 있었다.

카를 바이스토는 친위대원이었다. 기가 막힌 나머지 나는 엉겁결에 소리를 지를 뻔했다. 오토 란처럼 단순히 하사관도 아닌, 계급을 상징하는 깃 위 씨앗의 개수로 판단하건대 최소한 준장 급이었다. 그리고 무언가가 더 있었다. 왜 그 점을 알아차리지 못했던가? 바이스토와 율리우스 슈트라이허가 닮았다는 사실을. 바이스토가 슈트라이허보다 열 살 정도 연상이겠지만 귀여운 유대인 여학생 자라 히르슈가 묘사했던 것처럼 슈트라이허에 적용되는 그 묘사는 바이스토에게도 간단히 적용되었다. 둘 다 뚱뚱하고 머리숱이 별로 없는 데다 작은 콧수염을 길렀다. 그리고 둘 다 남부 지방 억양이 강했다. 오스트리아나 바이에른. 그 애는 그렇게 말했었다. 바이스토는 빈 출신이었다. 어쩌면 오토 란이 그 차를 운전했던 자가 아니었을까.

모든 게 내가 이미 알고 있었던 사실과 일치하는 것처럼 보였고, 내가 엿들은 대화는 연쇄살인에 감춰진 동기가 베를린의 유대인들을 모함하기 위해서라는 애초의 내 추리를 확인해 주었다. 하지만 뭔가 부족해 보였다. 힘러의 관여를 어떻게 받아들여야 하는가. 바이스토의 신봉자로서 친위대 국가지도자를 끌어들여 바이스토의 지지 기반을 구축함과 동시에 친위대 내에서의 지위 향상을 도모하고 급기야 하이드리히까지 숙청하려는 게 두 번째 동기일까?

그럴듯한 이론이었다. 이제 내가 할 일은 그것을 증명하는 것이었고, 만약 힘러가 감방으로 보내야 할 연쇄살인범 바이스토를 자신의 개인적인 라스푸틴[47]으로 삼을 작정이라면 증거는 빈틈이 없어야 했다. 공 들인 거짓말에 쉽게 넘어간 희생자가 독일 제국 경찰 수장이라고 밝혀질 공산이 크다면 더욱.

나는 바이스토의 책상을 뒤지기 시작했다. 바이스토와 그의 악마 같은 계략을 폭로하기에 충분한 증거를 발견했다손 치더라도 이견이 없는 독일 최고 권력자와 펜팔 친구가 될 일은 없을 거라고 생각하면서. 그것은 편하지만은 않은 전망이었다.

바이스토는 꼼꼼한 사람이었다. 자신이 받은 편지뿐 아니라 보낸 편지의 사본까지 전부 보관하고 있었다. 그의 책상에 앉아서 나는 무

---

47. 니콜라스 2세와 알렉산드라 황후의 신임을 얻어 국정에 참여한 러시아 수사.

작위로 뽑은 편지를 읽기 시작했다. 범행을 인정하는 타이핑된 서류를 찾게 되면 실망감이 들 것 같았다. 바이스토와 그의 동료는 기밀 정보부나 보안부에서 배운, 완곡한 표현을 쓰는 기술에 재능이 있었다. 이 편지들이 내 추리를 뒷받침했지만 편지들은 한 가지 해석 이상의 여지가 있는 몇 가지 암호를 사용하여 용의주도하게 표현되어 있었다.

K. M. 빌리구트 바이스토

카스파르 타이스 가 33번지

서 베를린

친위대 하급분대지도자 오토 란 앞

티어가르텐 가 8a 번지

서 베를린

1938년 7월 8일

극비

　오토에게.

　내가 의심한 대로였네. 국가지도자 말에 의하면 수정水晶 프로젝트 관련 일체가 유대인 하이드리히[48]에 의해 보도가 금지되었다는군. 신문 보도 없이는 수정 프로젝트 활동의 결과가 누구에게 영향을 미치는지 합법적으로 알 방법이 없을 것이네. 우리가 피해자들에게 영적인 지원을 함으로써 우리의 목적을 달성하기 위해서는 우리가 합법적으로 관여할 수 있는 또 다른 방법을 시급히 창안해야 하네.

　복안이 있나?

하일 히틀러,

바이스토.

---

48. 하이드리히의 할머니가 유대인이라는 소문이 있었다.

오토 란

티어가르텐 가 8a 번지

서 베를린

친위대 여단지도자 K. M. 바이스토 귀하

베를린 그뤼네발트

1938년 7월 10일

극비

친애하는 여단지도자님께.

킨더만 친위대 최고돌격지도자, 안더스 친위대 돌격대지도자와 함께, 보내 주신 편지를 심사숙고했으며, 해답이 있을 거라고 믿고 있습니다.

경찰 경력이 있는 안더스는 수정 프로젝트에 발생한 상황을 타개할 자신감을 보이고 있습니다. 현재 경찰 능력을 고려하면 시민들은 민간 조사 기관에 수사를 의뢰할 공산이 큽니다.

따라서 우리의 훌륭한 친구 라인하르트 랑게에게 사무실과 재정을 제안했으며, 소규모 민간 조사업체와 계약하여 신문에 광고를 내기만 하면 됩니다. 해당 시민이 그 민간 조사업체에 의뢰하러 오면, 그 조사원은 일정 기간을 두고 일반적인 조사를 마친 후 이 문제에 우리가 관여할 수 있도록 적절한 방법을 강구할 것입니다.

대체로 돈만이 동기부여가 되는 사람에게는 충분한 보수만 주어진다면 그 사람은 자신이 믿고 싶은 것만 믿을 것입니다. 즉 우리를 이상한 집단이라고만 여길 테죠. 어느 순간 그가 문제를 제기한다고 해도 국가지도자가 관여하고 있다는 사실이 그를 침묵하게 만들 것입니다.

적절한 후보자 리스트를 작성했습니다. 가능한 한 서둘러 이들과 접촉해야 하니 허가를 바랍니다.

하일 히틀러,
오토 란.

K. M. 빌리구트 바이스토

서 베를린 카스파르 타이스 가 33번지

친위대 하급분대지도자 오토 란 앞

서 베를린 티어가르텐 가 8a 번지

1938년 7월 30일

극비

오토 란에게.

제1용의자로 경찰이 한 유대인을 구류하고 있다는 소식을 안더스에게 들었네. 우리는 경찰의 실태를 잊고 있었네. 왜 우리 중 누구도 경찰이 누군가에게 죄를 뒤집어씌워 범인으로 만들 거라는 생각을 못 했지? 그게 유대인일지라고 하더라도 말일세. 경찰이 적절한 시기에 유대인을 체포하게 되면 도움이 되겠지만 현시점에서는 국가지도자에게 우리의 힘을 보여 주어야 하고 그에 따라 우리의 힘이 국가지도자에게 영향을 미쳐야 하네. 그렇게 되지 않는 한 범인 체포는 우리 계획에 방해가 될 뿐이야.

하지만 이 상황이 전화위복이 될 복안이 있네. 그 유대인이 감금돼 있는 동안 또 다른 수정 프로젝트 사건이 일어난다면 그 유대인을 석방하지 않을 수 없을뿐더러 하이드리히 역시 아주 곤란한 처지에 놓이게 되겠지. 잘 진행이 되길 바라네.

하일 히틀러,

바이스토.

친위대 돌격대지도자 리하르트 안더스

베를린 템플 기사단

서 베를린 바이로이터 가 22번지 루멘 클럽

친위대 여단지도자 K. M. 바이스토 귀하

베를린 그뤼네발트

1938년 8월 27일

극비

친애하는 여단지도자님께.

알렉산더 광장 경찰 본부에서 익명의 전화를 받은 것을 확인했습니다. 더욱이 국가지도자 부관 카를 볼프와 이야기를 나눠 본 바, 전화를 건 사람이 국가지도자가 아니라 볼프 그 자신이었다는 사실도 확인했습니다. 그는 이런 식으로 경찰의 수사를 방해하는 것을 매우 탐탁지 않게 여겼지만 수사를 돕고, 국가지도자의 이름을 보호할 방법이 이것밖에 없음을 인정했습니다.

힘러는 상당히 감명을 받은 모양입니다.

하일 히틀러,

리하르트 안더스.

친위대 최고돌격지도자 닥터 란츠 킨더만

클라이넨 반제 클리닉

서 베를린

카를 마리아 빌리구트 귀하

카스파르 타이스 가 33번지

서 베를린

9월 29일

극비

　친애하는 카를.

　우선 중요한 것부터 말씀드리겠습니다. 우리의 친구 라인하르트 랑게가 골칫거리가 되기 시작했습니다. 그에 대한 제 감정은 제쳐 놓고, 저는 그가 수정 프로젝트의 처형 계획을 돕겠다는 의지가 약해지고 있다고 믿고 있습니다. 독일의 고대 이교도 유산을 따르는 우리의 행동이 그에게는 다소 불쾌하지만 그래도 아직은 필요하다는 정도일 뿐으로, 더 이상 깊은 인상을 주는 것 같지 않습니다. 그가 우리를 배신하리라고는 생각지 않지만 당 클리닉에서 행해져야 할 수정 프로젝트 활동에서는 제외해야 할 것 같습니다.

　어쨌든 저는 지금껏 해 왔던 것처럼 당신의 고대 영적 가보를 찬양할 것이며 당신의 예지력을 통해 우리의 조상들을 탐구할 수 있는 날이 오길 고대하겠습니다.

하일 히틀러,

당신의 변함없는 친구,

란츠.

친위대 여단지도자 사령관 지크프리트 타우베르트

베스트팔렌 파더보른 근방 베벨스부르크

친위대 간부 학교

친위대 여단지도자 바이스토 귀하

카스파르 타이스 가 33번지

베를린 그뤼네발트

1938년 10월 3일

극비: 1938년 11월 6일 ~ 11월 8일 명예회의 통지

여단지도자 귀하.

다음 명예회의는 상기의 날짜에 이곳 베벨스부르크에서 열릴 예정이오니 확인 바랍니다. 여느 때처럼 회의가 진행되는 동안 철저한 보안이 보장될 것이며, 교사 내에 입장하기 위해서는 여느 때와 달리 신분 확인에 암호가 필요할 것입니다. 귀하의 제안대로 이번 암호는 '고슬라르'입니다.

국가지도자가 작성한 하기의 장교와 인물은 의무적으로 참석해야 할 것입니다.

친위대 국가지도자 힘러

친위대 최상급집단지도자 하이드리히

친위대 최상급집단지도자 하이스마이어

친위대 최상급집단지도자 네베

친위대 최상급집단지도자 달루에게

친위대 최상급집단지도자 다레

친위대 집단지도자 폴

친위대 지도자 타우베르트

친위대 여단지도자 베르거

친위대 여단지도자 아이케

친위대 여단지도자 바이스토

친위대 상급지도자 볼프

친위대 돌격대지도자 안더스

친위대 돌격대지도자 폰 오인하우젠

친위대 최고돌격지도자 킨더만

친위대 상급돌격대지도자 디비치

친위대 상급돌격대지도자 폰 크노벨스도르프

친위대 상급돌격대지도자 클라인

친위대 상급돌격대지도자 라슈

친위대 하급분대지도자 란

건축 고문 바르텔스

교수 빌헬름 토트

하일 히틀러,

타우베르트.

편지는 잔뜩 있었지만 이미 오래 지체한 탓에 너무 위험했다. 어쩌면 1918년에 참호 밖으로 나왔을 때 이래 처음으로 두려움을 느끼는 것일지도 몰랐다.

21

11월 4일 금요일

바이스토의 집에서 알렉스로 차를 몰고 가면서 내가 찾은 사실을 머릿속에 정리하려고 애썼다.

포겔만의 역할은 설명이 되었고, 라인하르트 랑게의 역할 또한 어느 정도까지는 이해가 되었다. 그리고 킨더만의 클리닉이 소녀들을 살해한 장소였던 것 같았다. 사람들이 늘 죽어서 나가는 병원이야말로 누군가를 살해하기에 좋은 장소였다. 바이스토에게 보낸 킨더만의 편지 역시 분명히 그런 낌새를 풍겼다.

바이스토가 제시한 해결책에는 무서운 재간이 엿보였다. 그들은 아리아인 소녀들을 골라 살해한 뒤 발견하기 거의 불가능한 곳에 주의 깊게 숨겼다. 그들은 하루가 멀다 하고 실종자가 발생했기 때문에 수사할 경찰 인력이 모자라다는 점을 고려했다. 연쇄살인범이 베를린 거리를 누빈다는 사실을 경찰이 알아차리자 그들은 경찰이 영악해 보이는 살인자를 체포하는 데 실패하도록 더욱 조용히 움직였다. 적어도 요제프 칸 같은 편리한 희생양이 나타날 때까지.

하지만 하이드리히와 네베를 어떻게 이해해야 할지 알 수 없었다. 그들은 단지 상관의 명령에 따라 강제적으로 친위대 명예회의에 참석하는 걸까? 결국 친위대는 여느 조직처럼 자신들만의 파벌을 형성하고 있었다. 이를테면 오르포의 수장 달루에게는 힘러나 하이드리히와 사이가 좋지 않았다. 달루에게와 대응 관계에 있는 아르투르 네베도 마찬가지였다. 그리고 말할 것도 없이 바이스토 일파는 '유대인 하이드리히'에게 적대적이었다. 유대인 하이드리히라. 그것은 정치 지도자의 심각한 모순에 기댄 역선전 가운데 하나로, 설득력 있게 들렸다. 알렉스에 있는 대부분의 형사들이 들었던 것처럼 나도 전에 그런 소문을 들었고, 그들처럼 나는 그 소문의 진원지를 알았다. 카나리스 제독이었다. 그는 독일 군사정보기관 아프베어의 수장으로 하이드리히의 가장 강력한 정적이자 명실상부한 최고 권력자였다.

아니면 하이드리히에게는 며칠 내로 베벨스부르크에 가야 할 또 다른 이유라도 있는 것일까? 그가 아무것도 모르는 척, 힘러가 망신을 당하는 곳에 참석하는 것을 즐길 거라는 사실은 단 한 순간도 의심하지 않았다. 바이스토의 체포를 필두로 친위대 내 반反하이드리히 세력을 소탕한다면 그에게는 금상첨화이리라.

하지만 그것을 증명하기 위해서는 바이스토의 편지만으로 충분치 않았다. 국가지도자까지 납득시킬 만한 웅변적이고 명백한 무언가가 더 있어야 했다.

그렇다면 라인하르트 랑게가 그 무언가이리라는 생각이 들었다. 바이스토의 음모라는 몸에 돋아난 무른 사마귀. 그를 그 몸에서 떼어내는 데 깨끗하고 날카로운 메스까지 들이댈 필요는 없었다. 내게는 마침 그 일을 할 만한 더럽고 거친 손톱이 있었다. 나는 아직 그가 란 츠 킨더만에게 쓴 편지 두 통을 갖고 있었다.

알렉스로 돌아와 곧장 당직 경사의 책상으로 가자 코르슈와 베커 가 일만 교수와 골너 경위와 함께 나를 기다리고 있었다.

"또 전화가 왔나?"

"맞아, 경감." 골너가 말했다.

"좋아. 갑시다."

수많은 탑과 포탑, 빨간 벽돌이라는 제복을 입은 크로이츠베르크 의 슐타이스 양조장은 마당에 규모가 제법 큰 정원까지 있어서 양조 장이라기보다 학교처럼 보였다. 새벽 두시인데도 불구하고 코를 찌 르는 냄새만 아니었다면 맥주 통 대신 책상으로 빽빽한 교실을 보리 라고 생각했을지도 몰랐다. 우리는 텐트 모양으로 생긴 수위실 옆에 차를 세웠다.

"경찰이다." 베커가 맥주 그 자체로 보이는 야간 경비원에게 소리 쳤다. 그의 배가 너무 거대해서 그가 작업복 주머니에 손을 넣을 수 있을지 의심스러울 정도였다. "낡은 맥주 통은 어디에 두나?"

"그러니까, 빈 통을 말씀하시는 겁니까?"

"빈 통만이 아니라 수선이 필요할 것들을 포함해서."

남자가 거수경례를 하듯 이마에 손을 갖다 댔다.

"알겠습니다, 경찰 나리. 무슨 말씀이신지 알겠습니다. 자, 이쪽으 로."

차에서 내린 우리는 그의 뒤를 따라 차를 타고 왔던 길을 되돌아갔다. 지름길이 끝나자 양조장 담장이 나왔고, 머리를 숙여 담장에 난 녹색 문을 지나 좁고 긴 통로를 걸어 내려갔다.

"문을 잠가 두지 않나?" 내가 물었다.

"그럴 필요가 없습니다." 야간 경비원이 말했다. "여기엔 훔쳐 갈 만한 게 없습죠. 맥주 통은 문 안에 둡니다."

천장과 바닥이 낡을 대로 낡은 오래된 저장고였다. 알전구가 어둠에 노란빛을 던졌다.

"여깁죠." 사내가 말했다. "나리들이 찾으시는 데가 여길 겁니다. 수선할 필요가 있는 통들을 여기다 놔두는 것 같더군요. 대부분 수선을 안 해서 그렇죠. 여기 있는 것들 중 어떤 건 십 년 동안 움직이지도 않았습니다."

"젠장." 코르슈가 말했다. "거의 백 개는 될 것 같군."

"적어도요." 우리의 안내인이 웃음을 지었다.

"그럼, 이제 시작하는 게 좋지 않겠나?" 내가 말했다.

"정확히 뭘 찾으시는 겁니까?"

"병따개." 베커가 말했다. "이제 그만 조용히 가 주겠나?" 뭔가 조롱하는 듯한 말을 중얼대더니 뒤뚱뒤뚱 걸어 나가는 사내를 베커가 재미있다는 듯이 바라보았다.

그녀를 발견한 사람은 일만이었다. 그는 뚜껑조차 열지 않았다.

"여기 있군. 이걸세. 최근에 통이 옮겨진 흔적이 있네. 그리고 나머지 것들과 달리 뚜껑에 먼지가 없어." 그는 뚜껑을 들어 올리고 심호흡을 한 뒤 통 안에 손전등을 비췄다. "아이가 여기 있군."

나는 그가 서 있던 곳으로 가서 통 안을 살펴보았다. 그리고 힐데가르트를 위해 한 번 더. 나는 아파트에서 에멜리네의 사진을 충분히 봐두었기 때문에 즉시 알아볼 수 있었다.

"가능한 한 빨리 거기서 아이를 끄집어내세요, 교수님."

일만이 나를 이상하다는 듯이 바라보더니 고개를 끄덕였다. 그는 내 말투에서 무언가를 듣고, 내 관심이 단지 직업적인 것 이상의 것이라고 생각한 듯했다. 그가 경찰 사진사에게 손짓을 했다.

"베커." 내가 말했다.

"네, 경감님."

"자네는 나와 함께 가지."

라인하르트 랑게의 집으로 가는 길에 우리는 그의 편지를 가지러 내 사무실에 들렀다. 나는 두 개의 큰 잔에 슈납스를 따르고 그날 밤 있었던 일을 설명했다.

"랑게가 약한 연결 고리야. 그자들이 하는 얘기를 들었네. 한 술 더떠서 그는 호모지." 나는 잔을 비우고 한 잔 더 따랐다. 술기운을 느끼기 위해 삼키기 전에 잠시 술을 입안에서 굴렸더니 입술이 얼얼했다. 술을 목구멍 너머로 흘려 넣고 살짝 몸서리를 친 다음 말했다. "성범죄과에서 하던 대로 그를 짓밟아 주게."

"네? 어느 정도로 말입니까?"

"염병할 왈츠 댄서처럼."

베커가 씩 웃더니 잔을 비웠다. "그놈을 탈탈 털어 보라고요? 알겠습니다." 그가 재킷 앞섶을 열고 짧은 고무 경찰봉을 꺼내 손바닥에 힘 있게 내리쳤다. "이걸로 손을 좀 봐 주죠."

"자네가 갖고 다니는 파라벨룸 사용법보다 그 경찰봉 사용법을 더 잘 알았으면 좋겠군. 그 친구는 죽이면 안 돼. 똥줄이 빠지게 겁을 주되 살아 있어야 한다고. 심문을 해야 하니까. 알았나?"

"걱정 마십시오. 저는 이 작은 고무지우개 전문가니까요. 멍이나 좀 들겠죠. 두고 보세요. 경감님의 다른 명령이 없는 한 뼈들은 무사할 겁니다."

"자네가 좋아할 줄 알았지. 아닌가? 사람들을 겁주는 일 말이야."

베커가 웃음을 터뜨렸다. "경감님은 싫어하십니까?"

뤼초부퍼 가에 있는 그 집에서는 란트베어 운하가 내려다보였고, 동물원이 엎어지면 코 닿을 데 있어서 그곳에 있는 히틀러의 친척들이 자신들의 숙소에 대해 불평하는 소리가 들릴 정도였다.

집은 오렌지색으로 칠해진 우아한 빌헬미네 양식의 삼 층짜리 건물로 일층에는 큼직한 정사각형 퇴창이 나 있었다. 베커가 삯일을 하러 온 사람처럼 벨을 눌렀다. 벨을 누르다 지친 그가 노커로 문을 두드리기 시작했다. 마침내 현관 복도에 불이 켜지고 빗장을 여는 소리가 들렸다.

체인이 걸린 채 열린 문틈 사이로 랑게의 창백한 얼굴이 신경질적으로 밖을 응시하는 모습이 보였다.

"경찰이다." 베커가 말했다. "문 열어."

"무슨 일이오?" 그가 침을 삼켰다. "왜 그러시오?"

베커가 한 발자국 물러섰다. "비키십시오, 경감님." 그가 그렇게 말하더니 부츠를 신은 발로 문을 걷어찼다. 베커가 다시 문을 걷어차자 랑게가 꽥 소리를 질렀다. 세 번째 발길질에 문이 쪼개지는 굉음과 함께 문이 활짝 열리자 랑게가 파자마 바람으로 계단을 황급히 뛰어 올라가는 모습이 보였다.

베커가 그의 뒤를 쫓았다.

"제발, 쏘지 말게." 내가 베커에게 소리쳤다.

"오, 하느님, 도와주십시오." 베커가 랑게의 맨발목을 잡고 끌어내리자 그가 끅끅 소리를 냈다. 그는 베커의 손아귀에서 벗어나려고 몸을 비틀며 발버둥을 쳤지만 소용이 없었고, 베커는 그의 뚱뚱한 엉덩이가 계단에 부딪히며 미끄러지도록 그를 끌어내렸다. 그가 바닥으로 끌려 내려오자 베커가 그의 양 볼을 귀까지 잡아당겼다.

"내가 문을 열라고 하면 문을 여는 거야, 알았나?" 그러더니 그가 활짝 편 손으로 랑게의 얼굴을 잡고 머리를 계단에 세게 내리쳤다. "알겠나, 호모 자식아?" 랑게가 소리를 지르며 저항하자 베커가 머리칼을 움켜잡고 따귀를 두 차례 갈겼다. "알겠느냐고 물었다. 호모 자식아."

"알았소." 그가 쉿소리를 냈다.

"그만하면 됐어." 내가 그의 어깨를 잡아당기며 말했다. 숨을 거칠게 몰아쉬며 몸을 일으킨 베커가 나를 보고 히죽 웃었다.

"왈츠 댄서처럼 하라면서요, 경감님."

"그럴 필요가 생기면 말하지."

랑게가 입술에 흐르는 피를 훔치고 피 묻은 손등을 응시했다. 그는 눈물을 흘리고 있었지만 여전히 분개해 있었다.

"이봐요," 그가 소리쳤다. "도대체 이게 무슨 짓입니까? 남의 집에 들어와서 이러는 이유가 뭐요?"

"그에게 설명해 줘." 내가 말했다.

베커가 랑게의 실크 실내복의 깃을 움켜잡은 다음 그의 짧고 통통한 목에 대고 비틀었다. "네놈에게 핑크 트라이앵글을 달아 주기 위해서지, 뚱보 자식아. 네놈의 엉덩이를 쓰다듬는 친구 킨더만에게 보낸 편지가 사실이라면 줄무늬 죄수복에 달릴 핑크 트라이앵글 말이야."

랑게가 자신의 목에서 베커의 손을 잡아 빼고 그를 노려보았다. "무슨 말을 하는지 모르겠군." 그가 쉿소리를 냈다. "핑크 트라이앵글? 맙소사, 그게 무슨 뜻이오?"

"독일 형법 175조." 내가 말했다.

베커가 그 부분을 암송했다. "형사법상 남자와 외설적인 행위를 한 남자, 그 같은 행위를 방조한 자는 금고형에 처한다." 베커가 희롱하듯 손등으로 랑게의 뺨을 쳤다. "그게 네놈이 체포되는 이유다, 이 뚱보 호모 자식아."

"터무니없는 소리. 난 누구에게든 어떤 편지도 쓴 적이 없소. 그리고 난 동성애자가 아니오."

"네놈이 동성애자가 아니면," 베커가 비웃었다. "난 거시기로 오줌을 누지 않지." 그가 재킷에서 내가 준 편지 두 통을 꺼내 랑게의 얼굴 앞에 휘둘렀다. "그렇다면 이건 네놈이 이빨 요정에게 보낸 건가?"

랑게가 그 편지들을 잡아채려고 했지만 실패했다.

"매너가 나쁘군." 베커가 그렇게 말하며 다시 한 번, 이번에는 힘을 실어 그의 뺨을 쳤다.

"그것들을 어디서 찾았소?"

"내가 이 친구에게 줬지."

그가 내게 눈길을 주더니 다시 고개를 돌려 나를 보았다. "잠깐," 그
가 말했다. "당신을 알아. 당신은 슈타이닝거야. 당신은 오늘 밤 거
기……," 그가 나를 어디서 봤는지 말하려다가 입을 다물었다.

"맞아. 바이스토의 작은 파티에 참석했지. 무슨 일이 진행되고 있
는지 꽤 많이 아는 편이랄까. 나머지 일은 당신이 도와줘야겠소."

"당신이 누구든 당신은 시간 낭비 하고 있는 거야. 난 말 못 해."

내가 베커에게 고개를 끄덕이자 그가 다시 랑게를 패기 시작했다.
나는 그가 곤봉으로 랑게의 무릎과 발목을 내리친 다음 가볍게 한 번
더 같은 곳을 내리친 후 귀를 내리치는 모습을 처음으로 잠자코 냉정
하게 바라보았다. 게슈타포 최고의 전통을 계승하고 있는 내 자신을
혐오하면서. 내 안에 내재된 차갑고 비인간적인 잔인함을 증오하면
서. 나는 베커에게 그만하라고 말했다.

랑게의 흐느낌이 그치길 기다리는 동안 나는 집 안을 돌아다니며
방들을 살펴보았다. 랑게의 집은 외관과는 극명하게 대조적으로 전
통적인 빌헬미네 양식과 무관했다. 집 안에 있는 많은 가구, 양탄자,
그림은 모두 고가의 현대적인 것들로 실용적이라기보다 보고 즐기면
좋을 것들이었다.

마침내 랑게가 진정이 됐을 때 내가 말했다. "멋진 곳이로군. 내 취
향은 아닌 것 같지만. 난 약간 구식이지. 알겠지만 원을 이루는 걸 불
편해하는 사람 중 하나요. 기하학적인 것을 숭배하기보다 개인적인
안락함을 추구하는 타입이랄까. 하지만 당신은 여기가 아주 편안한
것 같군. 어떻게 생각하나, 베커? 이자가 알렉스에 있는 탱크를 좋아
할 것 같나?"

"감방 말씀이십니까? 아주 기하학적이죠, 경감님. 어디에나 강철 바가 쳐 있고 말이죠."

"그곳의 예술적 감각이 넘치는 보헤미아인들도 빼놓아서는 안 되지. 그들이 베를린에 세계적으로 유명한 밤의 유흥을 소개했다지. 강간범, 살인자, 강도, 주정뱅이. 특히 술에 전 주정뱅이들이 감방 여기저기에 토해 놓은 걸 보면……"

"맞습니다. 끔찍하죠."

"자네도 알겠지만, 베커, 난 그런 곳에 사람을, 특히 랑게 씨 같은 분을 처넣는다는 게 왠지 걸리는군. 그가 그곳을 전혀 마음에 들어 할 것 같지 않단 말이야. 안 그렇소?"

"이 개자식."

"저는 이자가 무사히 밤을 보낼 수 있을 것 같지 않습니다. 특히 이자의 옷장에서 그가 입을 만한 특별한 옷을 찾아낸다면 더욱 그렇겠죠. 랑게 씨 같은 분의 감성에 걸맞은, 무언가 예술적 감각이 있는 옷을 말입니다. 아마 약간은 화장도 해야겠죠, 경감님? 살짝 화장을 하면 정말 멋지게 보일 겁니다." 그가 선천적인 사디스트답게 킬킬거렸다.

"내게 다 털어놓는 게 좋을 것 같소만, 랑게 씨." 내가 말했다.

"넌 날 겁줄 수 없어, 이 개자식아. 알았나? 겁줄 수 없다고."

"운이 안 따르는군. 나는 여기 있는 베커 형사조교와 달리 인간의 고통을 그다지 즐기지 않아서 말이오. 하지만 유감스럽게도 선택의 여지가 없는 것 같군. 제대로 된 절차를 밟고 싶지만 솔직히 말해서 시간이 없소."

둘이서 그를 이층 침실로 끌고 간 뒤 베커가 랑게의 옷장에서 그가 입을 옷을 골랐다. 베커가 연지와 립스틱을 찾았을 때 랑게가 으르렁대며 내게 주먹을 휘둘렀다.

"안 돼." 그가 외쳤다. "입지 않을 거야."

나는 그의 주먹을 잡고 팔을 그의 등 뒤로 비틀었다.

"칭얼대는 겁쟁이 꼬마 양반. 이 빌어먹을 개새끼야. 랑게, 잠자코 입지 않으면 맹세컨대 우린 네놈을 거꾸로 매달아 목을 벨 테다. 네놈의 친구들이 죽인 소녀들처럼. 그런 다음 네놈의 시체를 맥주 통이나 트렁크에 던져 넣겠지. 그리고 육 주 후에 네놈의 신원을 확인하러 온 네놈 어머니의 기분이 어떨지 생각해 봐." 내가 그에게 수갑을 채우자 베커가 그의 얼굴에 화장을 하기 시작했다. 그가 화장을 끝낸 모습을 보니 오스카 와일드[49]조차 하노버에서 온 포목상 조수만큼이나 겸손하고 수수해 보일 정도였다.

"좋아," 내가 으르렁거렸다. "이 킷캣[50] 쇼걸을 호텔로 데려다주자고."

우리가 말했던 알렉스 감방에서의 밤은 과장이 아니었다. 아마 대도시 경찰서라면 모두 마찬가지일 것이었다. 게다가 알렉스는 대도시 경찰서 중에서도 매우 큰 편이었기 때문에 감방 또한 매우 컸다. 정말로 매우 커서 의자가 없다는 점을 빼면 보통 크기의 영화관만 했다. 그곳에는 침대, 창문, 통풍구도 없었다. 더러운 바닥, 요강으로 쓰

---

49. 아일랜드의 문호 오스카 와일드는 동성애자였다.
50. 1703년 런던에서 설립된 휘그당원의 클럽.

이는 더러운 양동이, 더러운 창살, 더러운 인간과 이만 득시글댈 뿐이었다. 게슈타포는 프린츠 알브레히트 가의 부랑자들을 모두 그곳에 가둬 놓았다. 오르포가 집어넣은 밤거리 주정뱅이들은 그곳에서 싸움박질을 하고 속을 게워 댔다. 게슈타포가 인간쓰레기를 버리는 화장실 대용으로 운하를 이용하듯 크리포는 그곳을 이용했다. 인간이 있기에는 끔찍한 곳이었다. 라인하르트 랑게 같은 쓰레기라도. 나는 그와 그의 패거리들이 한 짓을 계속 내 자신에게 상기시켜야 했다. 썩은 감자들처럼 그 통 속에 앉아 있던 에멜리네 슈타이닝거를. 어떤 죄수들은 우리가 랑게를 데려왔을 때 휘파람을 불며 키스를 날렸고, 랑게는 공포로 하얗게 질려 버렸다.

"하느님 맙소사, 날 여기 두고 가진 않겠지." 그가 내 팔에 매달리며 말했다.

"그럼, 털어봐." 내가 말했다. "바이스토, 란, 킨더만에 관해서. 진술서에 사인을 하면 독방에 넣어 주겠다."

간수가 엄청나게 무거운 감방 문을 연 다음 베커가 그를 그 안에 처넣을 동안 나는 옆에 비켜서 있었다.

슈테글리츠로 돌아온 후에도 그가 울부짖는 소리가 귀에 쟁쟁했다.

소파에서 자고 있는 힐데가르트의 머리칼이 이국적인 금빛 물고기의 등지느러미처럼 쿠션 위에 펼쳐져 있었다. 나는 그 옆에 앉아 실크처럼 보드라운 그녀의 살결을 어루만지고 그녀의 이마에 키스했다. 내가 늘 그런 것처럼 그녀의 숨결에서 술 냄새가 났다. 그녀가 뒤척이

더니 눈물에 젖은 슬픈 눈을 깜빡거렸다. 내 뺨을 어루만지던 그녀의 손이 내 목덜미로 옮겨 갔고, 나를 자신의 입술로 끌어당겼다.

"해야 할 말이 있습니다." 그녀를 제지하며 내가 말했다.

그녀가 손가락으로 내 입을 눌렀다. "그 애가 죽었다는 거 알아요. 울 만큼 울었어요. 이제 눈물샘도 말라 버렸어요."

그녀가 슬픈 미소를 지었고, 나는 그녀의 향기 나는 머리를 어루만지며 양 눈꺼풀에 상냥하게 키스하고 그녀의 귀에 코를 비볐다. 그녀가 나를 세게 끌어안았을 때 나는 그녀의 목을 깨물었다.

"당신도 끔찍한 밤이었을 거예요." 그녀가 부드러운 목소리로 말했다. "그렇죠?"

"끔찍했죠." 내가 말했다.

"당신이 그 끔찍한 집으로 돌아가서 걱정했어요."

"그 얘긴 그만합시다."

"침대로 데려다줘요, 베르니."

그녀가 내 목에 팔을 두르자 나는 몸을 웅크려 그녀가 환자인 양 안은 다음 그녀를 침대로 데리고 갔다. 그녀를 침대 끝에 앉히고 블라우스의 단추를 벗기기 시작했다. 블라우스를 벗기자 힐데가르트는 한숨을 쉬고 물러나 앉았다. 희미한 술 냄새를 맡으며 스커트 지퍼를 내리고 부드럽게 스타킹을 벗겼다. 슬립을 끌어내리고 나는 그녀의 작은 가슴, 배 그리고 허벅지 안쪽에 키스했다. 팬티가 너무 타이트해서인지 엉덩이 사이에 끼어 있어서인지 벗기기가 쉽지 않았다. 나는 그녀에게 엉덩이를 들으라고 말했다.

"찢어요." 그녀가 말했다.

창백한 범죄자
—
347

"뭐요?"

"찢으라고요. 날 아프게 해 줘요, 베르니. 날 마음대로 해요." 그녀
가 다급한 목소리로 말하며 거대한 사마귀의 턱처럼 허벅지를 벌렸
다 모았다 했다.

"힐데가르트……,"

그녀가 내 입을 세게 후려쳤다.

"잘 들어요, 빌어먹을 양반. 내가 말한 대로 날 아프게 하라고요."

그녀가 다시 때리려고 했을 때 나는 그녀의 팔목을 잡았다.

"충분히 힘든 밤이었습니다." 그녀의 다른 팔을 잡았다. "그만둬
요."

"제발 해 줘요."

나는 머리를 저었지만 그녀의 다리가 내 허리를 감싼 뒤, 강한 허벅
지 힘으로 조이자 콩팥이 아파 왔다.

"그만둬요, 맙소사."

"날 때려요. 당신은 어리석고 추한 개자식이에요. 내가 당신에게
어리석다는 말도 했었나요? 전형적인 멍청한 형사. 당신이 남자라면
날 범해야 해요. 그 정도의 배짱도 없죠?"

"슬픔을 느끼고 싶다면 시체 안치소에 데려다주겠소." 나는 머리를
흔들고 그녀의 허벅지를 떼어 냈다. "하지만 이건 아니야. 이건 사랑
의 방식이 아니라고."

그녀는 발버둥 치길 멈췄고, 잠시 내 말의 진심을 이해한 것처럼 보
였다. 미소를 지으며 몸을 일으켜 입술을 내게 내밀더니 내 얼굴에 침
을 뱉었다.

이 이상 내가 할 수 있는 일은 자리를 뜨는 것 외에 없었다.

내 속에 파자넨 가의 내 아파트만큼이나 차갑고 외로운 응어리가 진 듯했고, 나는 집에 가자마자 거의 곧바로 다시 집에서 나와 그 응어리를 풀기 위해 브랜디 한 병의 힘을 빌렸다. 누군가가 예전에 행복이란 단지 욕망이 정지되고 고통이 소멸된 음성적인 상태라는 말을 한 적이 있었다. 브랜디가 약간 도움이 되었다. 하지만 외투를 입은 채 안락의자에 앉아 잠에 떨어지기 전, 나는 내가 얼마나 양성적인 체하며 살아왔는지 깨달았다.

22

11월 6일 일요일

생존, 특히 이 어려운 시기의 생존은 성취의 일종으로 셈해야 한다. 쉽게 이룰 수 있는 것이 아니다. 나치 독일 치하에서의 삶은 끝없는 노력이 요구된다. 하지만 그 노력을 다했다고 해도 그 노력이 의의가 있었는가 하는 문제가 남는다. 결국 삶에 의미가 없다면 건강과 미래에 대한 보장이 무슨 의미가 있겠는가?

그것은 나 혼자만 느끼는 유감이 아니었다. 다른 많은 사람들처럼 나는 진심으로 언제나 더 힘든 사람들이 있다고 믿는다. 어쨌든 이번 경우로 나는 그 믿음이 사실이라는 것을 알았다. 유대인의 고통을 자신의 사명으로 삼은 바이스토가 새로운 극단적 방법을 막 시도하지 않았다고 하더라도 유대인들은 이미 박해받고 있었다. 이와 같은 경우, 그들과 우리 모두에게 어떤 말을 할 수 있을까? 독일은 어떻게 돼 버린 걸까?

사실 내 걱정은 그런 것보다도 유대인들이 그 우려를 스스로 초래했다는 것이었다. 하지만 그렇다 하더라도 우리가 그들의 고통을 보고 기뻐해야 하는가? 그들의 고통으로 우리의 삶이 더 달콤해졌을까? 그들을 박해해서 내가 더욱 자유로워졌을까?

생각을 하면 할수록 살인을 막는 것뿐 아니라 유대인들을 파멸시키겠다는 바이스토의 목적을 좌절시키는 게 시급하다는 것을 깨닫게 되었고, 그것을 막기 위해서는 나 역시 그들처럼 악해져야 한다는 생각이 들었다.

나는 빛나는 갑옷을 입은 기사가 아니다. 바람과 햇볕을 가리는 후줄근한 외투 차림으로 길모퉁이에 서서 앞으로 나가 도덕을 외치면 어떨까 하는 어쭙잖은 생각만 하고 있는 사람일 뿐이다. 물론 나라는 인간은 내 주머니를 채울 수 있을 것들에 대해서라면 지나치게 양심적인 사람이 아닐뿐더러 교회 성가대에 서서 독창을 할지언정 불량 청소년들을 선도할 사람도 아니다. 확실히 나는 가게에 도둑이 들어도 손톱만 보고 있을 사람이었다.

나는 내 앞의 테이블 위로 편지 뭉치를 던졌다.

"당신 집에서 이걸 찾았지."

헝클어진 머리에 매우 피곤해 보이는 라인하르트 랑게는 그 편지를 별 관심 없는 듯 보았다.

"이걸 어떻게 손에 넣었는지 말해 주겠나?"

"원래 내 편지들이오." 그가 어깨를 으쓱했다. "부인하지 않겠소." 그가 한숨을 쉬고 머리를 떨궈 손을 내려다보았다. "이봐요, 난 당신이 준 진술서에 사인했소. 더 뭘 원하는 거요? 협조하지 않았소?"

"거의 끝나 가, 라인하르트. 두 가지 미진한 부분이 있어서 확실히 해 두고 싶은 것뿐이야. 누가 클라우스 헤링을 죽였는가 따위 말이야."

"무슨 말을 하는지 모르겠군."

"건망증이 있나 보군. 그자는 자신의 고용주였던 네 애인에게서 이 편지들을 훔친 다음 네 어머니를 협박중이었어. 돈을 받으려면 어머니를 협박하는 게 낫겠다고 생각했겠지. 간단히 줄여서 말하자면 어머니는 자신을 쥐어짜고 있던 자를 찾아내려고 탐정을 고용했어. 그 탐정이 나야. 내가 알렉스에 복귀하기 전의 일이지. 네 어머니는 머리가 빨리 돌아가는 사람이야. 안타깝게도 어머니에게서 그걸 물려받지 못했군. 어쨌든 어머니는 자신을 협박하던 자와 네가 성적으로 관계를 맺고 있는지도 모른다고 생각했지. 그래서 내가 그자의 이름을 밝혀냈을 때 어머니는 네가 뒷일을 결정하길 바랐던 거야. 당연히 어머니는 네가 이미 롤프 포겔만이라는 추남을 고용했는지 몰랐어. 아니면 오토 란이 네 돈으로 그자를 고용한 사실을 몰랐거나. 우연이지만 란은 탐정을 고용하려고 했을 때 나에게까지 편지를 보냈었어. 파트너와 나는 그 제안을 검토할 기쁨을 누리지 못했고. 그래서 그 이름을 기억하는 데 꽤 오래 걸렸지. 어쨌든 이건 여담이고.

어머니가 네게 헤링이 범인이라고 말했을 때 너는 당연히 킨더만 박사와 그 문제를 상의했고, 너희 두 사람이 그 문제를 처리하기로 했겠지. 너와 오토 란이. 어차피 많은 살인을 했는데 한 번 더 죽이는 건 문제도 아니었을 거야."

"말했지만 난 아무도 죽이지 않았어."

"하지만 헤링을 죽이는 데 찬성하지 않았나? 그놈을 죽이러 갔을 때 네놈이 차를 운전했겠지. 헤링이 자살한 것처럼 보이도록 시체를 매다는 킨더만을 돕기까지 했을 테지."

"아니야, 사실이 아니야."

"그들의 친위대 제복을 입고서 말이야. 그랬나?"

그가 눈살을 찌푸리고 머리를 저었다. "어떻게 알았지?"

"헤링의 손바닥에 박힌 친위대 모자의 배지를 발견했어. 그가 거칠게 저항했다는 데 돈을 걸 수도 있어. 차 안에 있던 사람은 어떤가? 상당히 애를 먹었나? 안대를 하고 있던 남자 말이야. 헤링의 아파트를 감시하고 있던 사람. 그도 죽였어야 했겠지. 아닌가? 네놈을 알아볼지도 모르니까."

"아니……,"

"모든 게 깔끔하군. 차 안에 있던 사람을 죽인 헤링이 죄책감 때문에 목을 매달았다. 물론 편지를 가져오는 걸 잊어버려서는 안 되지. 누가 차 안에 있던 남자를 죽였지? 죽이자는 건 네놈 생각이었나?"

"아니, 난 그쪽으로는 가고 싶지도 않았어."

나는 그의 옷깃을 거머쥐고 의자에서 일으켜 따귀를 갈기기 시작했다. "닥쳐, 네놈의 징징거리는 소리에 신물이 나. 누가 그를 죽였는지 말해. 그렇지 않으면 한 시간 내로 총살할 테다."

"란츠가 그랬어. 란하고. 오토가 그의 팔을 잡고 킨더만이 칼로 찔렀어. 끔찍했어. 끔찍했다고."

나는 그를 다시 의자에 앉혔다. 그가 무너지듯 테이블에 이마를 대더니 울기 시작했다.

"알겠지만 라인하르트, 네놈은 지금 궁지에 몰렸어." 내가 담배에 불을 붙이며 말했다. "현장에 있었다면 넌 살인 공범이야. 게다가 넌 소녀들이 살해된 일과도 관련이 있지."

"말했잖소." 그가 비참하게 훌쩍였다. "반대했다면 그들이 날 죽였을 거요. 난 마음속으로 절대 찬성하지 않았지만 반대하기가 두려웠소."

"먼저, 이 패거리에 왜 끼게 됐는지에 대한 설명이 없군." 나는 랑게의 진술서를 집어 들고 내용을 훑어보았다.

"그 질문을 나도 내 자신에게 몇 번이나 해 봤소."

"그래서 답이 나왔나?"

"난 그를 존경했소. 그를 믿었소. 그는 우리가 하는 일이 독일의 미래를 위해서라고 날 설득했소. 그게 우리의 임무라고. 날 설득한 사람이 킨더만이오."

"법정에서 그런 말은 통하지 않아, 라인하르트. 네놈이 얼마나 아담 역할을 하든 킨더만은 이브 역할이 어울리지 않아."

"하지만 그게 사실이오. 정말이란 말이오."

"그렇다 치더라도 무화과 나뭇잎은 다 떨어졌어. 네 몸을 지키고 싶다면 더 나은 설명을 찾는 게 좋을 거야. 네놈에게 의지가 될 만한 좋은 법률 자문을. 네놈이 구할 수 있는 좋은 자문이라면 모두 구해야 할 거야. 내가 보기에 변호사가 필요할 것 같은 사람은 네놈뿐인 것 같으니까."

"무슨 말이오?"

"단도직입적으로 말해 주지, 라인하르트. 이 진술서면 널 감방으로 보내기에 충분해. 하지만 나머지 놈들은 어찌 될지 모르겠군. 그들은 모두 국가지도자와 친분이 있는 친위대원들이니까. 바이스토는 힘러의 사적인 친구야. 네놈은 걱정이 되는군. 네놈이 희생양이 될 공산이 커. 추문을 피하기 위해서 다른 사람들에게는 죄를 묻지 않을 테니까. 물론 친위대는 사임해야겠지만 그 이상의 책임은 없을 거야. 모가지가 달아날 사람은 네놈뿐일걸."

"사실일 리 없어."

나는 고개를 끄덕였다.

"네놈의 진술에 뭔가가 더 있다면 얘기가 다를 수 있지. 네놈이 살인 혐의를 면할 만한 무언가 말이야. 물론 175조는 운에 맡길 수밖에 없어. 그래도 명백한 사형선고보다는 강제수용소 오 년형이 나을 테지. 아직 기회는 있다." 나는 말을 끊었다. "그래, 어떻게 생각하나, 라인하르트?"

"좋소." 고민하던 그가 입을 열었다. "뭔가가 있소."

"말해 봐."

그는 날 믿을 수 있는지 확신하지 못한 듯 주저하며 말을 꺼냈다. 나도 날 믿을 수 없었다.

"란츠는 잘츠부르크 출신의 오스트리아인이오."

"그럴 거라 생각했지."

"빈에서 의학을 공부했소. 정신 질환을 전공했고, 졸업 후에는 잘츠부르크 정신병원에서 일자리를 얻었소. 거기서 바이스토를 만났소. 혹은 빌리구트나. 그는 요즘 자신을 그렇게 부르더군."

"바이스토도 의사였나?"

"맙소사, 아니요. 그는 환자였소. 오스트리아 직업 군인. 하지만 선사시대로 거슬러 올라가는 독일 현자들의 마지막 자손이기도 했소. 바이스토는 초기 독일 이교도들의 삶과 종교적 관례를 볼 수 있는 천리안을 가졌소."

"거참, 유용한데."

"이교도들은 게르만 신인 크리스트Krist를 숭배했고, 후에 유대인들이 그 종교를 훔쳐 간 뒤 그걸 예수의 새 복음으로 만들었소."

"도난 신고는 했나?' 나는 새 담배에 불을 붙였다.

"알고 싶다면 얘기해 주겠소." 랑게가 말했다.

"아니, 아니, 됐어. 하던 얘기나 계속해."

"바이스토는 룬 문자를 연구했소. 스바스티카[51]가 그 기본 문자 중 하나요. 사실, 모든 룬 문자가 피라미드 같은 수정 모양이고 태양을 상징하오. '수정crystal'이라는 말이 거기서 나온 거요."

"그럴 리가."

"어쨌든 1920년대 초에 바이스토는 정신 분열 증상을 보이기 시작했소. 그는 가톨릭, 유대인, 프리메이슨의 저주를 받았다고 믿었소. 그래서 아들이 죽었다고 믿었고, 그건 빌리구트라는 현인의 혈통이 끊겼다는 걸 뜻했소. 이내 아내를 탓하기 시작했고, 시간이 갈수록 폭력적인 성향을 띠게 됐소. 끝내 아내를 목 졸라 죽이려는 시도를 했다가 후에 정신병자 판정을 받았지. 정신병원에 수감돼 있는 동안 몇 차례나 입원 환자를 죽이려고 했소. 그러다 차츰 약물치료가 효과를 보여 정신적인 안정을 되찾았다는군."

---

51. 나치스당의 어금꺾쇠 십자 표시.

"그리고 킨더만이 그의 담당 의사였고?"

"그렇소. 1932년에 바이스토가 퇴원할 때까지."

"이해가 안 되는데. 킨더만은 바이스토가 미쳤다는 걸 알면서 그를 퇴원시켰다고?"

"란츠의 정신요법적 접근은 프로이트와 대치됐고, 그는 인종의 역사와 문화에 관한 자료를 융의 저작에서 찾았소. 그의 연구 분야는 선대 문화를 재건 가능하게 하는 정신적 층위에 관한 인간의 잠재의식이었소. 그게 바로 그가 바이스토를 연구 대상으로 선택하게 된 이유요. 란츠는 융 정신요법에서 힌트를 얻은 독자적인 연구의 열쇠를 바이스토에게서 본 것이오. 그는 힘러의 승인을 얻어 그것으로 괴링 연구소에서 자신의 연구를 시작할 수 있길 바랐소. 그건 또 다른 정신요법으로……."

"됐어. 그게 뭔지 알아."

"어쨌든 그 연구는 진짜였소. 하지만 곧 그는 바이스토가 가짜이며, 선대의 중요성을 일깨우려는 도구로 소위 천리안이라는 것을 이용해 힘러의 눈을 속이고 있다는 걸 알아챘소. 하지만 그 사실을 밝히기엔 이미 늦었지. 게다가 란츠는 자신의 연구소를 손에 넣기 위해서라면 어떤 대가도 치를 마음을 먹고 있었소."

"그에게 왜 연구소가 필요하지? 그는 클리닉을 갖고 있지 않나?"

"란츠는 그걸로 만족하지 않았소. 자신의 연구 분야에서 자신의 이름이 프로이트나 융과 같이 기억되길 바랐소."

"오토 란의 정체는 뭐야?"

"좋은 머리를 타고 났지만 무자비한 광신도에 지나지 않소. 그는 한

창백한 범죄자
—
357

동안 다하우 강제수용소 간수를 지냈소. 그런 부류의 사람이오." 그는 잠시 말을 멈추고 손톱을 물어뜯었다. "담배 한 대 주시겠소?"

나는 그에게 담뱃갑을 던졌고, 열병에 걸린 것처럼 떨리는 손으로 담배에 불을 붙이는 그를 바라보았다. 그는 고단백 영양제라도 된다는 듯 담배를 빨아 댔다.

"얘기 끝났나?"

그가 머리를 저었다. "킨더만은 바이스토의 정신이상을 증명하는 병력 기록을 아직 갖고 있소. 그는 입버릇처럼 그게 자신에 대한 바이스토의 충성을 보장할 보험이라고 말해 왔소. 알겠지만 힘러는 정신병이라면 질색을 하지. 정신병이 인종적 불건전성의 상징이라는 터무니없는 생각을 갖고 있소. 따라서 힘러가 그 병력 기록을 손에 넣게라도 된다면……,"

"……그렇다면 그 연극은 완전히 끝장이지."

"그래서 어쩌실 계획입니까, 경감님?"

"힘러, 하이드리히, 네베 모두 베벨스부르크의 명예회의에 갔다."

"대체 베벨스부르크가 어딥니까?" 베커가 말했다.

"파더보른에서 아주 가까워." 코르슈가 말했다.

"난 그들을 따라갈 생각이다. 힘러의 눈앞에서 바이스토와 그 더러운 프로젝트의 전모를 폭로할 수 있는지 시험해 볼 생각이야. 증인으로 랑게를 데려갈 거야."

코르슈가 자리에서 일어나 문으로 향했다. "알겠습니다, 경감님. 차를 끌고 오죠."

"미안하지만 두 사람은 여기에 남는다."

베커가 으르렁댔다. "하지만 그건 정말 말도 안 됩니다. 화를 자초하는 거라고요."

"계획대로 되지 않을지도 모르지. 이 바이스토라는 작자가 힘러의 친구라는 걸 잊지 말도록. 국가지도자가 내 폭로를 기꺼이 받아들일지 의심스러워. 나쁘게는 내 폭로가 묵살될 수도 있지. 그럴 경우 책임을 져야 할 사람은 나 하나로 족해. 어쨌든 그가 날 경찰에서 쫓아낼 수 없다고 해도 난 오직 이 사건 때문에 경찰에 복귀한 거니까. 쫓아내더라도 내 일로 돌아가면 돼.

하지만 두 사람은 쌓아야 할 경력이 많아. 사실 꼭 전도유망한 경력이라고는 할 수 없지만." 내가 씩 웃으며 말했다. "하지만 나 혼자서 이 일을 쉽게 처리한다면 자네 둘은 힘러의 눈총을 받겠지."

베커와 짧은 눈짓을 교환한 코르슈가 대답했다. "제발, 경감님. 저희를 속일 생각 마십시오. 경감님 계획은 위험합니다. 그렇다는 건 우리도 알고 경감님도 알죠."

"그뿐 아니라," 베커가 말했다. "죄수와 거길 어떻게 가실 겁니까? 운전은 누가 하죠?"

"맞습니다. 베벨스부르크까지는 삼백 킬로미터가 넘습니다."

"공용 차를 가져갈 거야."

"가는 도중에 랑게가 무슨 짓이라도 저지른다면요?"

"수갑을 채워서 갈 생각이다. 그가 무슨 사고를 치려고." 나는 머리를 젓고 옷걸이에서 모자와 외투를 빼 들었다. "자네들에겐 미안하지만 그렇게 해야 해." 나는 문으로 발걸음을 옮겼다.

"경감님?" 코르슈가 손을 내밀었다. 나는 그 손을 잡고 흔들었다. 그런 다음 베커와도 악수했다. 그러고 나서 죄수를 데리러 갔다.

킨더만 클리닉은 지난 8월 말 처음 갔을 때 그대로 깔끔하고 정연해 보였다. 다른 점이 있다면 더 조용해진 것 같았다. 나무마다 자리를 잡은 떼까마귀들이 보이지 않았고, 호수에는 그것들을 놀라게 했던 보트가 없었다. 바람 소리와 메뚜기 떼 같은 낙엽이 오솔길을 구르는 소리뿐이었다.

나는 랑게의 좁은 등에 손을 대고 그를 정문으로 밀쳤다.

"이거 당혹스럽군." 그가 말했다. "여느 범죄자처럼 이곳에 수갑을 차고 오다니. 난 여기서 얼굴이 알려져 있소, 아시다시피."

"여느 범죄자가 너야, 랑게. 네 추한 얼굴에 수건이라도 덮어씌워 주길 바라나?" 내가 그를 다시 밀었다. "이봐, 네놈 바지를 벗겨서 걷게 하지 않는 건 다 내 착한 성품 덕분인 줄 알아."

"내 인권은?"

"젠장, 네놈은 지난 오 년간 어디에 있었지? 여긴 고대 아테네가 아니라 나치 독일이야. 이제 그 염병할 아가리는 닥쳐."

복도에서 한 간호사가 우리에게 다가왔다. 그녀가 랑게에게 인사를 건네려다 수갑을 보았다. 나는 그녀의 놀란 얼굴에 신분증을 들어 보였다.

"경찰이오. 닥터 킨더만의 집무실을 수색할 영장을 갖고 있소." 그 말은 사실이었다. 그 영장에 사인을 한 사람이 나라서 그렇지. 간호사도 랑게처럼 세상 물정을 모르는 것 같았다.

"거기에 들어가시면 안 돼요. 만약 들어가시면 제가……"

"아가씨, 이 신분증에 있는 작은 스바스티카에는 몇 주 전 독일 군대를 수데텐란트로 행군하게 했을 만큼 충분한 권위가 담겨 있다고 생각하는데. 그러니까 내가 원하기만 한다면 이 스바스티카는 날 훌륭한 의사의 팬티 속으로도 행진하게 할 거요." 나는 재차 랑게를 떠밀었다. "자, 라인하르트, 집무실로 안내해."

킨더만의 집무실은 클리닉 뒤편에 있었다. 시내에 있는 아파트에 비하면 작은 편이었지만 의사의 개인 집무실로서는 딱 좋았다. 낮고 긴 소파, 멋진 호두나무 책상, 원숭이의 마음속을 묘사한 것 같은 큰 폭의 현대 회화 두 점, 국가에 가죽 구두가 모자란 이유를 설명하기에 충분한 비싼 가죽 장정 책들.

"내가 볼 수 있는 곳에 앉아, 라인하르트." 내가 그에게 말했다. "그리고 갑작스러운 행동은 금물이야. 나는 쉽게 겁먹는 성격인 데다 그러면 당황해서 폭력적이 되니까. 돌팔이 의사들이 이런 증상을 뭐라고 하더라?" 창가에 큰 캐비닛이 있었다. 나는 캐비닛을 열고 킨더만의 서류들을 훑어보았다. "보상행동이라고 하는군. 그런 용어일 거라고 생각했지. 그건 그렇고, 네놈 친구 킨더만이 치료해 온 사람들의 이름을 들으면 믿기지 않을걸. 이 캐비닛의 서류는 수상 관저 특별 공연 날 밤 초대 손님 리스트 같군. 잠깐, 이건 네놈 파일 같은데." 나는 그 파일을 뽑아서 그의 무릎 위에 던졌다. "그놈이 너에 대해서 뭐라고 썼는지 보지그래, 라인하르트? 우선 네놈이 어쩌다 이 개자식들과 어울렸는지 쓰여 있겠지."

그는 파일을 펼치지 않고 바라보기만 했다.

"그건 아주 간단하오." 그가 조용히 말했다. "내가 처음에 말했던 것처럼 난 킨더만 박사와 친분을 나누면서 심령학에 흥미를 갖게 됐소." 그가 얼굴을 들고 도전적으로 나를 보았다.

"네놈이 끌린 이유를 말해 주지." 내가 웃음으로 그 도전을 받으며 말했다. "지루했기 때문이야. 그 많은 돈으로 뭘 해야 좋을지 몰랐던 거지. 그게 너 같은 부류의 문제야. 돈 많은 집안에서 태어난 부류. 넌 절대 돈의 가치를 몰라. 하지만 네놈 패거리는 알았지, 라인하르트. 그래서 그들이 너에게 바보 요한 역을 시킨 거야."

"그럴 리 없어, 퀸터. 당치 않은 소리야."

"당치 않다고? 그렇다면 파일을 읽어 보지그래. 확실히 그렇다는 걸 알게 될 테니까."

"환자는 담당 의사의 진료 기록을 봐서는 안 되게 돼 있어. 이걸 펼치는 것조차 내겐 비윤리적인 행동이야."

"담당 의사의 진료 기록보다 네놈은 더한 걸 봐 왔다고 생각하는데, 라인하르트. 그리고 킨더만은 그 윤리를 종교재판에서 배웠을걸."

나는 캐비닛으로 몸을 돌렸고, 내가 아는 이름이 눈에 들어온 순간 입을 다물었다. 내가 예전에 두 달을 허비해 가며 찾으려고 애썼던 여자의 이름. 한때 나에게 중요했던 여자. 사랑했다고 해도 좋을 여자. 탐정이라는 일을 하다 보면 때로는 이런 일이 일어난다. 세상에서 사라진 것처럼 흔적도 없이 사라진 사람을 찾는 일을 포기한 순간 단서를 발견하는 것이다. 얼마나 잘못된 방향으로 수사를 하고 있었는지 느낀 순간 짜증은 나지만 대개는 그런 일에 익숙해지게 된다. 내 일은 꼼꼼한 성격의 사람에게는 전혀 맞지 않다. 사립탐정이라는 직업은 눈먼 방직공이 융단을 짜는 것보다 더 미진한 부분을 남기는 일이다. 그런 부분을 잊어버리고 적당한 선에서 만족을 찾지 못한다면 살 수 없으리라. 하지만 이 이름, 몇 주 전 어느 날 밤 의사당의 폐허에서 아르투르 네베가 언급했던 여자의 이름은 한 가지 수수께끼에 대한 뒤늦은 실마리를 발견했다는 만족감 이상을 뜻했다. 발견이 곧 계시일 때가 있다.

"개자식." 랑게가 자신의 진료 기록을 넘기며 말했다.

"나도 같은 생각을 하고 있었지."

"'신경증에 걸린 겁쟁이'라니," 그가 진료 기록의 내용을 인용했다. "내가? 어떻게 그가 날 이렇게 생각했지?"

나는 그의 말을 흘려들으며 옆 서랍을 뒤졌다.

"그는 네놈 친구인 줄 알았는데."

"어떻게 이런 말을 할 수 있지? 믿을 수 없어."

"왜 이러시나, 라인하르트. 상어와 함께 수영을 하면 어떻게 될지 네놈은 알고 있었어. 때로는 불알을 물어뜯길 수도 있다는 걸."

"그를 죽여 버리겠소." 그가 사무실 바닥에 진료 기록을 내팽개치며 말했다.

"그 전에 내가 죽일 거야." 마침내 바이스토의 파일을 찾아낸 내가 말했다. 나는 소리 나게 서랍을 닫았다. "좋아, 찾았군. 이제 여기서 나가지."

내가 문손잡이를 잡으려고 했을 때 문이 열리며 무거운 리볼버가 쑥 들어왔고, 그 리볼버를 쥔 란츠 킨더만이 그 뒤를 따랐다.

"여기서 대체 뭘 하고 있는지 말해 주겠소?"

나는 집무실 안으로 뒷걸음질 쳤다. "이거 뜻밖의 기쁨인데." 내가
말했다. "우린 막 당신에 대해 이야기하는 중이었지. 베벨스부르크로
성경 모임을 간 줄 알았는데. 그건 그렇고, 나라면 그 총을 조심히 다
룰 거야. 내 부하들이 이곳을 감시하고 있으니까. 알겠지만 내 부하들
은 아주 충성스럽지. 요즘 경찰들은 다 그러니까. 그 친구들이 내가
어떤 해라도 입은 걸 알면 어떻게 할지 생각도 하기 싫군."

킨더만은 미동조차 없는 랑게를 힐끗 본 후 내 겨드랑이에 끼인 파
일들을 보았다.

"무슨 게임을 하고 있는지 모르겠군, 슈타이닝거 씨. 그게 당신의
진짜 이름인지는 모르겠지만 내 생각엔 그 파일들을 책상 위에 내려
놓고 손을 드는 게 좋을 것 같은데?"

나는 파일들을 책상 위에 내려놓고 경고의 말을 하려고 했지만 라
인하르트가 선수를 쳤다. 공이치기가 당겨진 45구경 권총을 들고 있
는 자에게 몸을 던지는 것을 선수라고 부른다면. 그의 분노에 찬 첫
서너 마디는 귀가 멍멍해지는 총성과 함께 급작스럽게 끝났다. 총알
은 라인하르트의 목을 관통했다. 끔찍하게도 랑게는 피를 콸콸 쏟으
며 수갑을 찬 손으로 목을 부여잡고 춤추는 데르비시[52]처럼 몸을 비틀
며 바닥에 쓰러졌고, 벽지를 붉은 장미들로 장식했다.

킨더만의 손은 큼직한 45구경 권총보다 바이올린을 잡기에 적합했
고, 무거운 방아쇠를 빠르게 당기려면 목수의 검지가 필요할 정도였

---

52. 극도의 금욕 생활을 서약하는 이슬람교 집단의 일원으로 종교의식 때 빠른 춤을 춘
다.

기에 내게는 킨더만의 책상에 놓인 단테의 흉상을 집어 든 다음 그의 옆머리를 내리쳐 흉상을 몇 조각으로 쪼개 놓기에 충분한 시간이 있었다.

킨더만이 의식을 잃고 쓰러진 후, 나는 집무실 구석에 웅크리고 있는 랑게를 돌아보았다. 피투성이 손으로 경정맥을 누르고 있던 그는 몇 분 못 가 어떤 말도 남기지 못한 채 죽었다. 수갑을 벗겨 신음 소리를 내고 있는 킨더만에게 채우고 있을 때, 총소리를 듣고 집무실로 뛰어든 두 간호사가 끔찍한 광경을 바라보고 있었다. 나는 킨더만의 넥타이에 손을 훔치고 책상으로 걸음을 옮겼다.

"미리 말해 두지만 당신 보스가 막 자신의 호모 친구를 쐈소." 나는 수화기를 들었다. "교환수, 알렉산더 광장의 경찰 본부를 연결해 줘요." 연결을 기다리는 동안 한 간호사가 랑게의 맥박을 찾고, 다른 간호사가 킨더만을 소파로 옮기는 모습을 바라보았다.

"죽었어요." 맥박을 찾던 간호사가 말했다. 두 간호사 모두 나를 의심스러운 눈으로 응시했다.

"귄터 경감이다." 내가 알렉스 교환수에게 말했다. "가능한 한 빨리 코르슈 형사조교나 베커 형사조교와 연결해 주게." 잠시 후 베커와 연결이 됐다.

"킨더만 클리닉이야." 내가 설명했다. "바이스토의 진료 기록을 찾으려고 들렀다가 랑게가 죽었네. 흥분하다가 목에 구멍이 뚫렸지. 킨더만은 총을 갖고 다녔더군."

"영구차를 수배할까요?"

"괜찮은 생각이군. 그래. 영구차가 올 때쯤이면 난 여기 없을 테지만. 원래 계획대로 진행할 거야. 이제 랑게 대신 킨더만을 데리고 간다는 점을 빼면."

"알겠습니다, 경감님. 뒷일은 제게 맡기십시오. 참, 그건 그렇고, 슈타이닝거 부인이 전화했습니다."

"메시지를 남겼나?"

"아니요."

"아무 말도 없었어?"

"네, 경감님. 이런 말씀 드려서 죄송하지만 그 여자가 필요한 게 뭔지 아십니까?"

"무슨 말로 날 놀라게 할지 궁금하군."

"제 생각에 그녀가 필요한 건……."

"음, 말하지 않는 게 좋겠네."

"뭐, 그녀가 어떤 타입인지 아시지 않습니까, 경감님."

"그 정도는 아니야, 베커. 하지만 운전하는 동안 뭔가 떠오르겠지."

나는 장거리 교통로를 지시하는 노란 선을 따라서 베를린을 떠나 포츠담 너머 하노버를 향해 서쪽으로 달렸다.

레닌에서 베를린 순환도로로부터 갈라져 나온 고속도로는 오래된 도시 브란덴부르크 북쪽을 거쳐 브란덴부르크의 주교들이 거처했던 옛 마을 차이자르를 지나 곧장 서쪽으로 뻗어 있다.

이윽고 메르세데스 뒷자리에 킨더만이 자세를 바로 하는 인기척을 느꼈다.

"어디로 가는 거지?" 그가 멍한 목소리로 물었다.

나는 오른쪽 어깨 너머를 힐끗 보았다. 등 뒤로 수갑을 채워 놓아 손을 쓸 수 없는 그가 머리로 나를 들이받을 만큼 멍청하지는 않을 거라고 생각했다. 특히 그 머리가 붕대로 감겨 있는 지금은. 클리닉에서 그를 데리고 나오기 전에 두 간호사가 머리에 뭔가 조치를 취해야 한다고 고집을 부렸다.

"이 길을 모르겠나?" 내가 말했다. "파더보른 남쪽 작은 마을로 가는 중이야. 베벨스부르크. 분명히 알고 있겠지. 나 때문에 친위대 명예회의에 불참하면 안 될 테니까." 눈꼬리로 그가 미소를 짓고 편하게 등을 기대는 모습이 보였다. 아니, 적어도 편하게 기대려고 하는 모습이.

"나로서는 다행이군."

"나한테 큰 불편을 끼쳤다는 걸 아는지 모르겠군, 의사 양반. 그런 식으로 내 스타 증인을 쏘다니. 그는 힘러를 위해 특별 공연을 할 예정이었지. 알렉스에서 진술서를 작성해 둬서 다행이야. 당연히 당신이 대역을 해야 할 거야."

그가 웃음을 터뜨렸다. "왜 내가 그 역을 할 거라고 생각하지?"

"당신이 날 실망시키면 어떤 일이 일어날지 생각하기도 싫으니까."

"자신을 돌아봐. 실망하는 것에 익숙해 보이는군."

"어쩌면. 하지만 힘러의 실망과 비교하면 내 실망쯤이야."

"내 삶에 국가지도자의 위협이 끼어들 리는 없어. 장담하지."

"내가 당신이라면 계급과 제복에 그렇게 의존하진 않을 텐데, 최고 돌격지도자 양반. 에른스트 룀과 돌격대 패거리처럼 간단히 총살될 걸."

"난 룀을 아주 잘 알았지." 그가 차분한 어조로 말을 이었다. "우린 아주 좋은 친구였거든. 그게 어떤 관계였는지 힘러도 잘 알고 있다는데 당신이 흥미 있을지 모르겠군."

"당신이 호모라는 사실을 그가 안다고?"

"분명히. 내가 장검의 밤 Night of the Long Knives[53]에서 살아남았다면 당신이 나를 위해 준비한 불편이 뭐든 그럭저럭 대처할 수 있을 것 같은데. 안 그런가?"

"그렇다면 국가지도자는 랑게의 편지를 즐겁게 읽겠군. 이미 알고 있는 사실을 확인하면서 말이야. 경찰에게 정보 확인이 얼마나 중요한지 과소평가하지 않는 게 좋아. 그는 바이스토의 정신이상도 알고 있겠군. 맞나?"

"십 년 전 정신이상으로 알려졌던 것은 오늘날 치료 가능한 신경 질환으로 판명되었지. 정신요법은 단기간에 빠르게 발전했어. 설마 바이스토 씨가 그런 치료를 받은 첫 번째 친위대 고급장교라고 믿는 건 아니겠지? 난 호헨리헨에 있는 정형외과 전문 병원의 고문이야. 근처에 라벤스브뤼크 강제수용소가 있고, 그곳에서 많은 친위대 참모장교가 정신병을 치료중이지. 정신병은 완곡하게 표현한 병명으로 불리고 있지만. 날 놀라게 하는군. 경찰이라면 이런 편리한 위선이 독일 제국에 얼마나 만연해 있는지 당연히 알고 있을 텐데. 그런데도 눅눅한 작은 폭죽 한두 개로 국가지도자에게 크고 화려한 불꽃놀이를 보

---

53. 1934년 6월 30일 히틀러의 명령으로 돌격대 사령관 에른스트 룀과 간부가 학살된 사건.

여 주려고 안달이 난 자신을 보라고. 그가 실망할 거야."

"그 말이 마음에 드는데, 킨더만. 나는 늘 남의 말을 듣는 걸 좋아했지. 분명히 월경 때문에 우울증에 걸려 당신의 멋진 병원을 찾는 부유한 과부들이 좋아할 것 같군. 그중 몇 사람에게나 코카인을 처방해 주었지?"

"염산코카인은 늘 심한 우울증에 각성제로 쓰여 왔어."

"중독 위험성이 있겠군?"

"그런 위험이 늘 따르는 건 사실이야. 약물 의존 징후가 있는지 살펴야 하지. 그게 내 일이야." 그가 말을 끊었다. "그건 왜 묻지?"

"그냥 궁금해서, 의사 양반. 그게 내 일이야."

마그데부르크 북쪽 호헨바레에서 우리는 엘베 강에 걸린 다리를 건넜다. 다리 위에서 오른쪽으로 거의 완성이 돼 가는 로텐제 선박 승강기의 불빛이 보였다. 엘베 강과 그 이십 미터쯤 위에 있는 미텔란트 운하가 로텐제 선박 승강기로 연결되는 것이다. 이내 우리는 옆 주인 니더작센으로 들어섰고, 주유도 하고 휴식도 취할 겸 헬름슈테트에서 차를 세웠다.

날이 점점 어두워지고 있어서 시계를 보니 거의 일곱시였다. 킨더만의 한쪽 손을 문손잡이에 수갑으로 채우고 소변을 보게 한 다음 바로 옆에서 나 역시 소변을 보았다. 그런 후 뒷좌석의 킨더만 옆에 예비 타이어를 밀어 넣고 킨더만의 왼손목과 타이어에 수갑을 채워 한 손을 자유롭게 해 주었다. 메르세데스는 대형차라 그는 내가 걱정하지 않아도 될 만큼 내 뒤에서 멀찍이 떨어져 있었다. 그와 동시에 어깨 권총집에서 발터를 꺼내 그에게 보인 다음 넓은 조수석에 올려놓았다.

"그게 더 편하겠지." 내가 말했다. "하지만 코를 후비는 이상의 짓을 했다간 이게 불을 뿜을 거야." 나는 시동을 걸고 차를 출발시켰다.

"왜 이렇게 서두르지?" 킨더만이 짜증스럽게 말했다. "왜 이러는지 이해가 안 가는군. 모두가 베를린으로 돌아온 월요일에 당신 공연을 무대에 올리면 간단할 텐데 말이야. 이렇게 먼 길을 운전해 갈 필요가 있는지 모르겠군."

"그땐 너무 늦을 테니까, 킨더만. 당신 친구 바이스토가 계획한 베를린 유대인 집단 학살을 멈추기엔 말이야. 수정 계획. 그걸 그렇게 부르지 않나?"

"아, 그걸 알고 있단 말인가? 바빴군그래. 설마 유대인 지지자는 아니겠지."

"난 사형이나 집단 폭력에 의한 지배를 그리 좋아하지 않는다는 걸 말해 두지. 그게 내가 경찰이 된 이유야."

"정의를 지키기 위해서?"

"그렇게 말하고 싶다면 그렇다고 해 두지."

"자신을 속이고 있군. 지배가 힘이야. 인간의 의지라고 할까. 그리고 집단적 의지를 모으기 위해선 집중이 요구되지. 우리가 하는 일은 아이가 확대경으로 햇볕을 모아 종이를 태우는 것과 다를 바가 없어. 우린 단지 이미 존재하는 힘을 사용하고 있을 뿐이라고. 정의라는 건 멋진 거지만 쓸모가 없어. 그러니까……, 이봐, 이름이 뭔가?"

"귄터. 그리고 당 선전은 그쯤 해 둬."

"그건 사실이야, 귄터. 선전이 아니라. 당신은 시대착오적이야. 그게 뭔지 아나? 사고방식이 낡았다는 뜻이지."

"내 보잘것없는 역사관으로 볼 때 정의란 것은 유행을 타지 않아, 킨더만. 내 사고방식이 낡았고, 당신이 말한 사람들의 의지란 것에 내가 보조를 맞추지 않는다니 기쁘군. 당신은 사람들의 의지를 이용하고 싶어 하는 반면 난 사람들이 그 의지를 억누르는 걸 보고 싶지. 그게 우리의 차이점이야."

"당신은 최악의 이상주의자로군. 물러 터졌어. 정말 유대인에게 일어나고 있는 일을 막을 수 있다고 생각하나? 배는 이미 떠났어. 신문은 이미 베를린에서 일어난 유대교 의식 살인 기사를 준비하고 있다고. 힘러와 하이드리히가 막고 싶다고 해도 그럴 수 있을지 모르겠군."

"막을 수 없겠지. 하지만 아마 늦출 순 있을 거야."

"당신이 내민 증거로 그럭저럭 힘러를 설득시킨다 해도 과연 그가 자신의 어리석음을 공표할 거라고 생각하나? 친위대 국가지도자에게서 당신이 생각하는 정의의 방식을 이끌어 낼 수 있을지 모르겠군. 아마 그 정의를 양탄자 밑으로 쓸어 넣고 단시일 내로 잊어버릴걸. 곧 잊힐 유대인들처럼 말이야. 잘 들어. 이 나라 국민들의 기억력은 형편없어."

"난 아니야." 내가 말했다. "난 잊는 게 없지. 염병할 코끼리처럼. 예를 들면 당신의 이 환자들의 일을." 나는 킨더만의 집무실에서 가져온 두 파일 중 하나를 꺼내 뒷좌석으로 던졌다. "아주 최근에 나는 사립탐정이었어. 놀랍지 않나? 당신이 똥 덩어리로 밝혀졌다 할지라도 우리에겐 공통되는 부분이 있지. 그 환자는 실은 내 손님이기도 했으니까."

그가 실내등을 켜고 파일을 집어 들었다.

"그래, 이 여자. 생각나는군."

"이 년 전에 사라진 여자야. 그녀는 그때 우연히도 당신의 클리닉 근처에 있었지. 그녀가 그 근처에 내 차를 주차했기 때문에 잘 알아. 자, 의사 양반, 당신 친구 융은 이 우연에 대해서 뭐라고 하지?"

"그러니까…… 의미 있는 우연이라고 말하고 싶은 모양이군. 융의 이론으로는 동시 발생이라고 부르는 것이지. 당신이 이해할 만한 말로 설명하긴 매우 어려워. 하지만 이 우연이 어떤 의미가 있는지 모르겠는걸."

"당연히 이해 못 하겠지. 내 무의식에 관해서는 모를 테니까. 어쩌면 그게 다행스러운 일인지도 몰라."

그는 이후 오랫동안 침묵했다.

미텔란트 운하를 지나 브룬스비크 북쪽에서 고속도로가 끝났고, 나는 힐데스하임과 하멜른을 향해 남서쪽으로 차를 몰았다.

"이제 다 왔어." 내가 어깨 너머로 말했다. 대답은 없었다. 간선도로에서 벗어나 삼림지대로 통하는 좁은 길을 몇 분간 천천히 달렸다.

나는 차를 세우고 뒤를 돌아보았다. 킨더만은 조용히 졸고 있었다. 떨리는 손으로 담배에 불을 붙이고 차 밖으로 나갔다. 이제 강한 바람이 불고 있었고, 뇌우가 우르릉거리는 검은 하늘에 은빛 벼락을 치고 있었다. 어쩌면 킨더만을 위해 준비된 벼락일 터였다.

잠시 후 나는 운전석에 등을 기댄 채 조수석에 올려놓은 총을 주워 올렸다. 그러고 나서 뒷문을 연 다음 킨더만의 어깨를 잡고 흔들었다.

"일어나." 그에게 수갑 열쇠를 건네며 말했다. "또 몸을 풀어야지."
나는 메르세데스의 큼직한 헤드라이트 불빛을 받고 있는 전방의 오
솔길을 가리켰다. 그런 후 헤드라이트 빛이 끝나는 곳까지 걸어가서
섰다.

"이 정도면 충분히 멀군." 내가 입을 열자 그가 나를 향해 몸을 돌렸
다. "동시 발생이라. 마음에 드는군. 오랫동안 내 속을 긁어 왔던 일을
잘 설명해 주는 말이야. 난 개인주의자야, 킨더만. 이런 일을 하면 사
생활이 더욱 중요하게 느껴지지. 이를테면 난 명함 뒷면에 우리 집 전
화번호를 적어 준 적이 없어. 내게 특별한 사람이 아닌 이상은. 따라
서 나는 라인하르트 랑게의 어머니가 일을 의뢰하겠다고 불렀을 때
제일 먼저, 다른 탐정도 많은데 나를 고른 이유가 뭐냐고 물었지. 그
녀는 라인하르트의 재킷을 세탁소에 보내기 전에 주머니에서 빼낸
명함이라며 내 명함을 보여 주더군. 당연히 나는 머리를 굴리기 시작
했지. 그녀는 명함을 본 순간 아들에게 무슨 문제가 있는지 걱정했을
테고, 그걸 아들에게 얘기했겠지. 라인하르트는 당신 책상에서 그 명
함을 가져왔다고 했다더군. 그가 그 명함을 가져올 이유가 있었는지
궁금했지. 그럴 이유가 없었을지도 모르고. 아마 이젠 절대 모를 거
야. 이유가 뭐든 내 의뢰인이 갖고 있던 명함이 당신 집무실에 있었다
는 것은 그녀가 실종된 날 거기에 있었다는 뜻이지. 그리고 다시는 모
습을 보이지 않았어. 자, 그야말로 동시 발생 아닌가?"

"이봐, 귄터, 그건 사고였어. 그녀는 중독 상태였어."

"어쩌다 중독이 됐지?"

"난 그녀의 우울증을 치료중이었어. 그녀에게는 직업이 없더군. 누

군가와의 관계도 끝난 상태였고. 겉으로 보기엔 코카인이 그렇게까지 필요한 상태가 아니었지. 외관만으로는 절대 알 방법이 없었어. 약물의존증이 심하다는 걸 알았을 땐 이미 늦은 상태였지."

"어떻게 됐지?"

"어느 날 오후 그녀가 클리닉에 왔어. 그녀의 말을 대충 요약하면 무기력하다는 거야. 그녀는 중요한 일자리를 얻은 참이라더군. 그래서 내가 약간의 도움을 준다면 그녀는 그 일을 잘할 수 있을 것 같다고 했어. 처음에 난 거절했어. 하지만 그녀는 아주 설득을 잘하는 여자였고, 난 결국 동의했지. 난 잠시 자리를 비웠어. 지금 생각하면 그녀는 오랫동안 코카인을 끊은 상태였고, 내성이 없었던 같아. 그녀는 자신의 토사물에 질식한 거야."

나는 아무 말도 하지 않았다. 지금 여기서 잘잘못을 따지기에는 이미 늦은 상황이었다. 복수는 달콤하지 않다. 쓰디쓴 기분에 연민이 남았다.

"어쩔 작정이지?" 그가 불안해하며 물었다. "날 정말 죽일 셈은 아니겠지. 이봐, 그건 사고였다고. 사고 때문에 사람을 죽일 순 없지 않나?"

"없지." 내가 말했다. "안 죽여. 그런 이유로는." 나는 그가 안도의 숨을 내쉬며 내 쪽으로 걸어오는 모습을 보았다. "문명사회에서 사람을 냉혹하게 쏴선 안 되지."

지금 독일은 히틀러의 지배하에 있고, 바이스토와 힘러가 숭배하는 이교도가 횡행하는 만큼 더 이상 이 사회가 문명사회가 아니라는 점만 빼면.

"하지만 피투성이가 돼서 살해된 불쌍한 소녀들에 관해서라면 누군가가 나서야겠지."

나는 그의 머리에 총을 겨누고 방아쇠를 한 번 당겼다. 그런 다음 몇 차례 더.

바람이 몰아치는 좁은 길에서 보이는 베벨스부르크는 베스트팔렌 지역의 전통적 소작농 마을 같았다. 동화에 나올 법한 집의 벽에 드러난 목재 골조에 기대어 있는 농기구들. 벽과 정원에 안치한 성모상. 이렇게 늘어선 집들 중 한 곳에 차를 세우고 친위대 간부 학교로 가는 방향을 물으려고 하니 뭔가 기묘한 기분이 들었다. 하늘을 나는 그리핀[54] 조각들, 검은색 여닫이 창문 덧창과, 상인방에 금색으로 쓰인 룬 문자와 독일 고대 문자가 마녀와 마법사 들을 생각나게 했다. 그래서 나무 타는 냄새와 튀긴 송아지 고기 냄새가 풍기는 현관 앞에 서서 나는 끔찍한 무언가가 나타날 것에 대비했다.

문을 연 여자는 스물다섯 이상은 되어 보이지 않는 젊은 처녀로 얼굴 전체에 퍼진 암종癌腫만 없었다면 꽤 매력적으로 보였을지도 몰랐다. 나는 이 초 이상은 머뭇거리지 않았지만 그 짧은 순간은 그녀를 화나게 하기에 충분한 시간이었다.

"뭐예요? 왜 쳐다보는 거예요?" 그녀가 눈살을 찌푸리고 입을 크게 벌려 새카만 이를 드러내자 입안에 뭔가 검고 썩은 고기 같은 게 보였다. "지금이 몇 신데 벨을 누르는 거예요? 원하는 게 뭐죠?"

---

54. 사자 몸통에 독수리의 머리와 날개가 있는 신화 속 동물.

"방해해서 미안합니다." 나는 그녀의 얼굴에 암종이 없는 부분을 집중적으로 바라보며 말했다. "길을 잃었습니다. 친위대 간부 학교의 방향을 가르쳐 주시면 고맙겠습니다."

"베벨스부르크에는 학교가 없어요." 그녀가 나를 의심스러운 눈으로 바라보며 말했다.

"친위대 간부 학교입니다." 내가 기어드는 목소리로 다시 말했다. "이 근처 어디에 있다고 들었는데."

"아, 거기." 그녀가 자르듯 말하며 현관문에서 몸을 돌려 언덕 아래로 보이지 않는 길을 가리켰다. "저쪽으로 가세요. 좌우로 굽은 길을 조금 가다 보면 길이 더 좁아지면서 왼쪽으로 철책이 쳐진 언덕이 보일 거예요." 그녀가 경멸적으로 웃으며 덧붙였다. "당신이 말하는 학교는 그 위에 있어요." 그리고 내 얼굴 앞에서 문을 탁 닫았다.

교외로 나오니 좋군. 나는 중얼거리며 메르세데스로 발걸음을 옮겼다. 시골 사람들은 사교적인 대화에 시간을 많이 할애한단 말이야.

철책이 쳐진 길을 발견하고 나는 차를 돌려 언덕 위로 올라갔다. 올라와 보니 왜 석탄 덩어리를 입에 넣은 것 같은 여자가 그렇게 즐거워했는지 한눈에 알 것 같았다. 동물원이 애완동물 가게로, 성당이 회당으로 보이지 않는 것처럼 그 학교는 학교처럼 보이지 않았다. 힘러의 학교는 실제로 돔 지붕으로 된 탑들까지 늘어서 있는 보통 크기의 성 같았다. 언덕 위로 희미하게 보이는 어떤 돔은 수많은 프로이센 군인의 전투모를 쓴 머리처럼 보였다.

성의 동쪽, 위병소처럼 보이는 건물 앞에 몇 대의 군용 트럭과 장교용 차가 주차되어 있었다. 나는 거기서 좀 떨어져 있는 작은 교회 쪽으로 차를 몰았다. 순간적으로 온 하늘에 번개가 번쩍였고, 유령 같은 성 전체가 흑백으로 보였다.

어느 기준으로 보아도 인상적인 곳이었다. 무단 침입자가 편하게 들어올 수 없는 공포영화에나 나올 법한 곳. 이곳은 드라큘라, 프랑켄 슈타인, 오를라크[55]와 늑대 인간들이 살 것 같은 학교로, 권총에 구 밀리미터 마늘을 즉각 장전해야 할 것 같은 곳이었다.

베벨스부르크 성은 상상 속의 괴물들을 걱정하기에 앞서 현실적인 괴물들이 넘쳐 나는 곳이 거의 확실했고, 나는 힘러가 닥터 X에게 상당한 조언을 했으리라는 걸 의심하지 않았다.

그건 그렇고 과연 하이드리히를 신뢰할 수 있을까? 나는 꽤 오랫동안 이 문제를 고민하다 결국 결정을 내렸다. 그는 거의 분명한 야심가였고, 나는 바이스토라는 거죽을 뒤집어쓴 정적을 파멸할 수단을 사실상 그에게 제공하는 중이었다. 누구라도 죽일 수 있는 하이드리히의 흰 손에 내가 가진 정보와 내 자신을 맡기는 수밖에 달리 선택의 여지가 없었다.

시계탑 작은 교회 종이 자정을 알렸을 때 성문을 향해 메르세데스를 몰아 언덕 가장자리 너머 물이 마른 해자에 왼쪽으로 구부러지게 걸린 다리를 건넜다.

초소에서 나온 친위대원이 내 신분증을 힐끗 보고 들어가도 좋다고 손짓했다.

나무 문 앞에 멈춰 서서 경적을 두 번 울렸다. 성 도처에 불이 켜졌

---

55. 독일 오스트리아 합작 영화에 등장하는 살인마의 손을 이식한 피아니스트.

지만 내가 울린 경적 소리가 누구든 깨운 것 같지는 않았다. 죽은 자든 산 자든. 문 속의 작은 문이 활짝 열리더니 친위대 하사관이 밖으로 나왔다. 그가 내 신분증을 면밀히 검사한 후 문 안으로 발을 들여놓도록 허락했다. 다음에 나타난 아치형 문에서 나는 다시 한 번 방문 목적을 말하고 신분증을 제시했다. 이번에는 나온 사람은 친위대 중위로, 보아하니 경비 근무 책임자 같았다.

푸른 눈과 금발의 젊고 오만한 친위대 장교를 효과적으로 다루는 유일한 방법은 그들보다 더 오만하게 구는 것이다. 그래서 오늘 밤 내가 죽인 남자를 생각하면서 호헨촐레른 왕자라도 짓밟을 것 같은 차갑고 거만한 눈으로 중위를 노려보았다.

"귄터 경감이다." 나는 거만한 말투로 말했다. "하이드리히 장군이 크게 관심을 가지실 만한, 제국 보안에 영향을 미칠 긴급한 지포 업무로 왔다. 내가 여기 있다고 즉시 장군께 전해라. 장군은 내 도착을 기다리고 계신다. 명예회의중에 성에 들어올 수 있도록 암호를 가르쳐 주셨을 정도니까." 내가 암호를 대자 중위가 내게 오만하게 존경을 표했다.

"신중을 기해야 하는 임무다, 중위." 내가 목소리를 낮추며 말했다. "현 단계에서는 내가 이 성에 있다는 것을 하이드리히 장군이나 그분의 부관만 알아야 한다. 공산당 스파이들이 이미 이 행사에 침투했을 가능성도 있으니까. 알겠나?"

중위가 퉁명스럽게 고개를 까딱하고 전화를 하기 위해 초소 안으로 들어간 동안 차가운 밤하늘이 보이는 자갈 깔린 마당의 끝으로 걸음을 옮겼다.

안에서 보니 성은 생각보다 작은 것 같았다. 세 개의 탑과 연결된 세 채의 지붕이 있는 부속 건물로 이루어져 있었고, 세 개의 탑 중 두 개가 돔 형식이었다. 나머지 하나는 두 탑보다 작았지만 폭이 넓은 성곽 형태로 깃대가 세워져 있었다. 그 깃대에는 친위대 기가 거세진 바람에 시끄럽게 펄럭이고 있었다.

초소에서 나온 중위가 놀랍게도 소리 나게 뒤꿈치를 부딪치며 부동자세로 내 앞에 섰다. 지금의 행동은 내가 보인 위엄보다 하이드리히나 그의 부관이 한 말과 관계가 있을 터였다.

"귄터 경감님," 그가 정중하게 말했다. "장군께서 저녁 식사를 마칠 동안 거실에서 기다리라고 하셨습니다. 거실은 서쪽 탑에 있습니다. 저를 따라오시겠습니까? 하사관이 경감님 차를 주차해 놓을 겁니다."

"고맙다, 중위. 하지만 먼저 앞 좌석에 둔 중요한 서류를 치워야겠군."

바이스토의 병력 기록, 랑게의 진술서 그리고 랑게와 킨더만이 주고받은 편지들이 담긴 서류 가방을 들고 나는 중위를 따라 자갈이 깔린 마당을 지나 서쪽 탑으로 향했다. 왼편 어딘가에서 남자들의 노랫소리가 들려왔다.

"대단한 파티처럼 들리는군." 내가 차갑게 말했다. 중위가 별 관심 없다는 듯이 툴툴거렸다. 어떤 파티든 11월 늦은 밤의 보안 업무보다는 나은 법이다. 우리는 무거운 참나무 문을 지나 거대한 홀로 들어갔다.

독일에 있는 모든 성은 고딕 형식이어야 했다. 모든 게르만 군 지도자는 이런 곳에서 거들먹거리며 살아야 했다. 아리아인의 폭군들이라면 인정사정없는 압제의 상징들에 둘러싸여야 했다. 거대하고 무거운 양탄자, 두꺼운 태피스트리, 따분한 그림 들을 제외하고라도 이곳에는 구스타브 아돌프 왕이 이끄는 군대가 스웨덴 군대와의 전쟁에서 썼던 수많은 갑옷과 옛 소총, 벽에 장식된 검 들이 잔뜩 있었다.

나무 원형 계단을 통해 이른 거실은 그와 대조적으로 소박한 가구로 꾸며져 있었고, 창밖으로는 이 킬로미터쯤 떨어진 작은 비행장의 불빛이 장관을 이루고 있었다.

"마음껏 드십시오." 중위가 술병이 놓인 캐비닛을 열며 말했다. "필요한 게 있으시면 벨만 누르십시오, 경감님." 그러더니 그는 다시 뒤꿈치를 울리고 계단을 내려가 사라졌다.

큰 잔에 브랜디를 가득 따른 후 단숨에 들이켰다. 오래 운전을 한 탓에 피곤이 몰려왔다. 한 잔을 더 따라 들고 안락의자에 꼿꼿하게 앉아 눈을 감았다. 첫 발이 킨더만의 미간을 뚫었을 때 그의 놀란 표정이 여전히 어른거렸다. 지금쯤 바이스토는 킨더만과 그가 가져올 약가방을 몹시 기다릴 터였다. 나 역시 그 약이 한 아름 필요했다.

브랜디를 조금 더 마셨다. 십 분이 흘렀고, 나는 내가 머리를 끄덕이고 있는 것을 느꼈다.

잠에 빠져든 나는 죽음의 말에 이끌려 짐승 같은 인간들, 사신, 핏빛 심판자, 낙원의 낙오자 들 앞에 서는 악몽을 꾸었다.

23

11월 7일 월요일

하이드리히에게 보고를 마쳤을 때쯤 평소 창백했던 장군의 얼굴은 흥분으로 벌게져 있었다.

"축하하오, 귄터. 내 기대 이상이로군. 그리고 타이밍이 완벽해. 안 그런가, 네베?"

"정말 그렇군요, 장군."

"놀랄지도 모르겠지만, 귄터," 하이드리히가 말했다. "현재 힘러 국가지도자와 나는 어디까지나 공공질서와 경제의 안정을 위해 유대인의 재산을 경찰의 보호하에 두고 있소. 거리에서 폭동이 일어난다면 유대인들의 상점만 약탈당하는 게 아니라 독일인 상점 또한 피해를 볼 거요. 그렇게 되면 말할 것도 없이 독일 보험회사가 그 손해를 물어야겠지. 괴링은 이성을 잃을 거요. 그렇다고 누가 그를 탓할 수 있겠나? 어쨌든 경제계획은 웃음거리가 되겠지.

하지만 당신 말대로 힘러가 바이스토의 계략에 설득당한다면 경찰의 보호를 철회할 공산이 크오. 그럴 경우 난 그 입장을 따라야 하겠지. 따라서 우린 이 사태를 조심스럽게 다뤄야 하오. 힘러는 바보지만 위험한 바보니까. 가능한 한 많은 증인들 앞에 바이스토의 정체를 폭로해야 하오." 그가 잠시 말을 끊었다. "네베, 당신 **생각은?**"

국가형사이사관이 긴 코를 문지르더니 주의 깊게 고개를 끄덕였다.

"가능한 한 이 일에 힘러를 연루시켜서는 안 될 겁니다, 장군." 그가 말했다. "증인들 앞에서 바이스토의 정체를 폭로하는 건 전적으로 찬성합니다. 저 개자식이 교묘히 빠져나가게 해서는 안 됩니다. 하지만 국가지도자가 친위대 고급장교들 앞에서 망신을 당하게 해서도 안 될 겁니다. 국가지도자는 바이스토를 파멸시키는 건 용서하겠지만 자신을 바보로 만드는 건 용서치 않을 테니까요."

"동감이야." 하이드리히가 말했다. 그는 잠시 생각했다. "이곳은 지포 6과의 구역 아닌가?" 네베가 끄덕였다. "베벨스부르크와 가장 가까운 보안 방첩부가 어디지?"

"빌레펠트입니다." 네베가 대답했다.

"좋아. 즉시 그쪽에 연락하시오. 새벽까지 이곳으로 중대 병력을 보내도록." 그가 엷은 미소를 지었다. "바이스토가 어떻게든 곤경에서 빠져나가려고 날 유대인으로 중상할 경우를 대비해서. 난 이곳이 마음에 들지 않아. 바이스토는 이 베벨스부르크에 친구가 많지. 여기서 결혼식 주례를 보기까지 했으니까. 따라서 우린 군사력을 과시해야 할지도 모르오."

"이 학교 교장 타우베르트는 이곳에 배치되기 전에 지포에 있었습니다." 네베가 말했다. "그는 믿을 수 있는 사람입니다."

"좋아. 하지만 그에게 바이스토가 어떤 인물인지 말하지 마시오. 애초에 귄터가 꾸며 낸 공산당 스파이설을 고수하고, 엄중히 바이스토를 경계하도록. 그 전에 경감의 침실을 수배해 주는 게 좋겠군. 그런 대우를 받을 만하지."

"제 옆방이 비어 있습니다, 장군. 잉글랜드의 헨리 1세라는 이름이 붙은 방입니다." 네베가 빙긋 웃었다.

"웃기는군." 하이드리히가 웃음을 터뜨렸다. "내 방은 아서 왕과 성배의 방이지. 하지만 혹시 아나? 어쩌면 적어도 오늘 내가 모르간 르 페이[56]를 물리칠지."

회의실은 서쪽 건물 일층에 있었다. 회의실과 통하는 방의 문이 살짝 열려 있어서 회의실에서 진행되는 일을 완벽하게 볼 수 있었다. 폭이 사십 미터가 넘는 회의실은 잘 닦인 목재 바닥에 패널 벽으로 이뤄졌고, 높은 천장에 있는 떡갈나무 들보에는 가고일[57]이 조각되어 있었다. 회의실 한가운데에는 긴 떡갈나무 테이블이 놓여 있었고, 테이블 주위를 등받이가 높은 가죽 의자가 둘러싸고 있었다. 각 의자에는 은색 원반이 붙어 있었는데 그 자리에 앉은 친위대 장교의 이름표인 것 같았다. 죽 늘어선 검은 제복들과 개회에 수반되는 딱딱한 의식을 보고 있자니 프리메이슨단의 대본부 회의를 훔쳐보는 것 같았다.

이날 아침 첫 번째 안건은 버려진 북쪽 탑 재건 계획에 관한 국가지

---

56. 아서 왕의 배다른 누이이자 요술사로 서로 사이가 좋지 않았다.
57. 교회 같은 건물 처마 등을 장식하는 괴물 석상.

도자의 승인이었다. 그 안건을 설명하고 있는 건축 고문 바르텔스는 바이스토와 란 사이에 앉은, 두꺼운 안경을 쓴 뚱뚱하고 키가 작은 남자였다. 초조해 보이는 바이스토는 코카인 금단 현상을 겪고 있는 게 명백했다.

국가지도자가 그 계획에 대해 의견을 묻자 바이스토는 말을 더듬기 시작했다. "숭배라는…… 어…… 측면에서…… 어…… 성의…… 어…… 중요성과, 어…… 동쪽과 서쪽의…… 어…… 미래에 불거질 수도 있는 분쟁에 대비해…… 어…… 그 마법적인 중요성은…… 어……,"

하이드리히가 그의 말을 자르고 끼어들었다. 하지만 누가 봐도 그 여단지도자를 돕기 위해서가 아니라는 것을 알 수 있었다.

"국가지도자님," 그의 말투는 냉랭했다. "이것은 회의이며, 우리 모두 극도의 주의를 기울여 여단지도자의 말을 경청중입니다만, 여단지도자와 그의 동료 란 하급분대지도자에 대한 중대한 혐의를 말씀드리지 않고 그에게 계속 발언하게 하는 것은 국가지도자님께 공정치 못한 처사라고 생각됩니다."

"어떤 혐의 말인가?" 힘러가 다소 불쾌하다는 듯이 말했다. "바이스토의 발언을 막을 만한 혐의가 뭔지 모르겠군. 그에 관한 어떤 조사가 진행되고 있다는 말조차 듣지 못했는데."

"바이스토에 관한 조사가 없었기 때문입니다. 하지만 완전히 다른 별개의 사건 조사로 바이스토가 무고한 독일 여학생 일곱 명을 도착적인 방법으로 살해한 끔찍한 음모의 주된 역할을 했다는 사실이 드러났습니다."

"국가지도자님," 바이스토가 으르렁거렸다. "그 말에 이의 있습니다. 말도 안 되는 소립니다."

"사실입니다." 하이드리히가 말했다. "그리고 당신은 괴물이야."

자리에서 벌떡 일어난 바이스토는 온몸을 떨고 있었다.

"거짓말 마, 이 하찮은 유대인 놈아." 그가 침을 뱉었다.

하이드리히는 느긋하게 엷은 미소를 지을 뿐이었다. "경감," 그가 큰 목소리로 말했다. "지금 이 방으로 들어오겠나?"

나는 천천히 회의실로 들어갔다. 나무 바닥을 울리는 내 발소리가 초조한 마음으로 연극 오디션장을 들어서는 배우의 발소리처럼 들렸다. 내가 있는 곳이 이곳만 아니라면 어디라도 좋겠다는 생각을 하며 회의실에 들어서자 참석자 전원의 머리가 나를 향했다. 독일 최고 권력자들의 시선이 나에게 집중되었다. 힘러가 반쯤 몸을 일으켰을 때, 바이스토의 입이 떡 벌어졌다.

"이건 뭔가?" 힘러가 으르렁댔다.

"여기 있는 사람 중 어떤 사람들은 이 신사를 슈타이닝거 씨로 알고 있을 겁니다." 하이드리히가 차분한 목소리로 말했다. "살해된 소녀들 중 한 명의 아버지로 말입니다. 실은 그렇지 않습니다. 이 사람은 내 부하입니다. 자신이 누군지 밝히도록, 귄터."

"베를린 알렉스 살인과의 베른하르트 귄터 경감입니다."

"그리고 왜 여기에 왔는지 이 자리에 있는 장교들에게 설명하도록."

"카를 마리아 바이스토 혹은 카를 마리아 빌리구트, 야를 비다르라고도 알려진 자와 오토 란 그리고 리하르트 안더스를 체포하기 위해서입니다. 그들은 1938년 5월 23일에서 9월 29일 사이 베를린에서 일곱 명의 소녀를 살해한 자들입니다."

"거짓말." 안더스라고 생각되는 장교와 함께 자리에서 벌떡 일어난 란이 소리쳤다.

"앉아." 힘러가 말했다. "그 말을 증명할 자신이 있겠지, 경감?' 내가 카를 마르크스라 해도 이렇게 증오스러운 눈으로 노려보지는 않으리라.

"그렇습니다, 국가지도자님."

"이게 자네의 속임수 중 하나가 아니길 빈다, 하이드리히." 힘러가 말했다.

"속임수라고 하셨습니까, 국가지도자님?' 그가 천진난만하게 말했다. "만약 속임수를 꾸민 자를 찾고 계신다면 이 두 악마들이 바로 그들입니다. 이들은 자신들이 살해한 소녀들을 숨긴 다음 자식을 잃고 마음이 약해진 부모를 설득해 시체가 있는 곳을 알려 주겠다며 영매 행세를 했습니다. 그리고 여기 있는 귄터 경감이 없었더라면 그들은 이 자리에 있는 장교들에게 똑같은 미친 속임수를 썼을 겁니다."

"국가지도자님," 바이스토가 씩씩거렸다. "완전히 터무니없는 말입니다."

"자네가 말한 증거를 대 보겠나, 하이드리히?'

"나는 미친 속임수라고 말했습니다. 정확히 그 뜻입니다. 당연히 여기엔 죽은 소녀의 부모들이 당했던 것처럼 그런 터무니없는 책략에 빠질 사람이 아무도 없습니다. 어쨌든 이자들의 특징은 자신들이 하는 짓을 옳다고 믿을 만큼 미쳤다는 겁니다." 그는 자신의 서류 다발 밑에서 바이스토의 병력 기록이 담긴 파일을 찾아 힘러 앞에 놓았다.

"그게 카를 마리아 빌리구트 혹은 카를 마리아 바이스토로도 알려진 자의 병력 기록입니다. 그 기록은 최근까지 그의 주치의, 최고돌격지도자 란츠 킨더만이 소유하고 있었습니다."

"안 돼." 바이스토가 소리치며 그 파일을 향해 달려들었다.

"저자를 잡아." 힘러가 고함을 질렀다. 바이스토 옆에 서 있던 두 장교가 즉시 그의 양팔을 잡았다. 란이 권총집에 손을 댔지만 내가 더 빨랐다. 나는 그의 머리에 총구를 대고 격발 장치를 당겼다.

"총에 손만 대도 네 머리에 바람구멍을 내 줄 테다." 나는 그렇게 말한 다음 그의 총을 압수했다.

하이드리히는 말을 이었다. 보아하니 그는 이 소동에도 별로 방해를 받지 않는 듯했다. 이런 점만큼은 인정해 줘야 했다. 그는 북해의 연어처럼 냉정했고, 약삭빠른 인간이었다.

"1924년 11월, 빌리구트는 아내를 살해하려고 한 혐의로 잘츠부르크에 있는 정신병원에 수용됐습니다. 검사 결과 정신이상으로 판명되었고, 1932년까지 닥터 킨더만의 치료하에 보호시설에 수용되어 있었습니다. 퇴원 후 그는 바이스토로 개명했고, 다음은 각하가 아시는 대로입니다, 국가지도자님."

힘러는 잠시 그 파일을 대충 훑어보았다. 마침내 그가 한숨을 내쉬고 말했다. "이게 사실인가, 카를?"

두 명의 친위대 장교 사이에 잡혀 있는 바이스토가 머리를 저었다.

"신사이자 장교로서 제 명예를 걸고 맹세코 거짓입니다."

"그의 왼 소매를 걷어 보십시오." 내가 말했다. "저자는 약물중독입니다. 수년 동안 킨더만이 저자에게 코카인과 모르핀을 놔 줬습니다."

힘러가 바이스토를 잡고 있는 두 장교에게 고개를 끄덕였다. 그리고 그들이 끔찍할 만큼 검푸른 팔뚝을 드러냈을 때 내가 덧붙였다. "여전히 믿지 못하시겠다면 라인하르트 랑게의 스무 페이지가 넘는 진술서를 보여 드리겠습니다."

힘러는 계속 고개를 끄덕이고 있었다. 의자에서 빠져나와 친위대의 현자, 여단지도자 앞에 선 그는 바이스토의 양 뺨을 갈겼다. 그리고 다시 한 번.

"이놈을 내 눈앞에서 치워." 힘러가 말했다. "이놈을 추후 통보할 때까지 숙소에 가둬라. 란, 안더스, 저 두 놈도." 그의 목소리가 거의 히스테릭하게 올라갔다. "끌고 나가. 맙소사. 너희들은 더 이상 이 회의의 멤버가 아니다. 너희 셋 모두 해골 반지와 단검과 대검을 반납해야 할 것이다. 후에 처분 결정을 내리겠다."

아르투르 네베가 대기하고 있던 경비를 불렀고, 경비들이 나타나자 세 사내를 그들의 숙소로 데려가라고 명령했다.

테이블을 둘러싼 거의 모든 친위대 장교가 놀란 나머지 입을 딱 벌리고 있었다. 하이드리히만이 태연한 모습이었다. 정적의 궤멸을 보는 그의 밀랍 같던 긴 얼굴은 더 이상 만족감을 숨기지 않았다.

경비가 바이스토, 란 그리고 안더스를 호송해 가자 모든 시선이 힘러에게 쏠렸다. 불행히도 그의 시선은 나를 향하고 있었고, 나는 총을 총집에 넣으면서 드라마가 아직 끝나지 않았다는 것을 느꼈다. 불편하게도 몇 초간 그는 나를 노려보았다. 의심의 여지 없이 바이스토의 집에서 내가 자신을 어떻게 봤는지 생각중일 터였다. 내가 친위대 국가지도자이자 독일 경찰의 수장인 자신을 속임수에 잘 넘어가는 멍청이라 여겼을 거라고 생각하고 있을 터였다. 적그리스도인 히틀러교의 교황을 자처하는 그로서는 견디기 힘든 수치이리라. 깔끔하게 면도한 깐깐한 작은 얼굴에서 풍기는 오드콜로뉴 냄새를 맡을 수 있을 정도로 가까이 다가선 그가 일그러진 미소를 짓고 미친 듯이 눈을 깜빡이며 내 정강이를 세게 걷어찼다.

고통으로 신음 소리가 절로 나왔지만 여전히 똑바로 서서 부동자세를 취했다.

"네놈이 모든 걸 망쳤다." 그가 머리를 흔들며 말했다. "모든 걸. 알았나?"

"내 일을 했을 뿐입니다." 내가 으르렁대듯 말했다. 그가 다시 나를 걷어찰 거라고 생각한 순간 하이드리히가 적절하게 끼어들었다.

"사정이 사정이니만큼 어쩔 수 없었다는 걸 제가 보장할 수 있습니다. 회의를 한두 시간 늦추고 흥분을 가라앉히시는 게 좋을 것 같군요, 국가지도자님. 국가지도자님이 각별히 여기시는 명예회의에서 중대한 반역이 적발됐으니 충격을 받으시는 것도 무리가 아닙니다. 경감도 충격이 컸을 겁니다. 사실 저희 모두 그렇습니다."

그 말에 동의한다는 웅성거림에 힘러는 다시 정신을 차린 것 같았다. 약간 쑥스러운 듯 얼굴을 살짝 붉힌 그가 얼굴을 씰룩이더니 퉁명스럽게 고개를 끄덕였다.

"자네 말이 옳아, 하이드리히." 그가 투덜대듯 말했다. "끔찍할 만큼 충격적이야. 그렇고말고. 자네에게 사과를 해야겠군, 경감. 자네 말처럼 자네는 그저 자기 일을 한 것뿐이지. 잘했다." 그러고 나서 적잖이 높은 구두 굽의 방향을 바꿔 부관 몇 명과 함께 빠른 걸음으로 행진하듯 회의실에서 나갔다.

하이드리히는 입꼬리만 살짝 움직이는 정도의 희미한 미소를 짓기 시작했다. 이내 나와 시선이 마주치자 그는 나에게 다른 문으로 나가라고 지시했다. 아르투르 네베가 큰 목소리로 떠드는 장교들을 뒤로하고 나를 따라왔다.

"하인리히 힘러에게 직접 사과를 받은 사람은 많지 않지." 서재에 우리 셋만 있을 때 하이드리히가 말했다.

정강이를 문지르자 고통이 밀려왔다. "오늘 밤 일기장에 적어 둘 생각입니다." 내가 말했다. "꿈꿔 왔던 일이라고나 할까요."

"그건 그렇고, 킨더만의 일은 보고하지 않았군."

"도망치다가 총에 맞았다고 해 두죠." 내가 말했다. "당신들이라면 무슨 뜻인지 알겠죠."

"그거 안됐군. 우리에게 아직 쓸모가 있었을 텐데 말이야."

"살인자가 받아야 할 적절한 대가를 받은 겁니다. 누군가는 해야 할 일입니다. 나머지 개자식들은 그런 대가를 치르지 않을 테죠. 친위대원이라는 친분으로. 아닙니까?" 나는 말을 끊고 담배에 불을 붙였다. "그자들은 어떻게 되는 겁니까?"

"친위대에서 쫓겨날 건 분명하지. 힘러가 그렇게 말했으니까."

"그자들에게는 끔찍한 일이겠군요." 나는 네베에게 고개를 돌렸다. "말해 보십시오, 아르투르. 바이스토는 법정으로든 단두대로든 가지 않겠죠?"

"나도 자네만큼이나 마음에 안 드는 일이네." 그가 찡그린 얼굴로 말했다. "하지만 바이스토는 힘러와 가까운 사이야. 바이스토는 너무 많은 걸 알고 있지."

하이드리히가 입술을 삐죽이 내밀었다. "반면 오토 란은 그저 하사관일 뿐이야. 국가지도자는 그에게 어떤 사고가 닥친다 하더라도 별로 개의치 않겠지."

나는 입맛이 쓰다는 생각에 고개를 저었다.

"뭐, 적어도 그자들의 더러운 계략은 끝이 났군요. 적어도 또 다른 집단 학살로는 이어지지 않겠죠. 어쨌든 당분간은."

하이드리히는 이제 불편해 보였다. 네베는 자리에서 일어나 서재 창밖을 바라보았다.

"맙소사," 내가 소리쳤다. "녀석들의 의도대로 될 거라고 말할 셈은 아니겠죠?" 하이드리히가 눈에 띄게 움찔했다. "유대인들이 소녀 살인과 아무런 상관이 없다는 걸 우린 모두 알고 있습니다."

"오, 그렇지." 하이드리히가 밝은 목소리로 말했다. "그건 확실하오. 그들이 책임져야 할 일은 없을 거요. 내 말을 믿도록. 내가 보장하건대……."

"그 친구에게 말해 주십시오." 네베가 말했다. "그는 알 자격이 있습니다."

하이드리히는 잠시 생각하더니 자리에서 일어섰다. 그러고는 서가에서 책을 한 권 뽑더니 성의 없이 훑어보았다.

"그래, 당신 말이 맞아, 네베. 그는 아마 알 자격이 있겠지."

창백한 범죄자
—
391

"뭘 말입니까?"

"오늘 아침 회의가 시작되기 전에 전신을 한 통 받았지." 하이드리히가 말했다. "아주 우연하게도 어떤 광신적인 유대인 청년이 파리에서 독일 외교관을 죽이려고 했소. 보아하니 독일에서의 폴란드계 유대인의 처우에 불만을 품은 것 같더군. 총통은 그 외교관을 프랑스에 있는 자신의 주치의에게 보냈지만 살아날 것 같진 않소.

이미 괴벨스는 총통에게 탄원중이오. 만약 그 외교관이 죽는다면 제국 전체에 유대인에 대한 독일 국민의 자발적 분노를 용인해 달라고 말이지."

"그리고 당신은 모른 척하시겠군요. 아닙니까?"

"무법 행위를 용인할 생각은 없지." 하이드리히가 말했다.

"바이스토는 결국 집단 학살의 꿈을 이뤘군. 개자식."

"집단 학살이라니 말도 안 되는 소리." 하이드리히가 주장했다. "약탈은 용인하지 않을 거요. 유대인들의 재산은 단지 파괴될 뿐이야. 경찰이 약탈을 막을 거요. 그리고 독일인의 생명과 재산을 위협하는 어떤 행위도 용납하지 않을 거요."

"폭동을 어떻게 막을 생각이십니까?"

"지시가 내려오겠지. 폭도들은 체포되고 그에 걸맞은 처벌을 할 거요."

"지시?" 나는 서가를 향해 담배를 튀겼다. "폭동에 대한? 그거 참, 기발하군요."

"독일 내 모든 경찰서장이 지침이 담긴 전신을 받을 거요."

갑자기 매우 피곤함을 느꼈다. 집으로 돌아가 이 모든 것에서 벗어나고 싶었다. 이런 이야기를 나누는 것만으로도 더럽고 부도덕한 사람이 된 것 같았다. 내 임무는 실패했다. 하지만 더 나쁜 것은 애초에 성공할 것 같지 않은 임무였다는 것이다.

우연. 하이드리히는 그렇게 말했다. 융의 이론에 따르면 그것은 의미 있는 우연일까? 아니다. 그럴 리 없다. 더 이상 그 어떤 것에도 의미 따위는 없었다.

24

11월 10일 목요일

'독일 시민의 자발적 분노 표현'. 이것이 라디오 방송 내용이었다.

화가 치밀었지만 자발적인 분노는 아니었다. 밤새 화가 조금씩 치밀어 올랐다. 밤새도록 유리창이 깨지는 소리와 거리에서 울려 퍼지는 외설적인 외침이 들렸고, 건물들이 타는 냄새가 났다. 수치심에 집 밖을 나갈 수 없었다. 하지만 커튼으로 아침 햇살이 스며들었을 때 밖으로 나가 직접 내 눈으로 둘러봐야 했다.

평생 잊지 못할 것 같은 광경이었다.

1933년 이래, 깨진 유리창이라는 것은 어떤 유대인 상점이든 피해 갈 수 없는 직업적 재해 같은 것이었다. 목이 긴 장화나 스바스티카가 나치즘을 상징하듯. 하지만 현재 일어나고 있는 일들은 소수의 술 취한 돌격대 깡패들이 저지르는 우발적 반달리즘과는 완전히 다른 것으로, 훨씬 체계적인 것이었다.

고약한 수정水晶 왕자가 홧김에 지구에 내동댕이친 것처럼 거대한 얼음 조각 같은 유리가 도처에 널려 있었다.

아파트 현관에서 사무실로 가는 길 몇 미터 내에 있는 몇 개의 양복점에는 달팽이 한 마리가 긴 은빛 자국을 남기며 마네킹을 기어오르고 있었고, 거대한 거미줄을 친 거미가 날카로운 실로 다른 거미를 감싸고 있었다.

조금 더 걸어 쿠르퓌어슈텐담 거리 모퉁이에 이르자 수백 조각으로 깨진 거대한 거울이 바닥에 흩어져 있었다. 조심조심 그곳을 지나칠 때 발밑에서 깨진 거울 조각에 내 모습이 비쳤다. 고대 게르만 신인 크리스트의 이름에서 유래한 크리스털水晶과 크리스트 사이의 상징적 연관성을 믿는 바이스토와 란 같은 자들에게 이 광경은 충분히 흥분될 만한 모습이리라. 유리쟁이에게는 큰 힘 들이지 않고 돈을 쓸어 담을 수 있을 것 같은 광경일 터였다. 밖으로 구경 나온 많은 사람들이 그런 말을 주고받고 있었다.

파자넨 가 북쪽 끝 도시 고속 전철 철로 변에 있는 유대교 회당은 여전히 불타고 있었다. 타 버린 들보와 벽 들의 처참한 잔해가 보였다. 내게 천리안은 없었지만 그 광경을 본 올곧은 사람들이라면 나와 같은 생각을 하고 있을 게 분명했다. 우리가 히틀러와 함께 몰락하기 전에 얼마나 더 많은 건물이 이 같은 처지에 놓이게 될 것인가?

다음 거리에는 트럭 두 대분의 돌격대원들이 더 많은 유리창을 군화로 깨는 중이었다. 쓸데없는 분쟁을 피하기 위해 다른 길로 돌아가려고 마음먹고 막 발걸음을 돌린 순간 알 듯한 목소리가 들려왔다.

"여기서 꺼져, 유대인 개자식들아." 사내애의 고함 소리였다.

목소리의 주인공은 히틀러 유겐트 기계화 부대 제복을 입은, 브루노 슈탈레커의 열네 살짜리 아들 하인리히였다. 상점에 큰 돌을 던지는 모습이 보였다. 그는 자신이 하는 짓에 웃음을 터뜨리며 말했다. "엿 먹어라, 유대인 놈들아." 아이는 자신을 지지하는 어린 전우들을 둘러보던 와중에 나를 보았다.

그 애에게 걸어가며 내가 그 애의 아빠라면 했을 것 같은 말들을 생각했지만 정작 다가갔을 때는 미소를 지었다. 손등으로 아이의 턱을 후려치고 싶은 강한 충동을 느꼈다.

"안녕, 하인리히."

아이는 멋진 푸른 눈으로 나를 뚱하게 바라보았다.

"날 야단칠 수 있을 거라고 생각하시나 보군요." 그 애가 말했다. "아버지의 친구라는 이유로요."

"내가 말이냐? 난 네가 뭘 하든 신경 쓰지 않는다."

"오? 그래서 원하시는 게 뭔데요?"

난 어깨를 으쓱하고 아이에게 담배 한 개비를 건넸다. 아이는 담배를 받아 들었고, 나는 나와 아이의 담배에 불을 붙였다. 그런 다음 아이에게 성냥갑을 던졌다. "자. 오늘 밤 이게 필요할 게다. 아마 넌 유대인 병원을 습격할 테니까."

"그래요? 내게 설교하실 참인가 보군요."

"그 반대야. 네 아버지를 죽인 자들을 알아냈다고 알려 주러 온 거야."

"정말요?" 이제 옷 가게를 약탈하느라 바쁜 하인리히의 친구들 중 몇 명이 그에게 와서 같이하자고 소리쳤다. "조금만 기다려." 아이가 그들에게 소리쳤다. 그리고 나에게 물었다. "그놈들, 어딨어요? 아버지를 죽인 놈들요."

"한 명은 죽었다. 내가 직접 쐈지."

"잘됐군요. 잘하셨어요."

"두 명은 어떻게 될지 모르겠구나. 상황에 달렸겠지."

"상황이라니요?"

"친위대라는 상황. 군법회의에 회부될진 아직 모르겠다." 나는 혼란으로 미간에 주름이 진 잘생긴 젊은 얼굴을 바라보았다. "오, 내가 말하지 않았니? 비열하게 네 아버지를 죽인 자를 포함한 그들은 모두 친위대 장교였다. 아버지가 그자들의 범법 행위를 막으려고 했기 때문에 그자들은 아버지를 죽여야 했지. 너도 알다시피 그놈들은 악마였다, 하인리히. 네 아버지는 늘 그런 악마들을 감방에 처넣는 일에 최선을 다하셨어. 네 아버지야말로 진정한 경찰이셨지." 나는 도처에 널린 깨진 유리를 향해 손짓을 했다. "아버지가 이런 것들을 보고 어떻게 생각하시겠니?"

하인리히는 주저했다. 내가 한 암시를 곱씹는 동안 목이 멘 것 같았다.

"그럼…… 그러니까 아버지를 죽인 게 유대인이 아니라고요?"

"유대인? 맙소사, 아니야." 내가 웃음을 터뜨렸다. "도대체 그런 생각은 어디서 나온 거냐? 유대인은 절대 아니었다. 《데어 슈튀르머》 기사를 다 믿어선 안 된다."

이야기가 끝나자 하인리히는 친구들에게 돌아갔지만 열의가 꽤 식은 듯했다. 완전히 다른 두 방향의 선전 활동을 반영하는 이 광경에 나는 쓴웃음을 지었다.

힐데가르트를 못 본 지 거의 일주일이 지났다. 베벨스부르크에서 돌아오는 길에 그녀에게 몇 번 전화했지만 그녀는 집에 없었다. 혹은 받지 않았거나. 결국 차를 몰고 그녀를 보러 가기로 결정했다.

카이저 가로수 길에서 남쪽으로 빌머스도르프와 프리데나우를 지나며 나는 똑같은 파괴 현장과 시민들의 자발적 분노의 표현을 보았다. 유대인 이름이 걸린 가게의 간판이 난도질당했고, 반反셈족[58]에 관한 슬로건이 도처에 페인트로 적혀 있었다. 그리고 자행되는 약탈과 얻어터지고 있는 상점 주인들을 손 놓고 보고 있는 경찰들이 그 앞에서 상시 대기하고 있었다.

바그호이젤러 가를 조금 못 미친 곳에서 나는 불길에 휩싸인 또 하나의 유대교 회당을 지나쳤다. 소방관들은 인근 건물에 불똥이 튀지 않도록 주시하며 방관중이었다.

사색을 하기에 좋은 날은 아니었다.

그녀의 아파트와 가까운 레프지우스 가에 주차하고 그녀에게 받은 열쇠로 일층 아파트 현관문 열고 삼층으로 올라갔다. 나는 노커로 아파트 문을 두드렸다. 다른 때라면 열쇠로 문을 따고 들어갔겠지만 우리의 마지막 만남을 고려하면 왠지 그녀가 그런 행동을 좋아하지 않을 것 같다는 생각이 들었다.

잠시 후 발소리가 들린 후 문이 열리자 친위대 소령이 내 앞에 서 있었다. 그는 이르마 한케가 들었던 인종 이론 수업의 모델 같은 사내였다. 금발 머리, 푸른 눈 그리고 콘크리트 같은 턱. 제복 상의 단추는

---

58. 유럽 3대 인종의 하나로 아시리아인, 아라비아인, 유대인 등이 포함된다.

채우지 않은 상태였고, 넥타이는 느슨했다. 이곳에 친위대 잡지를 팔러 온 사람처럼 보이지는 않았다.

"누구예요, 자기?" 힐데가르트의 목소리가 들렸다. 고개를 숙이고 핸드백에서 뭔가를 찾으며 문 앞까지 걸어오는 그녀를 보았다.

그녀는 은빛 크레이프 블라우스에 검은색 트위드 정장 차림이었고, 불타는 건물에서 나는 연기처럼 얼굴 앞에서 흔들리는 검은색 깃털 장식이 달린 모자를 쓰고 있었다. 쉽게 잊힐 것 같지 않은 모습이었다. 나를 본 순간 그녀는 걸음을 멈췄고, 할 말을 생각하려고 애쓰듯 완벽하게 립스틱을 칠한 입술을 살짝 달싹였다.

설명이 많이 필요한 상황은 아니었다. 나는 탐정이니까. 나는 상황을 재빨리 인지했다. 이 상황의 이유 따위는 필요 없었다. 아마 이 사내는 그녀를 때려 주는 일에 나보다 더 능숙할 터였다. 게다가 친위대 아닌가. 이유야 어떻든 그들은 멋진 커플이었고, 힐데가르트는 나를 쫓아 버리려는 듯 도도하게 그의 팔에 자신의 팔을 꼈다.

의붓딸을 죽인 살인자들을 잡았다는 말을 해야 할지 말아야 할지 고민하며 천천히 고개를 끄덕였지만 그녀가 묻지 않아서 나는 달관한 듯 천천히 계속 고개만 끄덕이다 그녀에게 열쇠를 돌려주었다.

내가 계단을 반쯤 내려왔을 때 그녀가 내게 말하는 소리가 들렸다. "미안해요, 베르니. 정말로요."

식물원을 향해 남쪽으로 걸었다. 창백한 가을 하늘은 한때 생명을 부여한 나뭇가지를 떠나 바람에 의해 도시의 먼 구석으로 추방된 수백만 개의 낙엽으로 가득했다. 여기저기서 무표정한 남자들이 물푸

레나무, 참나무, 느릅나무, 너도밤나무, 플라타너스, 은행나무, 마로
니에, 버드나무에서 떨어진 낙엽을 태우며, 이 수목의 디아스포라[59]를
장악하기 위해 미적거리며 일을 하고 있었다. 하지만 낙엽은 태워도,
태워도 항상 많았고, 불타는 낙엽 더미는 절대 줄어들 것 같지 않았
다. 나는 멈춰 서서 발간 잉걸불을 바라보며 낙엽이 죽으며 내뿜는 뜨
거운 가스를 들이마셨다. 만물의 종말을 맛본 느낌이었다.

59. 팔레스타인을 떠나 전 세계에 흩어져 살면서 유대교의 규범과 생활 관습을 유지하던
유대인을 이르던 말.

작가 노트

오토 란과 카를 마리아 바이스토는 1939년 2월에 친위대를 사임했다. 경험이 풍부한 산악인이었던 란은 사임 후 한 달이 채 못 되어 쿠프슈타인에서 가까운 산을 오르다 조난당한 후 사망했다. 그가 죽은 정황에는 적절한 설명이 따르지 못했다. 바이스토는 은퇴하여 종전까지 고슬라르라는 마을에서 친위대의 감시하에 지냈다. 그는 1946년에 사망했다.

1940년 2월 13일 여섯 명의 관구장으로 구성된 율리우스 슈트라이허의 공개 조사 위원회가 열렸다. 당 조사 위원회는 슈트라이허가 '지도자로서 부적격'하다는 결론을 내렸고, 프랑코니아 관구장 직을 박탈했다.

1938년 11월 9일에서 10일에 걸친 수정의 밤*Kristallnacht*[60] 사태로 1백 명의 유대인이 죽었고, 유대인 회당 177개소가 불에 탔으며, 7천 개소의 유대인 상점이 파괴되었다. 이때 파괴된 유리의 양은 독일의 유리 수입국인 벨기에의 연 생산량의 반에 해당될 것으로 추정된다. 달러로 환산한 손해액은 1억 달러에 이를 것으로 추정된다. 유대인들에게 지불된 보험금은 파리에서 살해된 독일 외교관 폰 라트의 살해 보상금으로 압수되었다. 압수된 금액은 25억 달러에 이른다.

60. 17세 독일계 유대인 청년 헤르셸 그린슈판이 파리 주재 독일 대사관의 3등 서기관이었던 에른스트 폼 라트를 암살한 사건에 대한 보복으로 나치가 배후에서 조종한 유대인 습격 사건.

옮긴이 **박진세**

추리소설 애호가로 현재 출판 기획 일을 하고 있다. 옮긴 책으로 에드 맥베인의 『살의의 쐐기』, 『노상강도』, 『마약 밀매인』, 『살인자의 선택』, 아카이 미히로의 『저물어가는 여름』, 엘러리 퀸의 『탐정, 범죄, 미스터리의 간략한 역사』, 필립 커의 『베를린 누아르—3월의 제비꽃』이 있다.

* 이 도서의 국립중앙도서관 출판시도서목록(CIP)은 서지정보유통지원시스템 홈페이지(http://seoji.nl.go.kr)와 국가자료공동목록시스템(http://www.nl.go.kr/kolisnet)에서 이용하실 수 있습니다. (CIP제어번호: CIP2017023089)

The Pale Criminal

베를린 누아르
—
창백한 범죄자

초판 1쇄 발행 2017년 9월 28일

지은이   필립 커
옮긴이   박진세

발행편집인   김홍민 · 최내현
책임편집   안현아
편집   유온누리
마케팅   홍용준
표지디자인   이혜경디자인
용지   한승
출력 인쇄 제본   현문자현

펴낸곳   도서출판 북스피어
출판등록   2005년 6월 18일 제105-90-91700호
주소   (121-826) 서울특별시 마포구 방울내로 11길 43 101-902
전화   02) 518-0427
팩스   02) 701-0428
홈페이지   www.booksfear.com
전자우편   editor@booksfear.com

ISBN 978-89-98791-70-4 (04840)
        978-89-98791-65-0 (SET)